Aprender Word y PowerPoint 2016 con 100 ejercicios prácticos

Aprender Word y PowerPoint 2016 con 100 ejercicios prácticos

Aprender Word y PowerPoint 2016 con 100 ejercicios prácticos

Primera edición, 2016

www.marcombo.com

Diseño de la cubierta: NDENU DISSENY GRÀFIC

ISBN: 978-84-267-2312-3

D.L.: B-4052-2016

Impreso en Ulzama Digital, S.L.

Printed in Spain

Presentación

APRENDER WORD Y POWER POINT 2016 CON 100 EJERCICIOS PRÁCTICOS

100 ejercicios prácticos resueltos que conforman un recorrido por las principales funciones de ambos programas. Si bien es imposible recoger en las páginas de este libro todas las prestaciones de Word y PowerPoint 2016 hemos escogido las más interesantes y utilizadas. Una vez realizados los 100 ejercicios que componen este manual, el lector será capaz de manejar con soltura el programa y crear y editar documentos de distintos tipos tanto en el ámbito profesional como en el particular.

LA FORMA DE APRENDER

Nuestra experiencia en el ámbito de la enseñanza nos ha llevado a diseñar este tipo de manual, en el que cada una de las funciones se ejercita mediante la realización de un ejercicio práctico. Dicho ejercicio se halla explicado paso a paso y pulsación a pulsación, a fin de no dejar ninguna duda en su proceso de ejecución. Además, lo hemos ilustrado con imágenes descriptivas de los pasos más importantes o de los resultados que deberían obtenerse y con recuadros IMPORTANTE que ofrecen información complementaria sobre los temas tratados en los ejercicios.

Gracias a este sistema se garantiza que una vez realizados los 100 ejercicios que componen el manual, el usuario será capaz de desenvolverse cómodamente con las herramientas de Word y PowerPoint 2016 y sacar el máximo partido de sus múltiples prestaciones.

LOS ARCHIVOS NECESARIOS

En el caso de que desee utilizar los archivos de ejemplo de este libro puede descargarlos desde la zona de descargas de la página de Marcombo (www.marcombo.com) y desde la página específica de este libro.

A QUIÉN VA DIRIGIDO EL MANUAL

Si se inicia usted en la práctica y el trabajo con Word y PowerPoint 2016, encontrará en estas páginas un completo recorrido por sus principales funciones. Pero si es usted un experto en el programa, le resultará también muy útil para consultar determinados aspectos más avanzados o repasar funciones específicas que podrá localizar en el índice.

Cada ejercicio está tratado de forma independiente, por lo que no es necesario que los realice por orden (aunque así se lo recomendamos, puesto que hemos intentado agrupar aquellos ejercicios con temática común). De este modo, si necesita realizar una consulta puntual, podrá dirigirse al ejercicio en el que se trata el tema y llevarlo a cabo sobre su propio documento de Illustrator.

WORD Y POWERPOINT 2016

Desde sus inicios, hace ya muchos años, Word y PowerPoint han sido el procesador de textos y el programa de presentaciones por excelencia, los más utilizados y reconocidos entre los usuarios. Microsoft ha puesto todo su empeño en renovar estas excelentes herramientas presentando en su versión 2016 distintas novedades y mejoras en sus prestaciones. Word y PowerPoint 2016 mantienen la interfaz, común, por otro lado, al resto de aplicaciones de Office, basada en la denominada Cinta de opciones, pero con una estética más minimalista respecto a la versión 2013.

Cómo funcionan los libros "**Aprender...**"

El título de cada ejercicio expresa sin lugar a dudas en qué consiste éste. De esta forma, si le interesa, puede acceder directamente a la acción que desea aprender o refrescar.

Los ejercicios se han escrito sistemáticamente paso a paso, para que nunca se pierda durante su realización.

El número a la derecha de la página le indica claramente en qué ejercicio se encuentra en todo momento.

Los recuadros Importante incluyen acciones que deben hacerse para asegurarse de que realiza el ejercicio correctamente y también contienen información que es interesante que aprenda porque le facilitarán su trabajo con el programa.

En la parte inferior de todas las páginas puede seguir el ejercicio de forma gráfica y paso a paso. Los números de los pies de foto le remiten a entradas en el cuerpo de texto.

Índice

Índice

Utilizar Plantillas

IMPORTANTE

Al igual que los documentos se guardan por defecto en la carpeta **Documentos,** Word ubica las plantillas en una carpeta predeterminada denominada **Plantillas personalizadas de office.**

WORD PERMITE CREAR PLANTILLAS y guardarlas como tales para luego utilizarlas en la creación de tantos documentos como se desee. Para ello, basta con abrir una plantilla del programa y guardarla como tal a través del cuadro Plantillas, o bien crear un documento nuevo y guardarlo como plantilla a través del cuadro de diálogo Guardar como.

1. Para empezar, abriremos una de las plantillas almacenadas por el programa en nuestro equipo. Haga clic en la pestaña **Archivo** y pulse sobre la opción **Nuevo.**
2. En esta nueva interfaz distinta a la que teníamos en word 2010, puede buscar una plantilla requerida a través del cuadro **Buscar plantillas en línea** o a través de las opciones de **Búsquedas sugeridas.** Haga clic en este caso sobre la opción **Cartas,** de las opciones sugeridas.
3. Utilice la barra de desplazamiento lateral y seleccione la plantilla **Carta diseño Equidad,** y pulse el botón **Crear.**
4. Se abre un nuevo documento predefinido en el que podemos introducir nuevos datos aprovechando el formato y estructura del mismo.

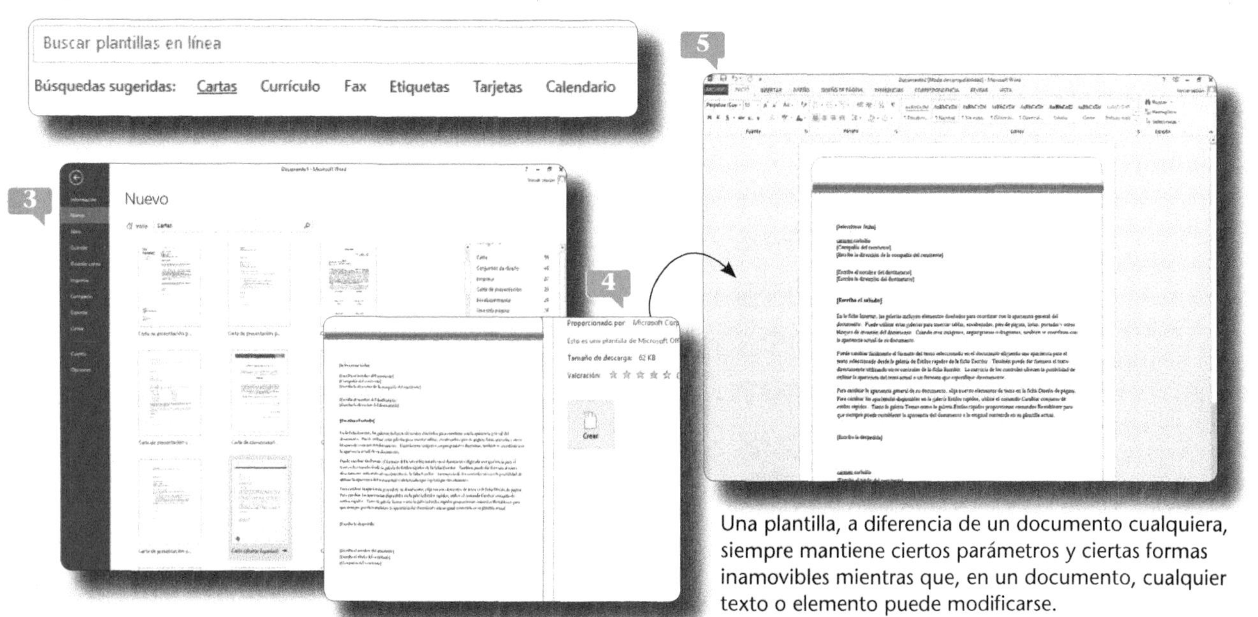

Una plantilla, a diferencia de un documento cualquiera, siempre mantiene ciertos parámetros y ciertas formas inamovibles mientras que, en un documento, cualquier texto o elemento puede modificarse.

5. Cierre el documento a través del botón **Cerrar** situado en el extremo derecho de esta barra y pulse el botón **No guardar** en el cuadro de diálogo que aparece para que no se guarde el documento. [6]
6. A continuación, aprovecharemos el documento abierto para crear una nueva plantilla sin basarnos en las proporcionadas por el programa. Realice algún cambio sobre el documento actual, haga clic en la pestaña **Archivo** y pulse sobre la opción **Guardar**. [7]
7. En esta pantalla nos aparecen las carpetas recientes que hemos utilizado, si ninguna de estas carpetas le satisface en la parte inferior se encuentra el botón examinar para buscar la ubicación que desee. Pulse el botón **Examinar**, [8] por defecto se abre la ventana **documentos**. Ahora debe indicar que desea guardar el documento abierto como una plantilla. Abra la lista de tipos de archivo pulsando en la flecha adjunta al cuadro **Tipo** y pulse sobre el tipo **Plantilla de Word (*.dotx)**. [9]
8. Guardaremos esta plantilla en la biblioteca **Documentos** del equipo. Asigne el nombre que usted desee a la nueva plantilla, en nuestro ejemplo plantilla1 y pulse el botón **Guardar**.
9. Como ve, el nombre de la plantilla ahora aparece en la **Barra de título**. [10] Haga clic en la pestaña **Archivo** y pulse sobre la opción **Cerrar**.

IMPORTANTE

Cabe destacar que, a diferencia de la extensión de los documentos, .docx, la extensión de las plantillas es .dotx.

pantilla1.dotx

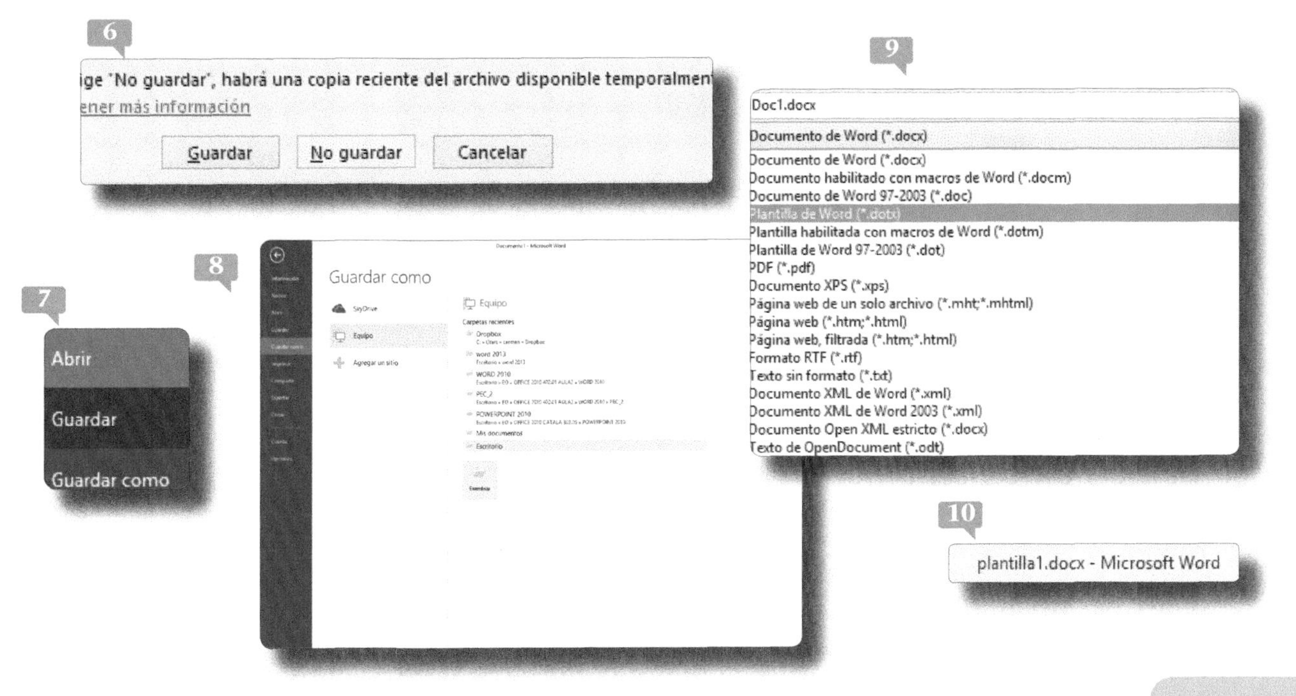

Guardar por primera vez

IMPORTANTE

En el caso de intentar cerrar el archivo o el programa sin haber ejecutado la operación de guardar, Word emite un mensaje de aviso y ofrece la posibilidad de guardar los cambios en ese momento o, por el contrario, conservar el archivo en la versión previa a la sesión de trabajo.

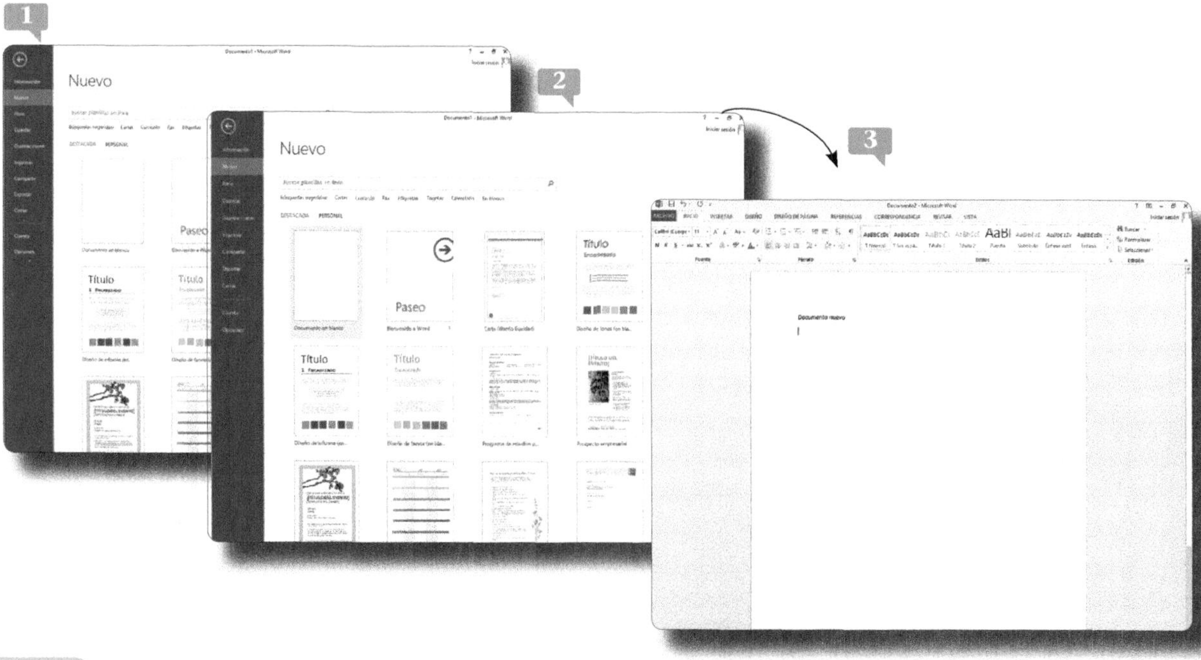

LA PRIMERA VEZ QUE SE GUARDA UN DOCUMENTO, el programa pregunta el nombre que se desea dar al archivo creado y la ubicación o carpeta donde debe ser almacenado. En ocasiones posteriores, cuando ya se han establecido las condiciones de guardado, el programa actúa de diferente modo y almacena directamente el archivo en el mismo lugar donde se hallaba y con el mismo nombre.

1. Aunque ya hemos realizado la tarea de guardar un archivo en algún ejercicio anterior, en éste la trataremos con más profundidad. Para empezar, abramos un documento nuevo. Haga clic en la pestaña **Archivo** y pulse sobre la opción **Nuevo.** 1
2. Haga clic sobre la opción **Documento en blanco.** 2
3. Aparece un nuevo documento, que será el que guardaremos, aunque, antes de hacerlo, introduciremos una o dos palabras para realizar algún cambio en el mismo. Escriba directamente desde su teclado el término **documento nuevo** y pulse la tecla **Retorno** para añadir una línea al documento. 3
4. Para guardar un documento podemos utilizar la opción **Guar-**

1

Nuevo

2

Nuevo

Paseo

Título

3

dar del menú **Archivo**, la combinación de teclas **Ctrl.** + **G** o bien el icono **Guardar** de la **Barra de herramientas de acceso rápido**. En este caso, pulse sobre este icono, que muestra un disquete en la mencionada barra. 4

5. Como ésta es la primera vez que intentamos guardar el documento, el programa abre la pantalla correspondiente a la función **Guardar como**, en la que debemos indicar el lugar donde vamos a almacenarlo. Por el momento, no realizaremos ninguna accion, pulse la flecha de la parte superior izquierda del esta pantalla. 5
6. Ahora accederemos al cuadro **Guardar como** desde otro punto. Haga clic en la pestaña **Archivo**, seleccione la opción **Guardar** y pulse sobre la opción **Examinar** . 6
7. Como ya sabe, la carpeta propuesta por defecto para almacenar el documento es **Documentos.** Escriba la palabra **pruebas** en el campo **Nombre del archivo.** 7
8. Pulse sobre el botón **Guardar** y observe que el cambio de nombre se refleja ya en la **Barra de título** del documento. 8
9. Para terminar este ejercicio en el que hemos aprendido a guardar un documento por primera vez, pulse de nuevo sobre el icono **Guardar** de la **Barra de herramientas de acceso rápido** y observe cuál es el efecto del mismo ahora que el documento ya ha sido guardado.

IMPORTANTE

La letra x que aparece en las extensiones de los archivos de las diferentes aplicaciones de la suite Office hace referencia a la tecnología XML que se usa en estos nuevos formatos. Se trata de formatos de archivos comprimidos y segmentados que reducen notablemente el tamaño del archivo y permiten recuperar con facilidad los archivos dañados.

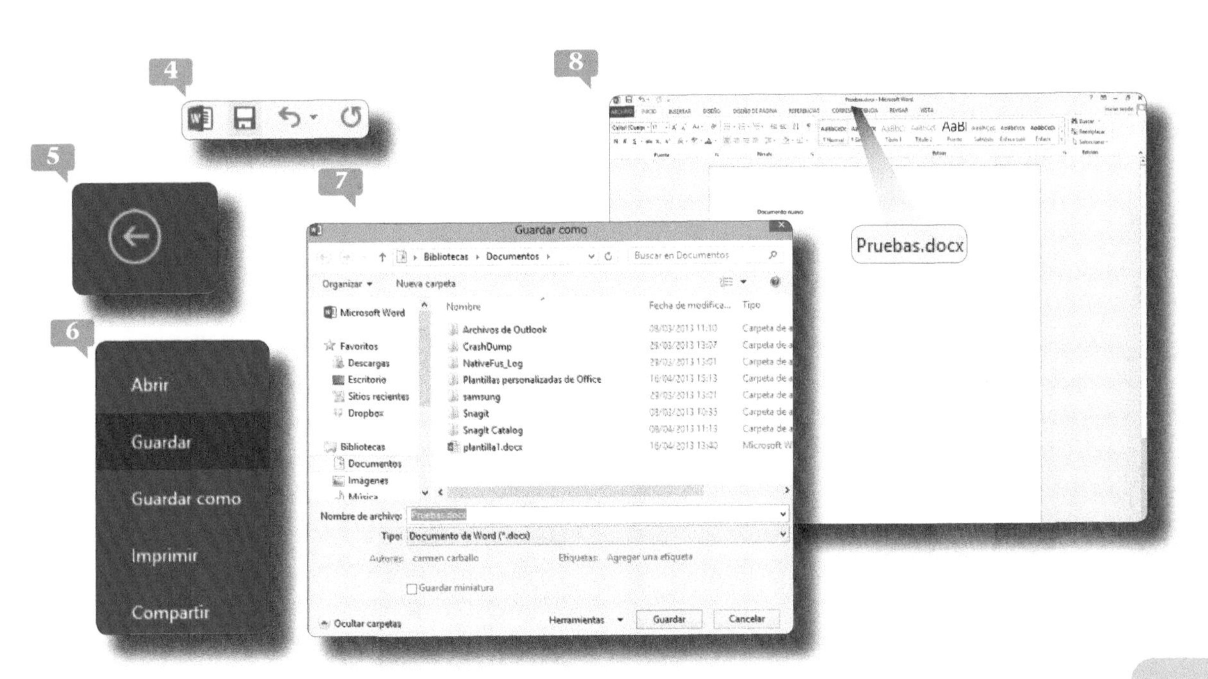

Guardar como página web

LOS ARCHIVOS GUARDADOS COMO PÁGINA WEB son totalmente funcionales en Internet. De este modo, guardar un documento como página web permite que estos archivos adopten la misma interactividad y las mismas propiedades que una página de Internet. Un documento guardado como página web adopta el formato HTML y, por tanto, la extensión .htm.

1. En este ejercicio aprenderemos a guardar un documento de Word como página Web para poder visualizarlo con un navegador. Para empezar, haga clic en la pestaña **Archivo**, seleccione la opción **Guardar como** y pulse sobre el botón **Examinar**. 1
2. En la pantalla **Guardar como**, haga clic en el botón de punta de flecha del campo **Tipo** y seleccione la opción **Página Web**. 2
3. Observe que el nombre propuesto por Word es el mismo que el del archivo original y que la ubicación tampoco ha variado. De momento solo añadiremos un título a la página. Pulse el botón **Cambiar título**. 3
4. En el campo **Título de la página** del cuadro **Escribir texto**, escriba la palabra **muestra** y pulse el botón **Aceptar**. 4

IMPORTANTE

La ventana **Guardar como** no solo permite almacenar los documentos con el nombre que más nos convenga y en el lugar que más nos interese, sino que también nos ofrece la posibilidad de guardarlos como otro tipo de archivo distinto al establecido por defecto por el programa, es decir, como Documento de Word (*.docx).

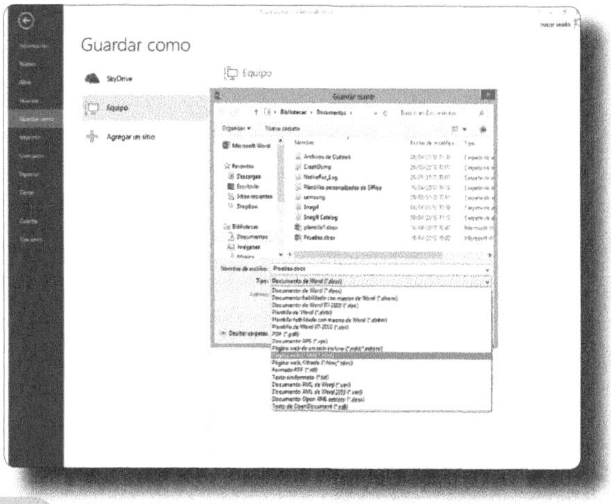

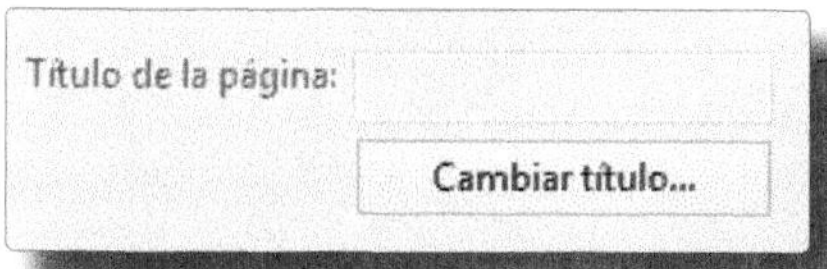

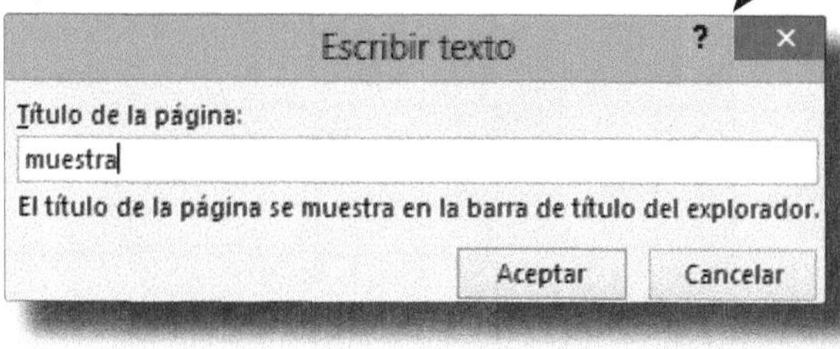

El nombre que escriba como título aparecerá en la **Barra de título** del navegador una vez abra el archivo a través de la red.

5. Pulse el botón **Guardar** para finalizar la tarea.
6. Compruebe en la **Barra de título** del programa como ahora el documento muestra el formato htm. Por último, comprobaremos el correcto funcionamiento de esta nueva página. Para ello, la abriremos desde la ubicación en que se ha almacenado con el navegador Internet Explorer. Para ello, acceda a la carpeta **Documentos** de su equipo, en la que se ha almacenado el nuevo archivo.
7. Haga doble clic sobre el documento **pruebas.htm** para abrirlo en su navegador predeterminado.
8. ¡Correcto! El navegador de Internet se abre mostrando la página titulada **muestra.** Una vez realizada la comprobación, ya podemos cerrar el navegador. Pulse sobre el botón de aspa situado en el extremo derecho de la **Barra de título** del programa.
9. Y para acabar este ejercicio en el que hemos aprendido a guardar un documento como página Web, cierre también el cuadro **Documentos** pulsando el botón de aspa de su **Barra de título**.

IMPORTANTE

Para comprobar que un documento se encuentra en formato HTML y que su extensión es .htm, puede acceder a las propiedades generales del mismo. Para ello, con el documento abierto en pantalla, haga clic en la pestaña **Archivo**, pulse sobre la opción **Información** y despliegue el comando **Propiedades** situado en la parte derecha del panel. Pulse sobre la opción **Propiedades avanzadas** y, en la pestaña **General** del cuadro, podrá comprobar las mencionadas propiedades.

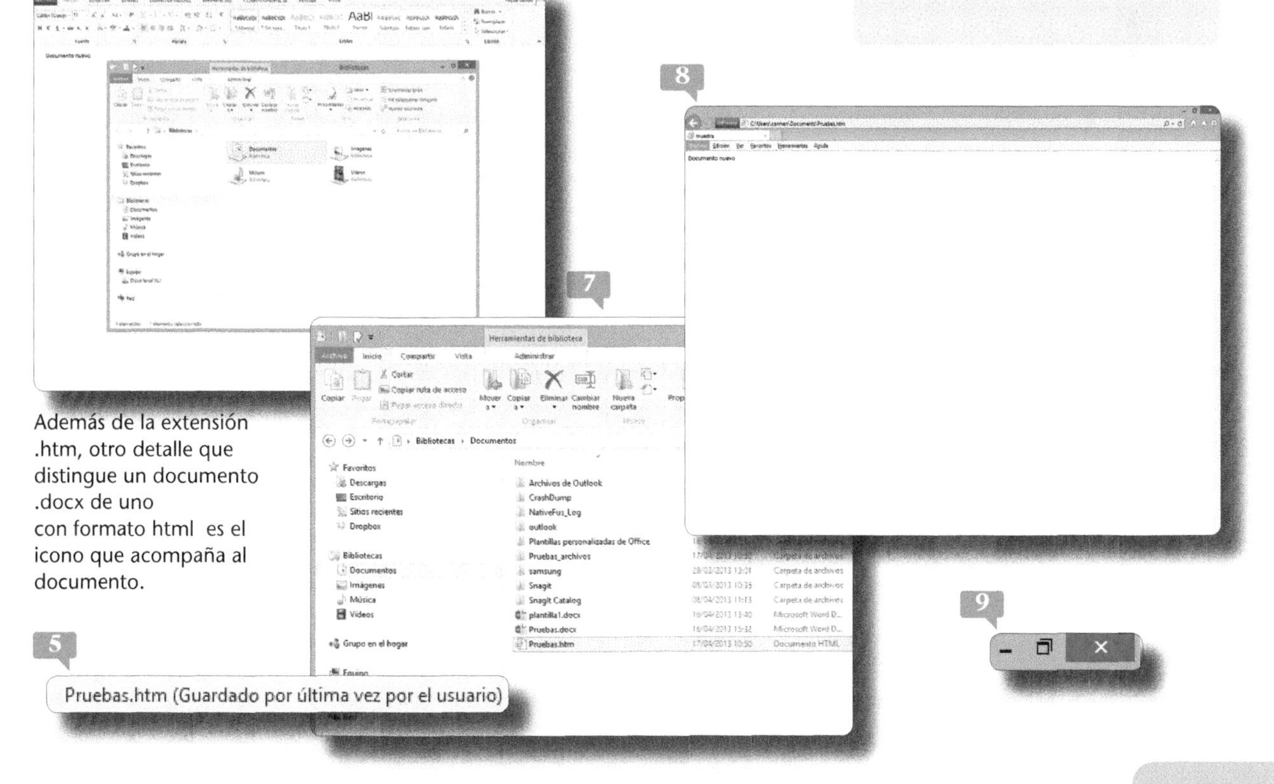

Además de la extensión .htm, otro detalle que distingue un documento .docx de uno con formato html es el icono que acompaña al documento.

Publicar archivos PDF/ XPS y modificarlos

IMPORTANTE

El formato de documento portátil (PDF) fue creado por Adobe Systems con la intención de poder obtener, visualizar y compartir información desde cualquier aplicación y en cualquier sistema informático, mientras que el formato XPS (XML Paper Specification) es el formato propuesto por Microsoft para el intercambio de documentos sin pérdida de datos.

INCLUIDA DENTRO DEL COMANDO EXPORTAR del menú Archivo, se encuentra la opción Crear documento PDF/XPS, con la que es posible convertir de manera rápida y sencilla un documento de Word en un documento con uno de esos formatos, para facilitar así su publicación electrónica con el aspecto que tendrá al imprimirlo. Una novedad de esta versión de Word es además la posiblidad de modificar los archivos PDF.

1. Imaginemos que tenemos que enviar a varias personas un mismo documento para que lo corrijan y añadan comentarios. Haga clic en la pestaña **Archivo** y pulse sobre el comando **Exportar.** [1]
2. En la sección **Crear un documento PDF/XPS**, haga clic sobre el botón **Crear documento PDF/XPS.** [2]
3. En el cuadro de diálogo **Publicar como PDF o XPS** debemos indicar el nombre del archivo, su ubicación en el equipo y el formato al que lo queremos convertir. Si pulsa sobre el botón **Opciones,** [3] podrá observar las diferentes características que se pueden especificar antes de crear su documento PDF. [4] Ahora, convertiremos el documento en un archivo PDF. Haga clic en el botón **Publicar** manteniendo la opción Abrir archivo tras publicación marcada.

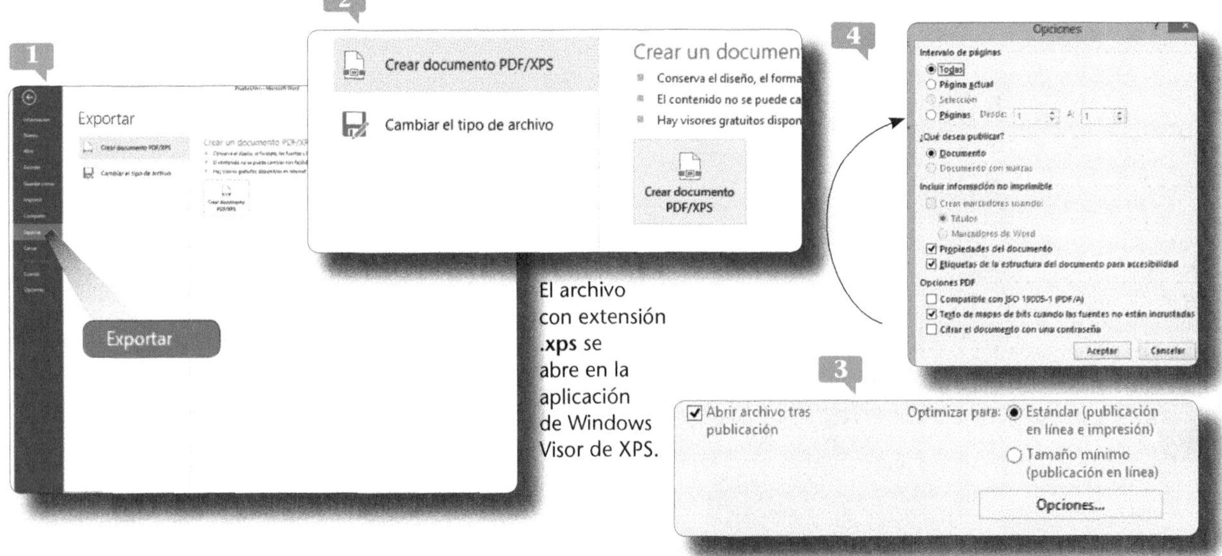

El archivo con extensión **.xps** se abre en la aplicación de Windows Visor de XPS.

4. En pocos segundos se crea el documento PDF y se abre el programa Adobe Acrobat Professional o Adobe Reader, según la aplicación que tenga instalada en su equipo. Cierre el archivo haciendo clic con el botón derecho del ratón en la parte inferior del documento, seguidamente en barra de tareas que apararece pulse el botón **Más** y del menú que se despliega elija la opción **Cerrar Archivo** si dispone de una versión más antigua de Windows simplemente cierre el programa pulsando en su botón de aspa.
5. Disponemos ya de una copia de nuestro documento en formato PDF lista para ser enviada o compartida con otros usuarios. Vamos ahora a ver una novedad interesante, ya que con el nuevo Word 2016 podemos editar un archivo PDF como si fuese un documento cuaquiera, esto es una revolución. Haga clic en la pestaña **Archivo**, pulse sobre la opción **Abrir**, y haga doble clic sobre la opción **Documentos recientes.**
6. Se abre la ventana **Abrir**, pulse sobre el archivo **Pruebas.pdf** que hemos creado y pulse el botón **Abrir.**
7. Aparece una ventana que nos idica que word convertirá el PDF a un documento de Word editable, que es justo lo queremos. Pulse el botón **Aceptar.**
8. Se abre nuestro PDF pero como documento de Word editable, para que podamos realizar las modificaciones oportunas. Cierre este documento pulsando en el botón de aspa de su **Barra de título** y dar por concluido así este ejercicio.

IMPORTANTE

El procedimiento que debe seguir para publicar un documento en formato XPS es prácticamente idéntico al de publicar en formato PDF. Simplemente en el cuadro de diálogo **Publicar como PDF o XPS**, debe hacer clic en el botón de punta de flecha del campo **Tipo** y en este caso seleccionar la opción **Documento XPS**, y seguidamente pulsar el botón **Publicar.**

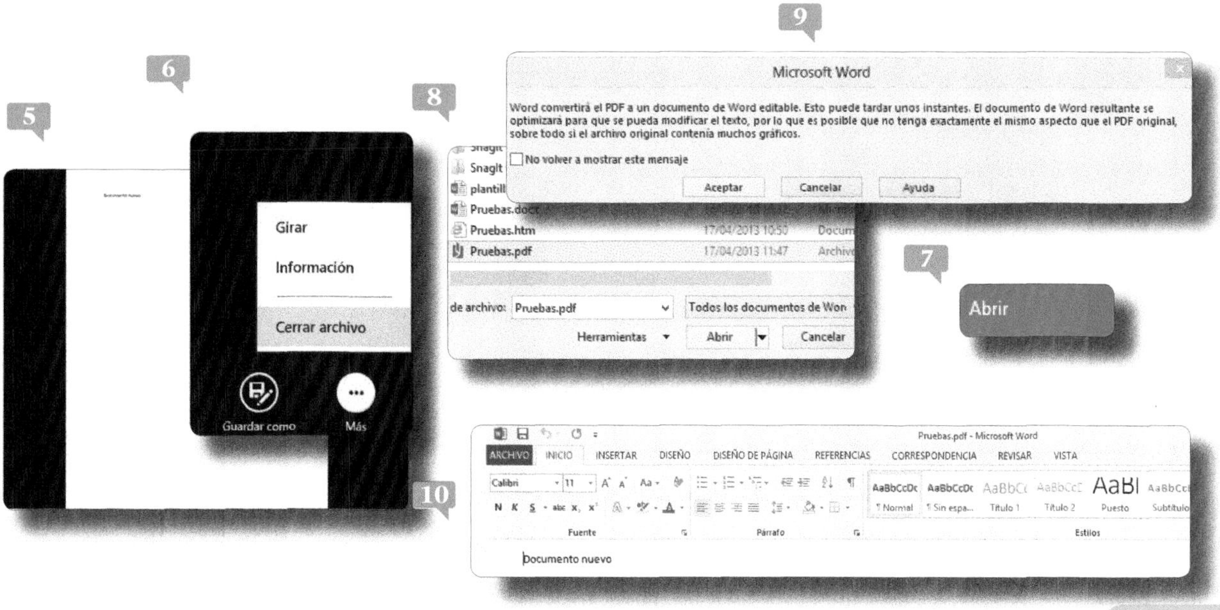

Abrir desde Word

IMPORTANTE

El cuadro de diálogo **Abrir** muestra, de forma predeterminada, los archivos de Microsoft Word. Si desea que muestre todos los tipos de archivos disponibles, deberá elegir la opción **Todos los archivos** del desplegable situado junto al campo **Nombre de archivo.**

Todos los archivos (*.*)

SI EL DOCUMENTO QUE BUSCA está cerrado, debe utilizar la nueva pantalla Abrir para localizarlo, a través de ella puede buscar su documento bien a través de la lista de documentos recientes en el caso de que haya sido recientemente utilizado, bien a través de la opcion Equipo o bien a través del botón examinar para buscar en cualquier ubicación de su equipo.

1. En este ejercicio abriremos distintos documentos desde Word. Para empezar, pulse sobre la pestaña **Archivo** y seleccione la opción **Abrir.** [1]
2. Haga clic sobre la función **Equipo** [2], a la derecha aparecen las carpetas utilizadas recientemente , seguidamente pulse sobre la carpeta **Mis documentos**, seleccione el documento que desee y luego pulse el botón **Abrir.** [3]
3. Seguidamente, accederemos de nuevo a la pantalla **Abrir**, pulse en la pestaña **Archivo**, seleccione la opción **Abrir**, y pulse sobre la función **Equipo.**
4. Pulse sobre el boton **Examinar**, de nuevo se abre la ventana **Abrir**, con un clic elija un documento distinto y pulse el botón **Abrir.** [4]
5. Otro modo de abrir un archivo es a través del listado de documentos usados frecuentemente, que encontramos en la sec-

1

Abrir

Guardar

2

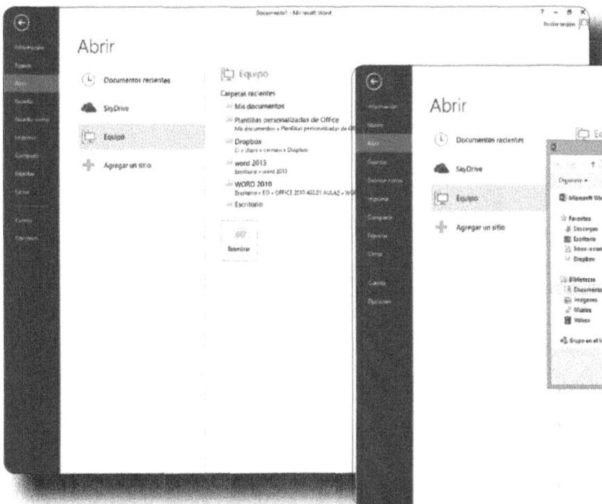

Abrir

3

Abrir

4

Examinar

ción **Documentos Recientes** de la nueva pantalla **Abrir**. Recuerde que podemos modificar el número de documentos que se muestran en esta lista desde la ficha **Avanzadas** del cuadro **Opciones de Word**. Haga clic en la pestaña **Archivo** y pulse sobre el comando **Abrir**.

6. De nuevo vemos las opciones de la pantalla Abrir. En la parte derecha vemos los documentos recientemente utilizados, si nos movemos por encima de ellos con el ratón, aparece un pequeño icono que muestra un pincho, sirve para anclar en esta lista los documentos, de manera que siempre se muestren en ella 5. Pulse sobre el documento que desee abrir que figure en esta lista para que se abra.
7. Para acabar, cerraremos dos de los documentos abiertos usando también varios métodos diferentes. Haga clic en la pestaña **Archivo** y pulse sobre la opción **Cerrar** para cerrar el documento situado en primer plano. 6
8. Y, para acabar este sencillo ejercicio, cierre también el documento siguiente pulsando el botón de aspa de su **Barra de título**. 7

Como sabe, que un documento de Word no sea visible en pantalla no significa forzosamente que esté cerrado, puesto que el programa permite mantener abiertos todos los documentos necesarios, aunque solo uno de ellos sea visible.

IMPORTANTE

Por defecto, el icono de acceso directo al cuadro **Abrir** no se encuentra visible en la **Barra de herramientas de acceso rápido**, pero puede agregarlo a dicha barra siguiendo los pasos que vimos en el ejercicio 2.

Personalizar barra de herramientas de acceso rápido
Nuevo
Abrir

5

Abrir
Documentos recientes
OneDrive
Equipo
Agregar un sitio

6

Información
Amapola
Proteger documento
Inspeccionar documento
Versiones

7

La lista de documentos recientes incluida en la pantalla **Archivo** se va actualizando a medida que se va trabajando con el programa.

Buscar y reemplazar

IMPORTANTE

El panel **Navegación** solo proporciona la función de búsqueda, no la de reemplazo. El comando **Reemplazar** se encuentra en el grupo de herramientas **Edición** de la ficha **Inicio** de la **Cinta de opciones** y abre el cuadro de diálogo **Buscar y reemplazar**.

Buscar
Reemplazar
Seleccionar
Edición

LA FUNCIÓN BUSCAR Y SU COMPLEMENTARIA Reemplazar son especialmente útiles en documentos extensos; la función Buscar se encuentra en la ficha Inicio de la Cinta de opciones y es también accesible mediante la combinación de teclas Ctrl+B. Esta versión de Word mantiene el Panel de navegación, que sustituyó ya en Word 2010 al clásico cuadro de diálogo Buscar y reemplazar.

1. Supongamos que deseamos localizar todas las veces que aparece una palabra en concreto a lo largo de todo un documento. Para llevar a cabo esta práctica, utilizaremos el archivo **Ilíada.docx**, que puede descargar desde nuestra página web y abrir en Word 2016. Cuando disponga de él, pulse sobre la herramienta **Buscar**, en el grupo de herramientas **Edición** de la ficha **Inicio** de la **Cinta de opciones.** [1]
2. Como hemos indicado en la introducción, Word 2016 presenta también el panel **Navegación**, desde el cual es posible buscar contenido por gráficos, tablas, notas al pie y comentarios. l [2] En el cuadro de texto del nuevo panel, escriba la palabra **esposo.** [3]
3. A medida que va escribiendo, la parte inferior del panel se va actualizando con los fragmentos del documento en los cuales se ha podido localizar el término introducido. Al mismo tiempo, sobre el documento, la palabra queda resaltada en color

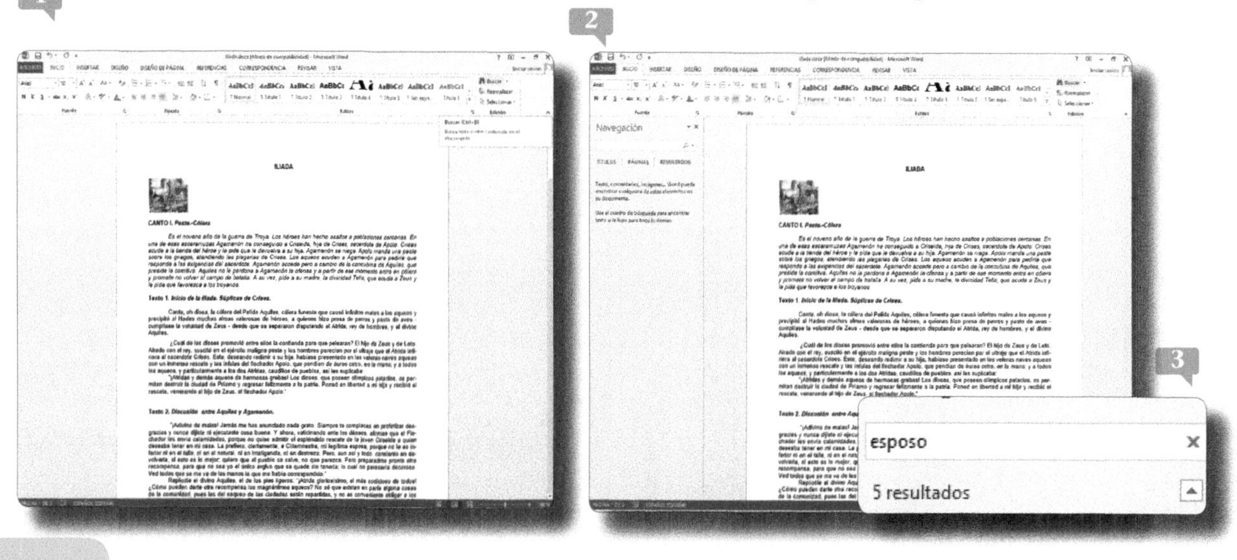

amarillo para ayudarle a localizarla mejor. Haga clic sobre el fragmento al que le interese dirigirse en el panel **Navegación**.

4. Sin duda alguna, el panel **Navegación** representa una forma muy fácil de encontrar la información que necesita. Ahora imagine que, en el documento en el que estamos trabajando, nos interesa reemplazar la palabra buscada por un sinónimo. Veamos cómo llevar a cabo esta sustitución de forma automática. En la ficha **Edición** de la Cinta de opciones, haga clic sobre el comando **Reemplazar**.
5. De esta forma se abre el tradicional cuadro de diálogo Buscar y reemplazar, presente en todas las versiones de Word. El cuadro de texto **Buscar** muestra, en este caso, la palabra introducida como objeto de búsqueda en pasos anteriores. Haga clic en el cuadro de texto **Reemplazar con**, escriba la palabra **marido** y pulse sobre el botón **Reemplazar todos.**
6. El programa nos informa acerca del número de reemplazos efectuados hasta el final del documento. Haga clic en **Sí** para continuar el proceso desde el inicio del mismo.
7. Una vez terminado el rastreo y el proceso de sustitución, el programa lanza un nuevo cuadro de diálogo que nos informa del número de reemplazos realizados. Pulse el botón **Aceptar** de este cuadro.
8. Para terminar, cierre el cuadro de diálogo **Buscar y reemplazar** pulsando sobre el botón **Cerrar** y oculte también el panel **Navegación** pulsando sobre el botón de aspa situado en su cabecera.

006

IMPORTANTE

Existen dos opciones para el reemplazo: reemplazar las palabras de una en una o bien primero buscarlas y luego decidir si deseamos reemplazarlas con el botón **Reemplazar**.

Reemplazar | Reemplazar todos

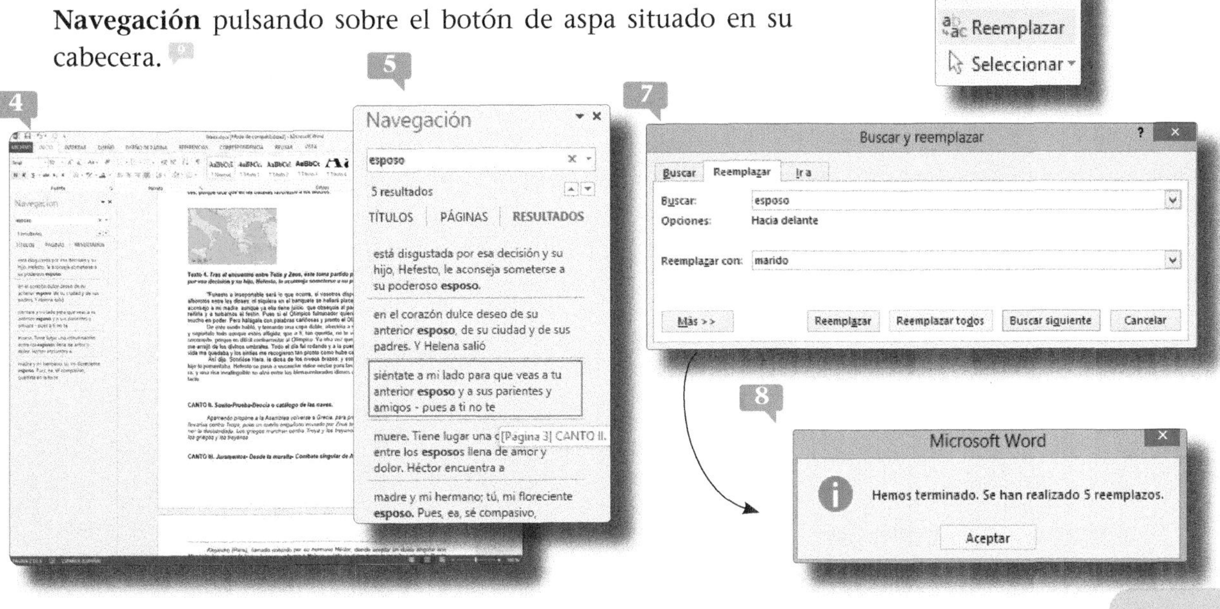

Publicar en un blog

IMPORTANTE

Para publicar blogs con Microsoft Word es necesario configurar previamente los datos del mismo en el programa. Los sitios de blogs compatibles son WordPress, Blogger, Blog de SharePoint, Telligent Community y TypePad.

MICROSOFT WORD 2016 OFRECE LA POSIBILIDAD de publicar directamente en un blog un documento creado con el programa. Un weblog, también conocido como blog o bitácora, es un sitio web que se actualiza periódicamente en el que se recopilan cronológicamente mensajes de uno o de varios autores y de las temáticas más diversas.

1. En este ejercicio trabajaremos con la opción que permite publicar directamente un documento creado con el programa en nuestro blog. Supondremos que disponemos de una cuenta en alguno de los sitios de blog compatibles con Microsoft Word 2016 (vea la información incluida en el recuadro IMPORTANTE de la izquierda). Para empezar, haga clic en la pestaña **Archivo**, pulse sobre el comando **Compartir** y haga clic sobre la opción **Publicar en blog**. 1
2. En el panel de la derecha, el programa proporciona toda la información relativa a los sitios de blog compatibles, así como a la necesidad de registrar la cuenta de blog en el caso de que sea la primera vez que realiza una publicación de este tipo. Haga clic sobre el botón **Publicar en blog** para seguir adelante. 2
3. Se abre el cuadro de diálogo **Registrar una cuenta de blog**. 3 Como los datos solicitados dependen del espacio que usted tenga reservado en Internet, dejaremos que sea usted quien

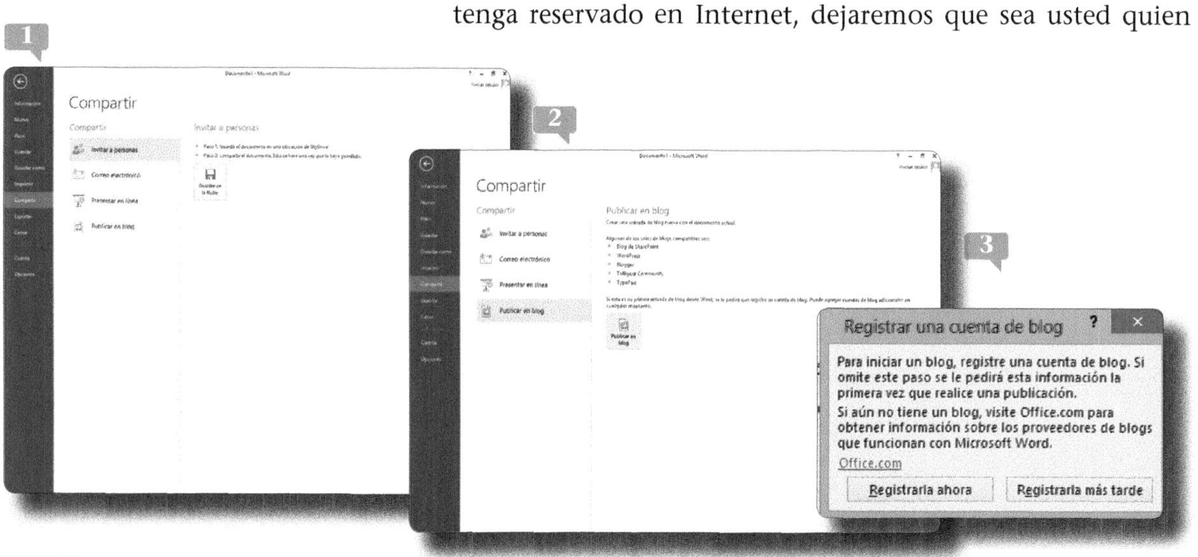

1

Compartir

2

Compartir

Publicar en blog

3

Registrar una cuenta de blog

Para iniciar un blog, registre una cuenta de blog. Si omite este paso se le pedirá esta información la primera vez que realice una publicación.

Si aún no tiene un blog, visite Office.com para obtener información sobre los proveedores de blogs que funcionan con Microsoft Word.

Office.com

Registrarla ahora | Registrarla más tarde

lleve a cabo personalmente este registro. Una vez terminado, vamos a introducir un título para el mensaje. Seguramente habrá percibido el cambio en la interfaz del programa, concretamente en la Cinta de opciones, al elegir el blog como tipo de documento. Haga clic sobre el texto **Introducir aquí título de la entrada del blog** y escriba la palabra que usted desee.

4. El documento ya está listo para ser publicado. Haga clic en el botón **Publicar** del grupo de herramientas **Blog** de la pestaña **Entrada de blog** de la **Cinta de opciones.**
5. Automáticamente aparece en la cabecera del documento un mensaje que nos informa de la fecha y la hora en que éste ha sido publicado en el blog. Para comprobarlo, podemos acceder al blog o bien abrir el cuadro en el que se listan todos los mensajes publicados en el blog que se seleccione. Haga clic en el comando **Abrir existente** del grupo de herramientas **Blog.**
6. En el cuadro **Abrir Existente** aparece seleccionada por defecto la cuenta configurada y los mensajes que se han publicado en ella desde Word. Para abrir cualquiera de los mensajes existentes solo hay que seleccionarlo y pulsar el botón **Aceptar**. Cierre este cuadro pulsando el botón **Cancelar.**
7. Para terminar este ejercicio cierre y guarde con el nombre **blog** el documento que hemos publicado en el blog.

IMPORTANTE

Si selecciona el comando **Nuevo** de la pestaña **Archivo,** y escribe la palabra blog en la caja de búsqueda, le aparecerá la opción **Entrada de blog,** que permite crear directamente un nuevo documento de Word para publicarlo en nuestro blog. Al seleccionar esta opción, el programa mostrará la misma interfaz de post con la que hemos trabajado en este ejercicio.

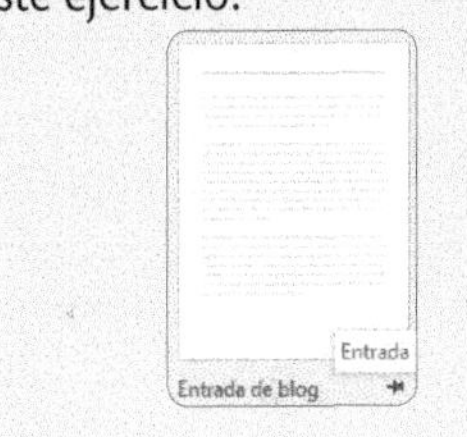

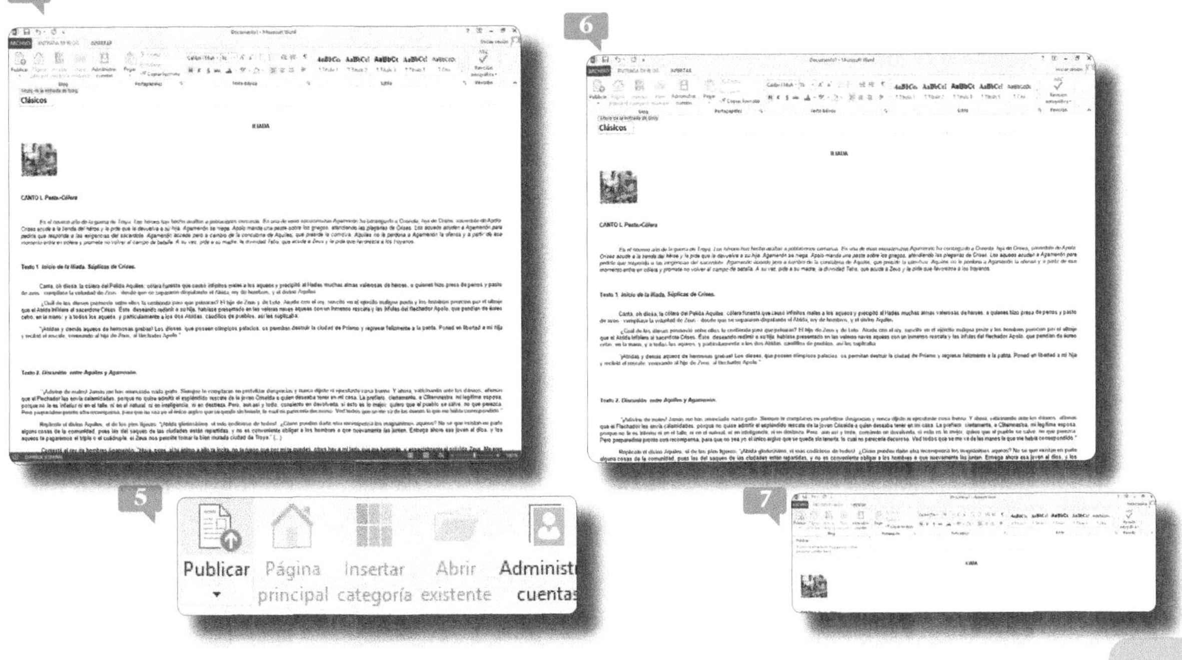

Convertir un archivo .doc a .docx

IMPORTANTE

Con la conversión, se tiene acceso a las características nuevas y mejoradas de Office 2013; sin embargo, hay que tener en cuenta que quienes utilicen versiones anteriores de Word no podrán editar las partes del documento modificadas con esas nuevas herramientas.

AL ABRIR EN WORD 2016 UN DOCUMENTO creado en versiones anteriores del programa, se activa el modo de compatibilidad, por el cual las nuevas características del programa no están disponibles. Si debe compartir el documento con usuarios que no disponen de la última versión de Word puede trabajar en modo de compatibilidad; en caso contrario, es posible convertir el documento al formato de archivo de Word 2016.

1. En este ejercicio aprenderemos a convertir un documento .doc al formato .docx y comprobaremos que, tras la conversión, todas las funciones nuevas y mejoradas de esta versión del programa están disponibles. Vamos a trabajar sobre el documento **Metamorfosis.doc**, que puede descargar de nuestra página web y abrir en Word 2016. [1] Cuando disponga de él en pantalla, haga clic en la pestaña **Archivo** y pulse sobre la opción **Convertir**. [2]
2. Aparece un cuadro de diálogo en el que Word nos informa de que esta acción convertirá el documento en el formato de archivo más reciente. Resulta también interesante saber que tras la conversión puede producirse algún cambio en el diseño. Pulse el botón **Aceptar**. [3]

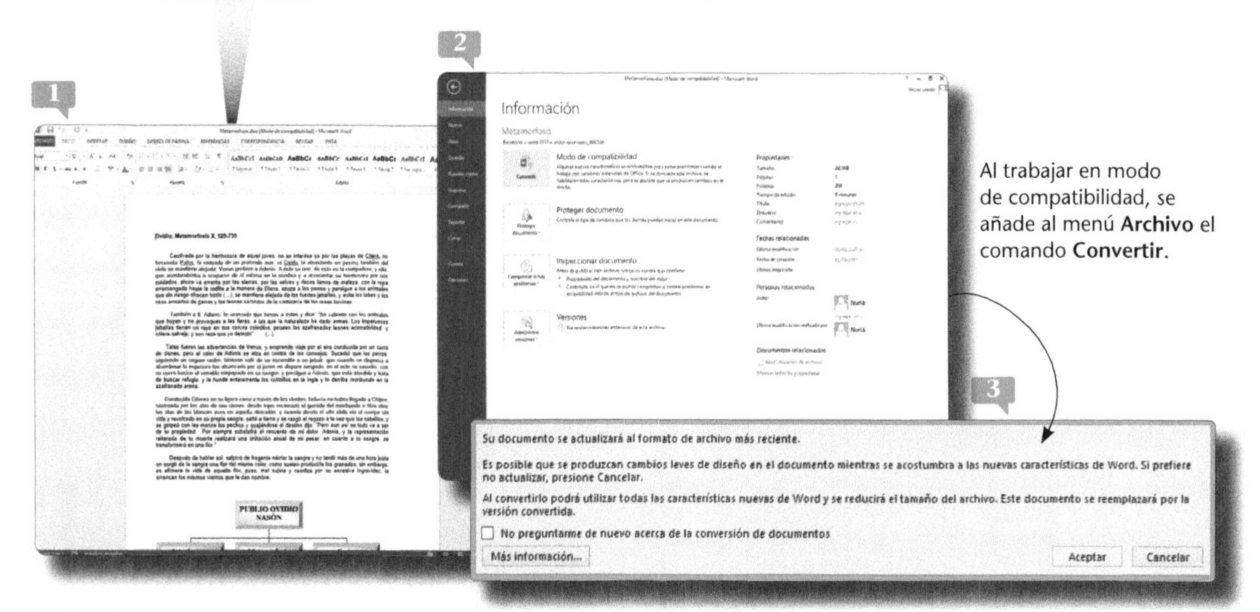

Al trabajar en modo de compatibilidad, se añade al menú **Archivo** el comando **Convertir**.

008

3. Ahora el documento ya no está en modo de compatibilidad. A partir de ahora, es posible utilizar todas las nuevas funciones de Word 2016. Vamos a comprobarlo. Haga clic en la ficha **Insertar** de la **Cinta de opciones** y compruebe como el comando **Ecuación** del grupo de herramientas **Símbolos** se encuentra activado.
4. Sitúese ahora en la ficha **Diseño** haciendo clic en su pestaña y compruebe que las herramientas de **Temas** están también disponibles.
5. Para acabar este ejercicio, cerraremos el documento guardándolo con el formato de archivo Word 2016 y accederemos a la carpeta dónde originalmente haya colocado el archivo para comprobar que hemos llevado a cabo la acción correctamente. Sepa que también puede guardar el documento en su formato original y crear otro documento de Word 2016 utilizando la opción **Guardar como** de la pestaña **Archivo**. Realice algún cambio sobre el documento antes de pasar al paso siguiente.
6. Seguidamente, diríjase hacia la pantalla **Archivo** y haga clic sobre el comando **Cerrar**.
7. En el cuadro de diálogo que aparece, pulse el botón **Guardar** para almacenar los cambios.
8. Por último, acceda a la carpeta **Mis documentos** de su equipo y compruebe como, efectivamente, tal y como indica su icono, el documento se ha guardado correctamente con el formato de Word 2016.

IMPORTANTE

Al pulsar el comando **Convertir**, aparece por defecto un cuadro de diálogo que nos indica las repercusiones que tendrá esta acción sobre nuestros documentos. Si no desea que se muestre esta advertencia cada vez que realiza una conversión, puede pulsar en la casilla de verificación de la opción **No preguntarme de nuevo acerca de la conversión de documentos.**

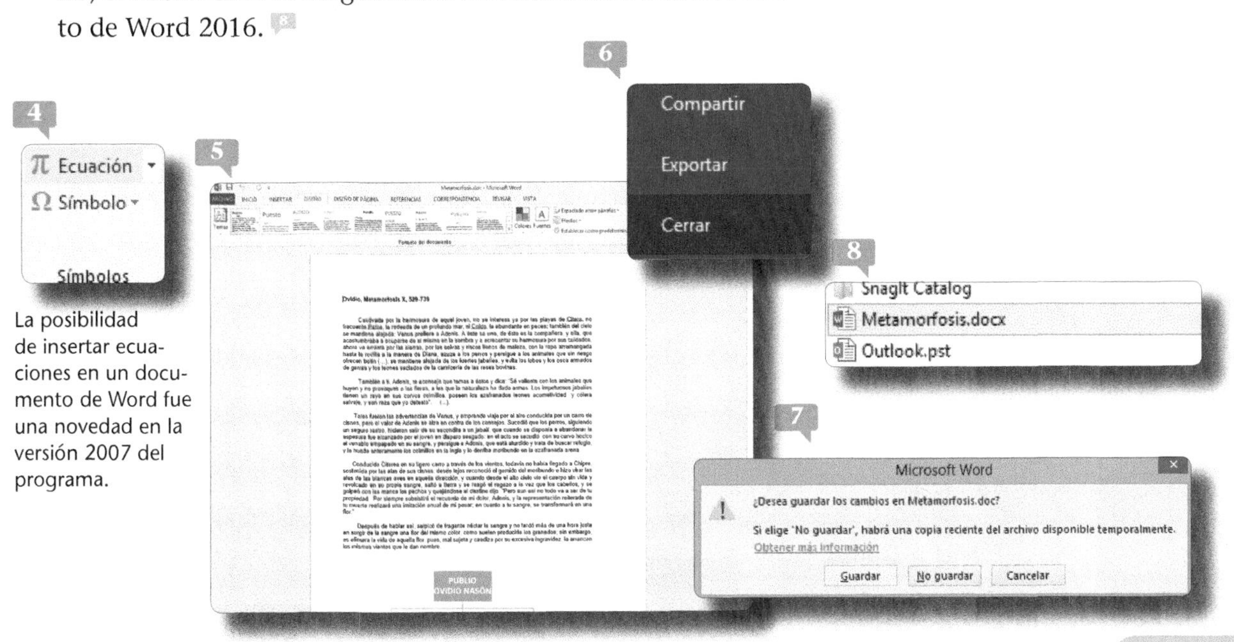

La posibilidad de insertar ecuaciones en un documento de Word fue una novedad en la versión 2007 del programa.

Cambiar las vistas de un documento

TODO DOCUMENTO DE MICROSOFT WORD puede visualizarse de distintas formas dependiendo de cuál sea la tarea a realizar o los intereses del usuario en cada momento. De hecho, existen elementos que solo pueden visualizarse en determinadas vistas.

1. Para llevar a cabo este ejercicio, puede utilizar cualquier documento de Word extenso o bien descargar de nuestra página web el denominado **Ilíada.docx**. Cuando disponga de él, ábralo en Word 2016 y haga clic en la pestaña **Vista** de la **Cinta de opciones.** 1
2. Son cinco las vistas de documento que nos ofrece Word 2016. La opción **Modo de lectura** sustituye a la vista **lectura de pantalla completa** de la versión 2010. Haga clic en dicha opción del grupo de herramientas **Vistas.** 2
3. Se oculta así la **Cinta de opciones** y aparece la **Barra de herramietas de lectura**, que contiene la pestaña **Archivo**, de manera que podemos acceder a ella y a todas sus funciones, y dos menús, el menú **Herramientas** y el menú **Vista.** Desde esta vista de **Modo de lectura** no podemos modificar el documento, ni realizar ningún cambio sobre él. Muévase haciendo clic en la flecha situada en la parte derecha del documento. 3

IMPORTANTE

La vista **Diseño de impresión** es la predeterminada para todos los documentos de Word y muestra en pantalla el aspecto que tendrá el documento una vez impreso para que el usuario pueda comprobar en qué página se situará cada elemento, ya sean tablas, gráficos u otros objetos.

Diseño de impresión

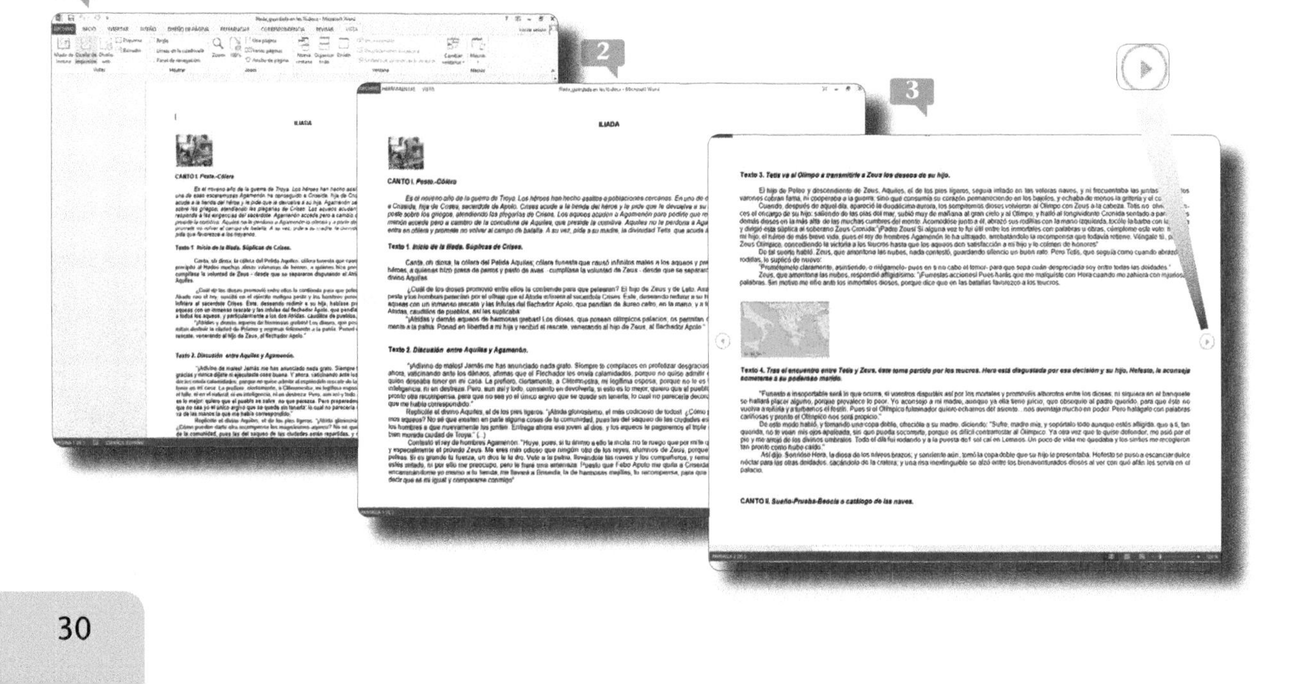

4. Esta Vista es una novedad de Word 2016 y merece que la veamos con más detenimiento en una siguiente lección. Despliege el menú vista y escoja la accion **Editar documento.**
5. Volvemos de esta manera a la vista **Diseño de Impresión,** éste es el aspecto que tendrán las páginas del documento al imprimirlas. Active la vista **Diseño Web** pulsando en el botón correspondiente del grupo **Vistas.**
6. El texto se ha ajustado a la pantalla. Observe que se ha activado el icono correspondiente a esta vista en la **Barra de estado**. Haga clic sobre el botón de la vista **Esquema**, cuarto botón de grupo **Vistas.**
7. Salga de esta vista pulsando el botón **Cerrar vista Esquema** de la ficha **Esquema** de la **Cinta de opciones.**
8. Active la vista **Borrador** pulsando sobre el último botón que aparece en el grupo de comandos del grupo **Vistas.**
9. Esta vista, muy parecida a la de diseño de impresión, muestra el documento como un borrador para que el texto pueda ser editado rápida y fácilmente. Para acabar este ejercicio, active la vista **Diseño de impresión** pulsando sobre el primer icono de los accesos directos a vistas de la **Barra de estado**.

IMPORTANTE

La vista **Esquema,** que dispone de su propia ficha en la **Cinta de opciones**, permite ver la estructura básica de un documento de modo que se pueda reorganizar el texto o los diversos elementos que aparezcan en el documento copiándolos y arrastrándolos de un lugar a otro. Cabe destacar que esta vista no permite visualizar elementos como los gráficos, las tablas, los límites de páginas, etc.

Cerrar vista Esquema
Cerrar

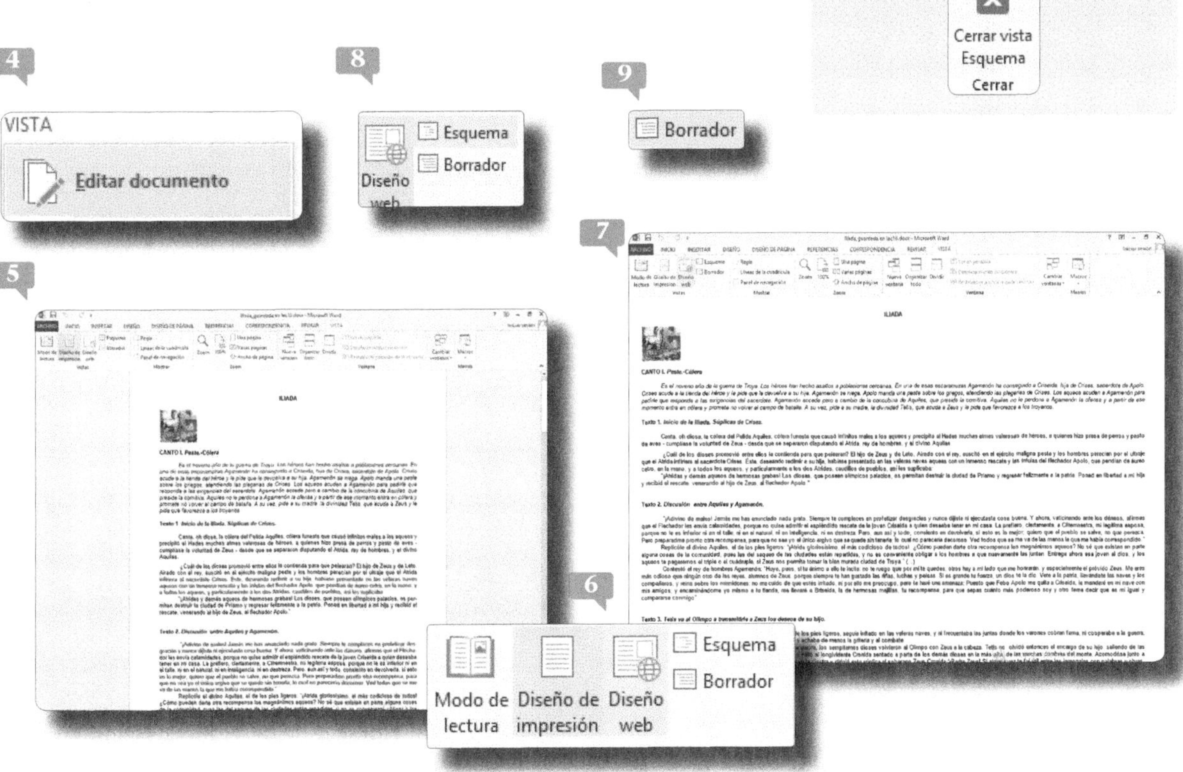

Disfrutar de la lectura

IMPORTANTE

Una particularidad de este modo de lectura es que si usted cierra el documento, y vuelve a abrirlo, word le ofrece la opción de continuar leyendo desde donde lo dejó, mediante un icono que le sale en la parte derecha de la pantalla y que le muestra el mensaje informativo que le recuerda que tiene esta posibilidad.

MICROSOFT WORD 2016 PERMITE DISFRUTAR de la lectura como hemos visto anteriormente con su nueva vista de lectura clara y cómoda. Este modo de lectura es especialmente útil cuando queremos leer un documento largo. Las herramientas de modificación se han eliminado pero sigue teniendo acceso a otro tipo de herramientas como los de búsqueda siempre útiles.

1. En este ejercicio conoceremos un poco mejor esta nueva vista de lectura y nos moveremos por un documento comprobando qué nuevas facilidades nos ofrece Word 2016 para leer. Abra un documento del que usted disponga en su ordenador, o puede utilizar el que utilizamos en la lección anterior. Pulse en la pestaña **Vista** y pulse en el botón **Modo de lectura**
2. Se abre esta vista novedosa que ya habíamos visto. Muévase libremente por todo el documento con sus flechas de izquierda y derecha. En la parte superior tenemos la **Barra de herramientas lectura**. Esta barra se oculta si realizamos cualquier acción, y también la podemos ocultar nosotros manualmente. Pulse sobre el primer icono que aparece en la parte derecha de la misma.
3. Desaparece así la barra de herramientas lectura, pulse sobre

los tres puntos que aparecen en la parte superior derecha de la pantalla para que esta vuelva a aparecer y poder utilizarla. [4]

4. Vamos ahora a realizar algunas acciones sobre el documento que nos pueden convenir para su lectura. Despliegue el menú **Vista** y elija la opción **Color de página**, de las opciones que se despliegan seleccione **Sepia.** [5]

5. El fondo de nuestro documento cambia de color. [6] Pulse de nuevo sobre el menú **Vista** y seleccione la opción **Panel de navegación**. Aparece el ya conocido panel de navegación para que realicemos nuestras búsquedas y nos situemos en el punto del documento que queramos. [7] Ciérrelo pulsando sobre su botón de aspa.

6. El otro menú de la barra de lectura es el menú Herramientas, a través él podemos realizar búsquedas por Internet para obtener informanción de alguna palabra seleccionada. Haga doble clic sobre el nombre Zeus, [8] seguidamene pulse sobre el menú Herramientas y seleccione la opción Buscar con Bing. El navegador nos enseña los resultados obtenidos. [9] Ciérrelo pulsando sobre el botón de aspa de su barra de título.

IMPORTANTE

A través del menú **Vista** de esta pantalla podemos realizar cambios en la visualización del documento entre otros cambiar el ancho del documento, mostrar comentarios, cambiar el color de fondo. Pero todos estos cambios solo repercuten en su visualización nunca en el propio documento.

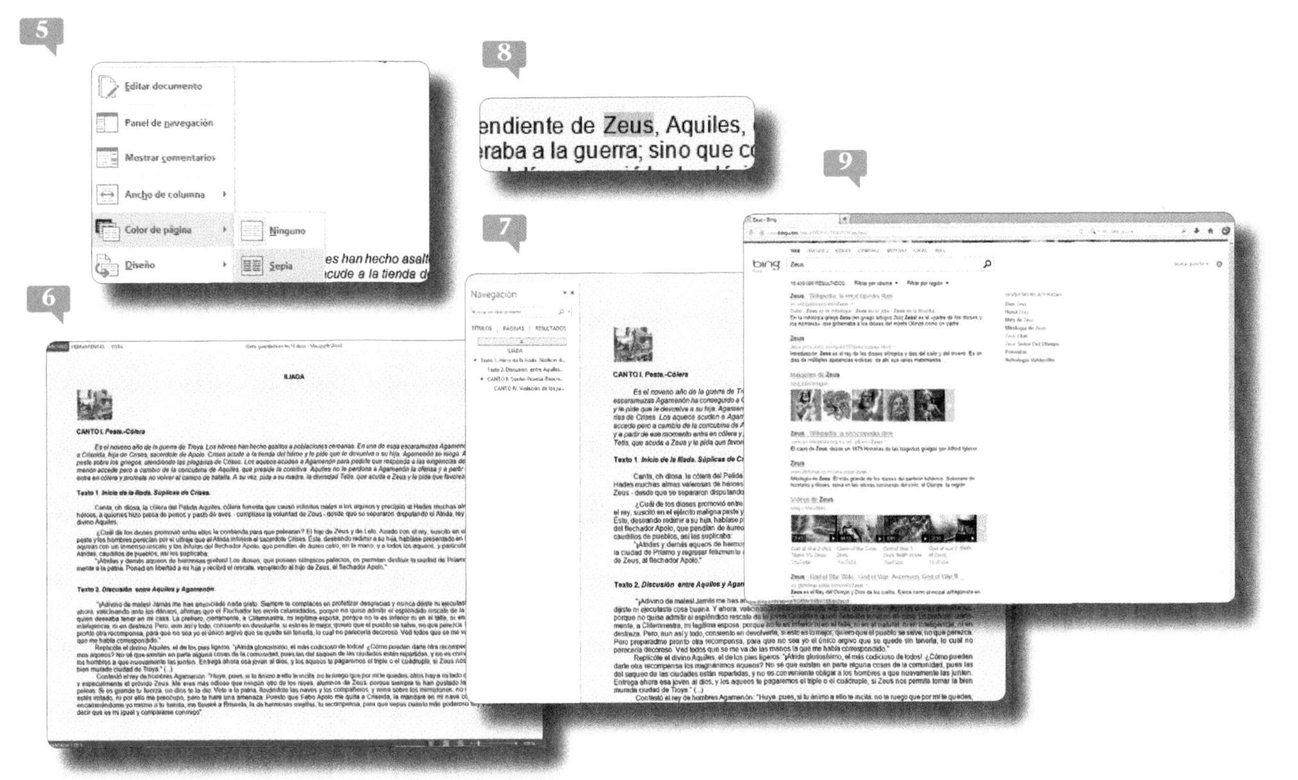

Enviar como datos adjuntos por e-mail

IMPORTANTE

Tenga en cuenta que al utilizar la función **Enviar como datos adjuntos**, el documento de Word se enviará siempre como documento adjunto, por lo que el destinatario del mensaje deberá tener instalado Word para poder abrir el archivo.

Asunto	Ilíada.docx

MICROSOFT WORD PERMITE CONVERTIR sus documentos en mensajes de correo electrónico, aunque para ello es necesario que su equipo tenga instalado el gestor de correo Microsoft Outlook (incluido en el paquete Office) y, obviamente, que disponga de conexión a Internet y de una cuenta de correo debidamente configurada.

1. En este ejercicio conoceremos el sencillo procedimiento que debemos seguir para enviar un documento de Word como dato adjunto en un mensaje de correo electrónico. Para empezar, haga clic en la pestaña **Archivo**, pulse sobre el comando **Compartir.** [1]
2. La opción **Correo electrónico** del apartado **Compartir** es la que nos permite enviar por correo electrónico una copia del documento abierto de diferentes formas. Pulse sobre **Correo electrónico y** seguidamente sobre la opción **Enviar como datos adjuntos.** [2]
3. Se abre así la ventana de mensaje del programa gestor de correo electrónico Outlook 2013. [3] Observe que en el campo **Adjunto** aparece el nombre del documento y su tamaño, y en el campo **A** también aparece el nombre del documento. Sólo

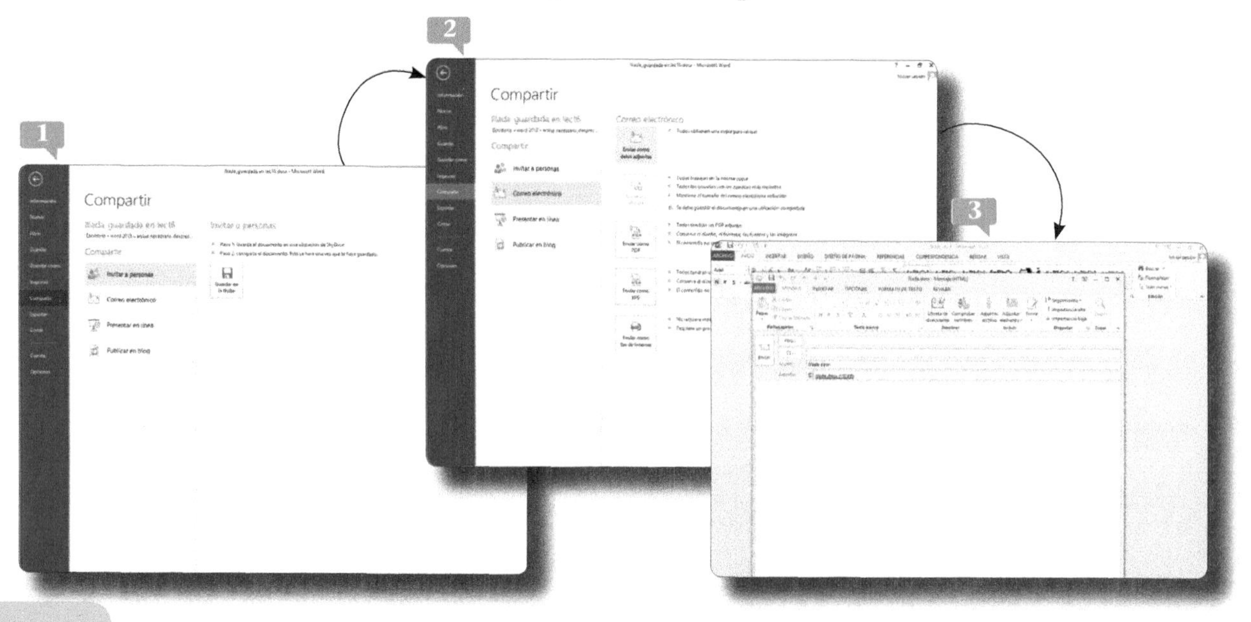

tenemos que introducir la dirección de correo electrónico del o los destinatarios del mensaje. En el campo **Para**, escriba esta información.

4. Tras cambiar, si lo desea, el campo **Asunto** y escribir un texto como cuerpo del mensaje, pulse el botón **Enviar** para que el mensaje se almacene en la Bandeja de salida de Outlook.
5. La integración de las funciones de los programas de las nuevas versiones de office, hacen que el envío de los documentos sea inmediato. En versiones anteriores, una vez realizado el proceso de envío desde Word, era preciso acceder a Outlook y realizar el envío definitivo. Ahora ya no, puesto que el mensaje se envía al instante. Vamos a comprobarlo. Acceda a Outlook y vea como la Bandeja de salida se encuentra vacía.
6. A continuación, acceda del mismo modo a la carpeta de elementos enviados y compruebe como, efectivamente, aparece en ella el mensaje enviado desde Word.
7. Termine este ejercicio cerrando Outlook y volviendo a Word 2016.

IMPORTANTE

Los mensajes enviados desaparecen de la carpeta **Bandeja de salida** y se guardan en la de **Elementos enviados**.

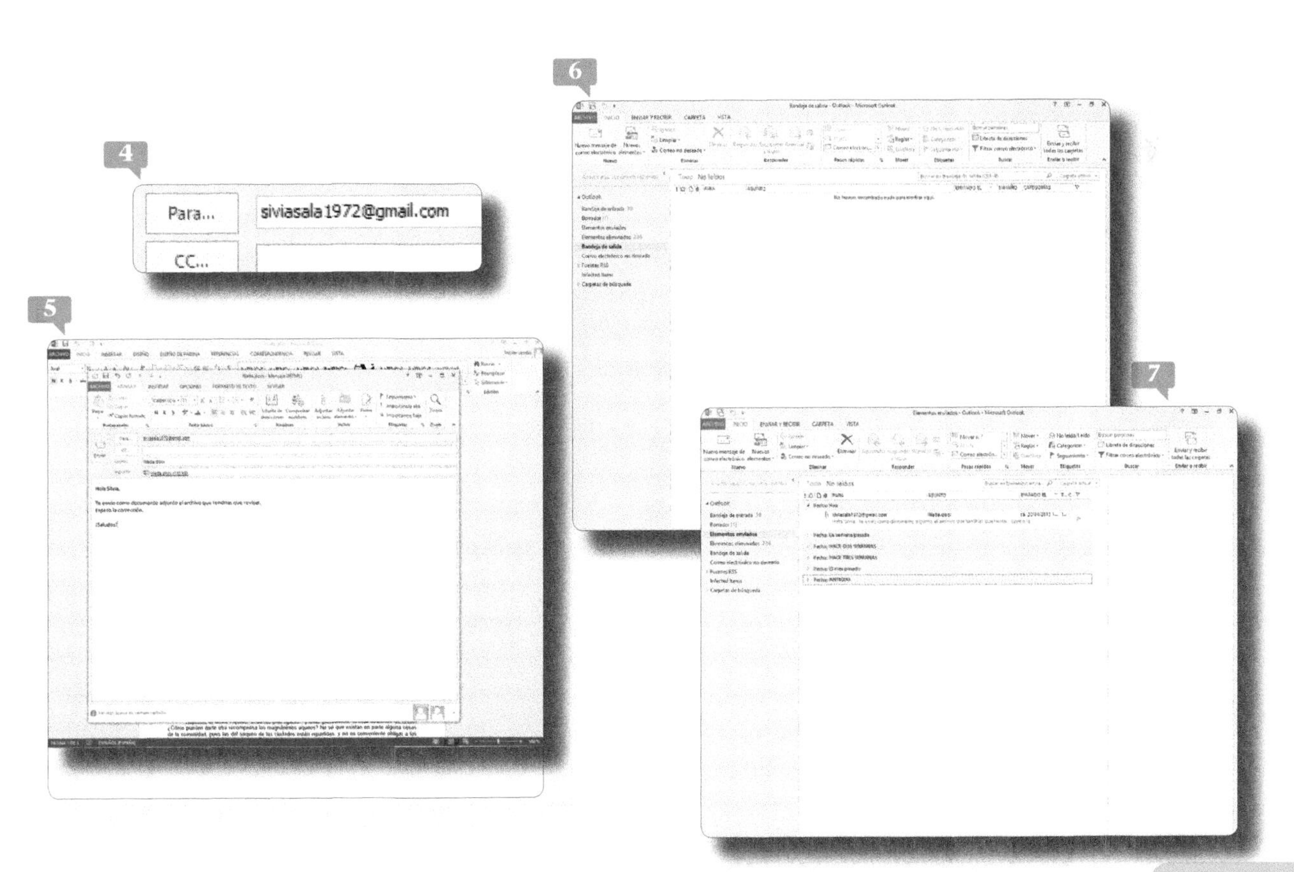

Enviar como datos adjuntos en PDF o XPS

INCLUIDAS TAMBIÉN EN EL COMANDO COMPARTIR se encuentran las opciones Enviar como PDF y Enviar como XPS, que permiten enviar un documento de Word como archivo adjunto con esos dos formatos de documento portátil.

1. Para empezar, haga clic en la pestaña **Archivo** y pulse sobre el comando **Compartir**.
2. Dentro del comando **Correo electrónico** del apartado **Compartir**, pulse sobre la opción **Enviar como PDF**.
3. Se abre así la ventana de mensaje de Outlook mostrando los campos **Asunto** y **Adjunto** rellenados. En el campo **Para**, escriba la dirección del o los destinatarios.
4. Antes de enviar el mensaje, abriremos el archivo adjunto para comprobar el programa que se utiliza para visualizarlo. Haga doble clic sobre el archivo adjunto.
5. Los programas que permiten abrir documentos en PDF son Adobe Acrobat Professional y Adobe Reader. Cierre la aplicación pulsando el botón de aspa de su **Barra de título**.

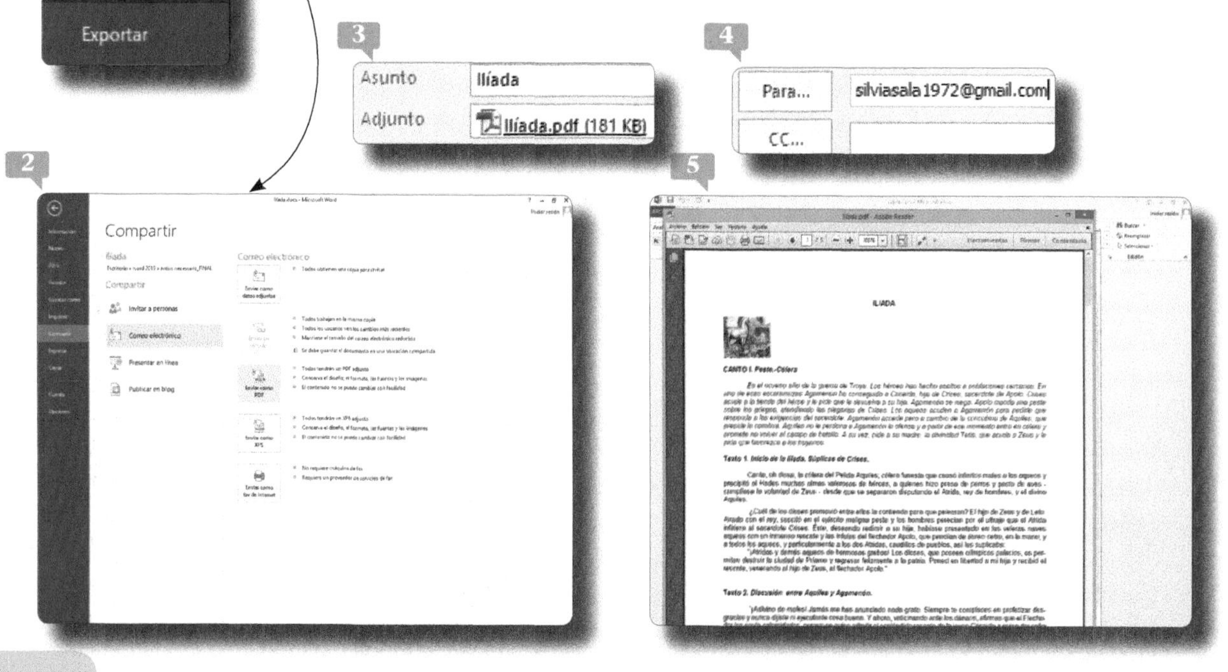

6. De nuevo en la ventana del mensaje de Outlook, pulse el botón **Enviar.**
7. Ahora repetiremos la operación para enviar el documento como archivo adjunto con formato XPS. Despliegue el menú **Archivo**, haga clic en el comando **Compartir** y seleccione la opción **Enviar como XPS.**
8. En la ventana del mensaje, haga doble clic sobre el nombre del archivo adjunto .xps para abrirlo.
9. En el cuadro de diálogo **Abrir datos adjuntos de correo**, pulse sobre el botón **Abrir.**
10. En este caso, el documento se abre en el Visor de XPS. Cierre este programa y vuelva a Word 2016.
11. Para acabar este ejercicio en el que hemos aprendido a enviar un documento de Word con formato PDF y XPS, enviaremos definitivamente el mensaje. En el campo **Para** escriba la dirección del destinatario y pulse el botón **Enviar.**

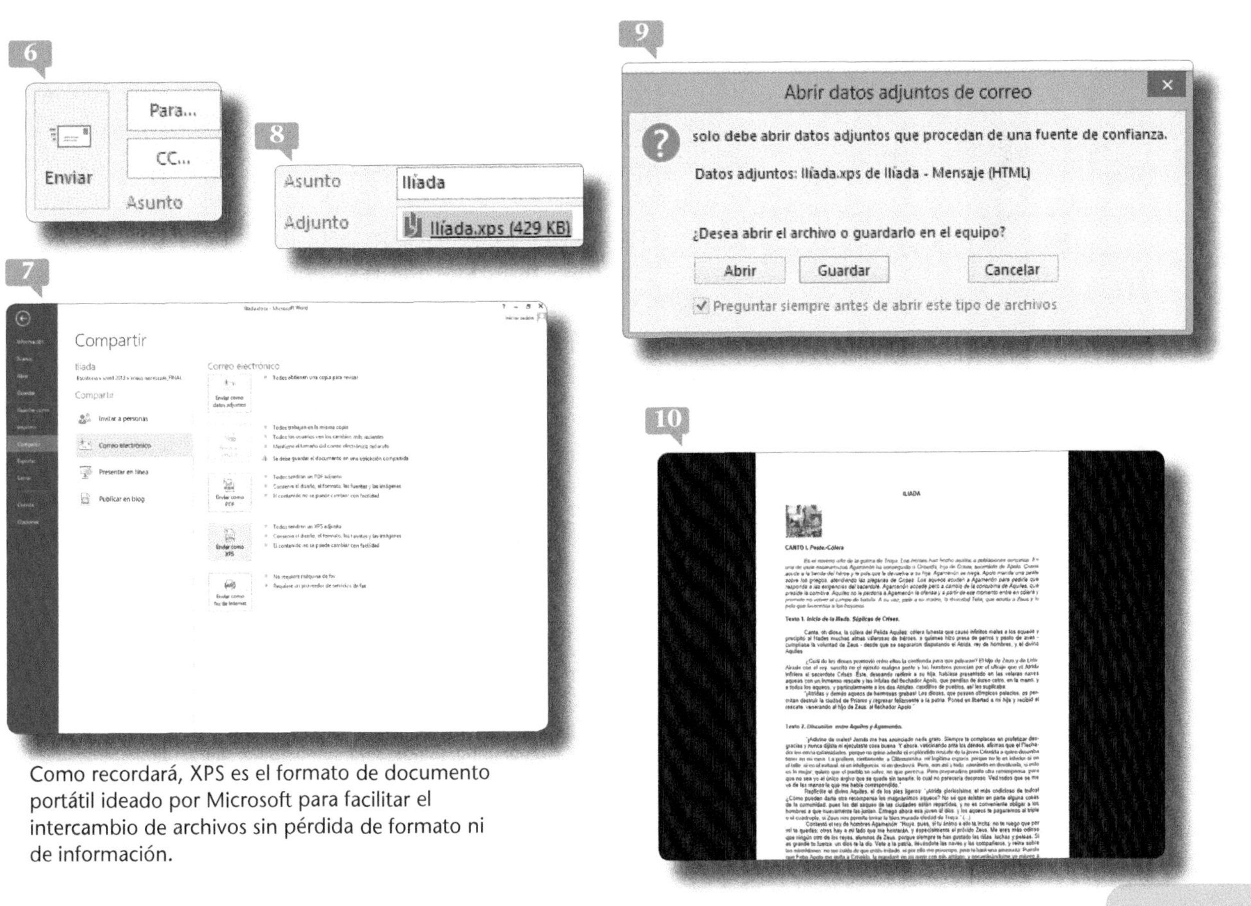

Como recordará, XPS es el formato de documento portátil ideado por Microsoft para facilitar el intercambio de archivos sin pérdida de formato ni de información.

Configurar página y vista preliminar

IMPORTANTE

En la versión 2013 de Word, en el comando **Imprimir** del menú **Archivo** se incluyen todas las opciones de vista previa e impresión del documento. El apartado **Impresora** permite seleccionar la impresora y establecer las propiedades de la impresión, mientras que el apartado **Configuración** cuenta con todos los campos necesarios para modificar parámetros como la orientación, el número de páginas, el papel, etc.

LA VISTA PRELIMINAR MUESTRA EL ASPECTO que tendrá el documento al imprimirlo en un tipo de papel determinado. Las opciones correspondientes al tipo de papel, los márgenes del documento o la orientación de las páginas se definen en el panel de vista previa de Word 2016, incluido en el menú Archivo.

1. Haga clic en la pestaña **Archivo** y pulse sobre el comando **Imprimir.** [1]
2. Ésta es una de las mejoras que ya incorporó toda la suite de programas de Office 2010, la inclusión en una misma ventana de las opciones de configuración de la página para su impresión y la vista previa del documento. [2] En la parte inferior de la vista preliminar, haga clic sobre la punta de flecha para visualizar así la página siguiente. [3]
3. En la parte inferior derecha de la vista preliminar se encuentran los controles para modificar el zoom. Puede aumentarlo o disminuirlo mediante el botón deslizante o utilizando los botones que muestran un + y un -. [4] Por su parte, el pequeño comando situado a la derecha del zoom permite encajar la página completa en el panel de vista previa en aquellos casos en que ésta haya sido ampliada o reducida. [5] Para conseguir que se impriman dos páginas por hoja, despliegue el último campo del apartado **Configuración** y elija la opción **2 páginas por hoja.** [6]

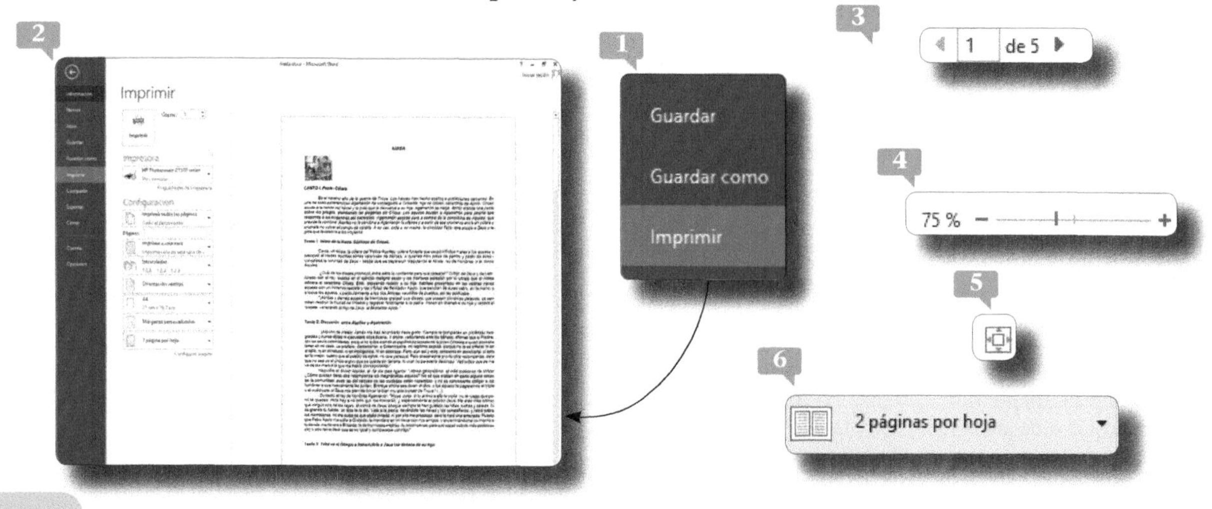

4. La versión de Word 2016 no ha eliminado el cuadro de diálogo **Configurar página**. Para acceder a este elemento, pulse sobre el vínculo **Configurar página** situado en la parte inferior de las opciones de configuración.
5. El cuadro **Configurar página** se abre en la ficha **Márgenes** desde donde pueden modificarse, entre otros parámetros, la orientación y los márgenes del documento. Haga clic en la opción **Horizontal** para cambiar la orientación del papel.
6. Pulse ahora sobre la pestaña **Papel**.
7. En esta ficha podemos especificar el tamaño del papel que utilizaremos para realizar la impresión. En este caso, mantendremos los valores predeterminados y pasaremos a la tercera ficha. Haga clic sobre la pestaña **Diseño**.
8. A través de esta ficha puede modificar la distancia entre los encabezados y los pies de página y el borde de la misma así como la alineación vertical, determinar si las páginas impresas presentarán bordes o no, etc. Otra de las tareas posibles es la de numerar las líneas del documento. Haga clic sobre el botón **Aceptar** del cuadro de diálogo **Configurar página**.
9. Al volver a la vista Backstage del comando **Imprimir** se reflejan sobre la vista previa del documento todos los cambios realizados en el cuadro de configuración. En este momento, si desea imprimir el documento puede pulsar el botón **Imprimir**; si no, pulse sobre la pestaña **Inicio** para salir de esta vista.

IMPORTANTE

El grupo de herramientas **Zoom** de la pestaña Vista contiene todas las opciones de visualización del documento.

Zoom 100%

7
Configurar página

8
Márgenes Papel Diseño
Márgenes
Superior: 2 cm
Inferior:
Izquierdo: 2 cm
Derecho:
Encuadernación: 0 cm
Posición del margen in
Orientación
Vertical Horizontal
Páginas
Varias páginas: Normal
Vista previa
Aplicar a: Todo el documento

9
Configurar página
Márgenes Papel Diseño
Tamaño del papel:
A4
Ancho: 29,7 cm
Alto: 21 cm
Origen del papel
Primera página:
Bandeja predeterminada (Selección automática)
Selección automática
Bandeja principal
Otras páginas:
Bandeja predeterminada
Selección automática
Bandeja principal
Vista previa
Aplicar a: Todo el documento
Establecer como predeterminado

10
Imprimir
Impresora
Configuración

Configurar las opciones de impresión

IMPORTANTE

Si, por sus dimensiones, el documento sobrepasa el tamaño del papel, el programa divide de forma automática el documento en páginas que se numeran de arriba abajo. Teniendo en cuenta este orden, se seleccionan las páginas a imprimir si no son todas.

LA PANTALLA IMPRIMIR, a la que se accede a través del comando del mismo nombre del nuevo menú Archivo, permite establecer una serie de opciones referentes al documento o a la sección del mismo que se vaya a imprimir.

1. En este ejercicio veremos cuáles son algunas de las características de impresión que se pueden modificar antes de proceder a la impresión de un documento. Para ello, puede utilizar cualquier documento de Word que tenga almacenado en su equipo o continuar trabajando con el denominado **Ilíada.docx**, que ya sabe que puede encontrar en nuestra página web. Una vez abierto, vamos a seleccionar un fragmento de texto. Haga clic al inicio del texto, pulse la tecla **Mayúsculas** y, sin soltarla, haga clic al final del párrafo que desee seleccionar. [1]
2. Haga clic en la pestaña **Archivo** y pulse sobre el comando **Imprimir**. [2]
3. Como vimos en el ejercicio anterior, es posible configurar el documento para su impresión directamente desde esta pantalla. En el campo **Copias** del apartado **Imprimir** está establecido por defecto en 1 el número de copias a realizar y que dicho

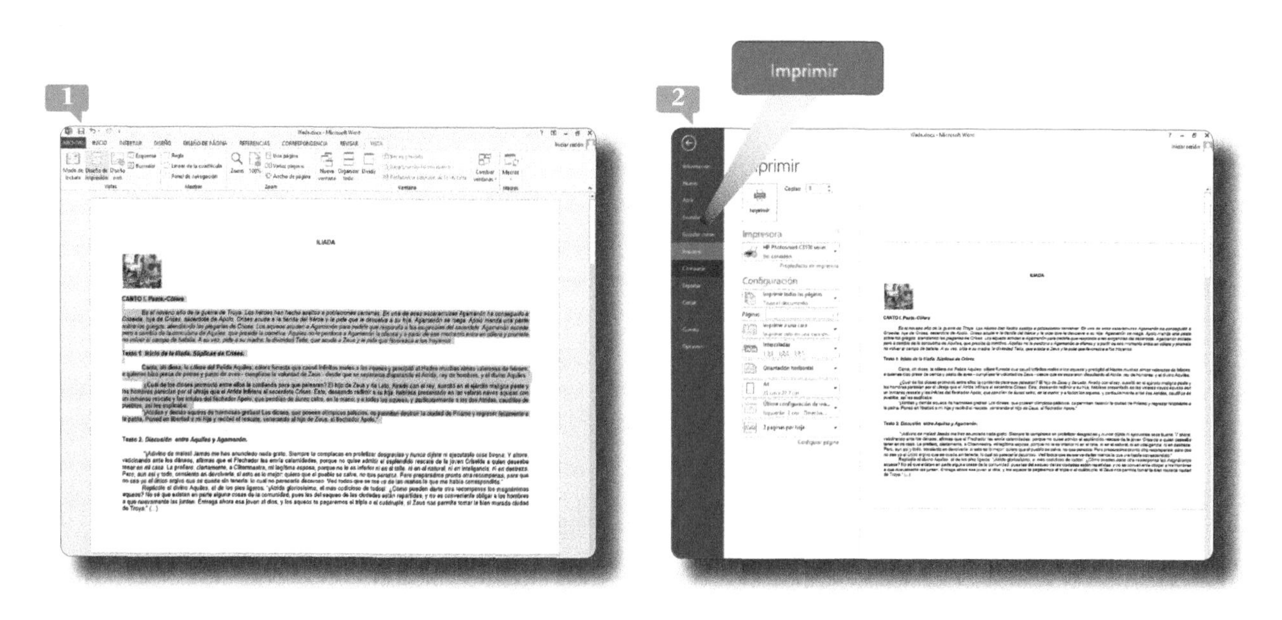

número aparece seleccionado. Inserte directamente el valor **2** para que figure como número de copias.

4. En el primer campo del apartado **Configuración** puede decidir si imprimir todo el documento, solamente la página actual o visible en estos momentos, o la selección del texto en caso de que la haya. En este caso imprimiremos la selección. Despliegue dicho campo y elija la opción **Imprimir selección.**
5. Ahora suponga que le interesa cambiar la orientación de la página. En el mismo apartado **Configuración**, despliegue el campo destinado a la orientación y elija la opción que desee.
6. La impresora que se encuentra configurada como predeterminada en el equipo se muestra en el apartado **Impresora**. Para acceder al cuadro de propiedades del dispositivo, pulse sobre el vínculo **Propiedades de impresora.**
7. Se abre el cuadro de propiedades de la impresora, este cuadro variará dependiendo de la impresora que tengamos configurada. En nuestro caso se abre con la pestaña **Atajos de Impresión.** Compruebe una a una el contenido de las pestañas que a usted le aparecen, y pulse el botón **Aceptar** para salir del cuadro.
8. Para imprimir el documento o la selección con las características especificadas, pulse el botón **Imprimir.**

IMPORTANTE

La opción **Intercalado** del apartado **Configuración** permite, al indicar que se realice más de una copia, que la impresión se realice consecutivamente. Eso significa que si ha indicado que desea tres copias de dos páginas, primero saldrá el primer bloque de las dos páginas y después el segundo.

Intercaladas
1;2;3 1;2;3 1;2;3

Seleccionar texto (con el ratón y el teclado)

IMPORTANTE

La mayoría de atributos de formato, así como las funciones de edición e incluso algunas de inserción tan sólo se pueden aplicar si se ha realizado una selección de texto o de cualquier otro elemento que forme parte del documento. Ésta es una de las razones por las cuales al realizar una selección aparece la **Barra de herramientas mini.**

SELECCIONAR TEXTO ES UNA DE LAS ACCIONES básicas que se llevan a cabo en Microsoft Word y, al mismo tiempo, es también una de las operaciones más importantes y fundamentales. El motivo es que muchas de las tareas y funciones que se realizan en este programa requieren de una previa selección de texto para poder llevarse a cabo.

1. En este ejercicio aprenderemos a seleccionar texto tanto con el ratón como con el teclado. Para ello, le recomendamos que descargue de nuestra página un nuevo documento denominado **pista.docx**, el cual cuenta con una cantidad importante de texto. Cuando disponga de él abierto en Word 2016, haga clic al inicio de la segunda línea del documento y, sin soltar el botón del ratón, arrastre el puntero hasta seleccionar la mitad de la palabra siguiente.
2. A continuación, veremos cómo seleccionar una única palabra. Haga doble clic sobre alguna palabra del texto.
3. Ahora aprenderemos a seleccionar una frase entera, desde que empieza hasta que acaba con un punto. Para ello, haga clic delante de una palabra que inicie una frase, pulse la tecla **Control** y, sin soltarla, haga clic sobre la misma palabra.

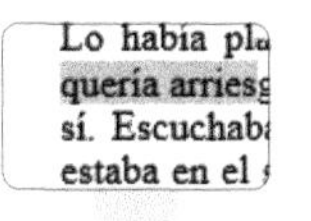
Lo había pl
quería arriesg
sí. Escuchab
estaba en el

1

El sistema de arrastre con el ratón puede utilizarse para seleccionar cualquier cantidad de texto, hasta el documento entero.

2

Lo había planeado todo al detalle para que nada fracasa
quería arriesgarse a tener problemas a causa del tiempo. Así
sí. Escuchaba los tambores que sonaban en la cinta, grab
estaba en el suelo. Contempló su cara en el espejo. Luego
en la frente. Notó que tenía la mano firme, que no esta
primera vez que se pintaba su camuflaje de guerrero. Lo qu
una huida, su manera de defenderse contra todas las inju
estado expuesto, se convertía ahora en realidad. Con cada
perecía dejar atrás su vida anterior. Ya no había retorno po
juego había acabado para siempre y se iría a una guerra en
de verdad.

3

La luz de la habitación era muy intensa. Había colocado los espejos con cu
los reflejos. Al entrar en el cuarto y cerrar la puerta con llave, comprobó p
no hubiese olvidado nada. Todo estaba en orden. Los pinceles bien lavad
porcelana con las pinturas, las toallas y el agua. Junto al torno estaban sus
sobre una tela negra: las tres hachas, los cuchillos de diferentes medida
aerosol. Pensó que era la única decisión que todavía no había tomado,
anocheciera tendría que escoger el arma. No podía llevárselas todas. Si
que la decisión se le ocurriría sin más en cuanto empezase con la transform

4. La selección siguiente corresponderá a una línea entera, sea o no una frase completa. Haga clic sobre el margen blanco situado a la izquierda de alguna línea del documento.
5. Otra forma de seleccionar un fragmento de texto consiste en pulsar la tecla **Mayúsculas** y, sin soltarla, hacer clic al final de la última palabra del fragmento. Haga clic delante de la primera palabra del texto, pulse la mencionada tecla y, sin soltarla haga clic detrás de la palabra que cierra el párrafo.
6. A continuación, veremos cómo seleccionar con el ratón el documento entero. Haga clic tres veces seguidas en el margen izquierdo de la primera línea del documento.
7. La combinación del ratón y el teclado permite seleccionar al mismo tiempo palabras que no sean consecutivas ni pertenezcan a la misma fila. Haga doble clic sobre cualquier palabra del documento, pulse la tecla **Control** y, sin soltarla, haga doble clic sobre otra palabra.
8. Seguidamente, seleccionaremos una palabra utilizando para ello sólo el teclado. Haga clic al inicio de la palabra que desee seleccionar, pulse la tecla **Mayúsculas** y, sin soltarla, pulse las veces consecutivas que haga falta la **tecla de dirección hacia la derecha** hasta seleccionar toda la palabra.
9. Por último, seleccionaremos las tres primeras líneas de un párrafo. Tras situarse al inicio de alguno de los párrafos del documento, pulse la tecla **Mayúsculas** y, sin soltarla, pulse tres veces la **tecla de dirección hacia abajo**.

IMPORTANTE

Es importante saber que el sistema de selección efectuado con el ratón y la tecla **Control** también puede combinarse con la selección de una línea, un párrafo o bien con la selección de cualquier fragmento de texto incluso si se selecciona arrastrando el puntero.

7

habitación era muy intensa. Había colocado los e
Al entrar en el cuarto y cerrar la puerta con llave
olvidado nada. Todo estaba en orden. Los pincel
on las pinturas, las toallas y el agua. Junto al tor
ela negra: las tres hachas, los cuchillos de dife

4

La luz de la habitación era muy intensa. Había colocado los espejos con cuidado para evitar los reflejos. Al entrar en el cuarto y cerrar la puerta con llave, comprobó por última vez que no hubiese olvidado nada. Todo estaba en orden. Los pinceles bien lavados, las tacitas de porcelana con las pinturas, las toallas y el agua. Junto al torno estaban sus armas alineadas sobre una tela negra: las tres hachas, los cuchillos de diferentes medidas y los botes de aerosol. Pensó que era la única decisión que todavía no había tomado, y antes de que anocheciera tendría que escoger el arma. No podía llevárselas todas. Sin embargo, sabía que la decisión se le ocurriría sin más en cuanto empezase con la transformación.

6

5

La luz de la habitación era muy intensa. Había colocado los espejos con cuidado para evitar los reflejos. Al entrar en el cuarto y cerrar la puerta con llave, comprobó por última vez que no hubiese olvidado nada. Todo estaba en orden. Los pinceles bien lavados, las tacitas de porcelana con las pinturas, las toallas y el agua. Junto al torno estaban sus armas alineadas sobre una tela negra: las tres hachas, los cuchillos de diferentes medidas y los botes de aerosol. Pensó que era la única decisión que todavía no había tomado, y antes de que anocheciera tendría que escoger el arma. No podía llevárselas todas. Sin embargo, sabía que la decisión se le ocurriría sin más en cuanto empezase con la transformación.

9

Antes de sentarse en el banco y comenzar a pintarse la cara, tocó con las ye
dedos los filos de las hachas y los cuchillos. No podían estar más afilados. C
tentación de apretar un poco más con uno de los cuchillos contra la yema d
enseguida empezó a sangrar. Limpió el dedo y el filo del cuchillo con una toalla
sentó delante de los espejos.

8

La luz de la habitación era muy
los reflejos. Al entrar en el cuart
no hubiese olvidado nada. Todo

Copiar, cortar y pegar

IMPORTANTE

Si no le apareciese el grupo de herramientas **Portapapeles** por defecto en la **Cinta de Opciones,** puede agregarlo a través de la opción **Personalizar cinta de opciones** que a aparece en la ventana **Opciones de Word.** Lo encontrará si selecciona la opción **Pestañas principales** del desplegable **Comandos disponibles.**

Comandos disponibles en:
Pestañas principales
Pestañas principales
Inicio
Portapapeles
Fuente

LA FUNCIÓN COPIAR PERMITE AHORRAR la introducción de un mismo texto o elemento varias veces, mientras que la función Cortar elimina la información cortada, en los dos casos el elemento seleccionado permanece en el protapapeles de office listo para ser pegado en una nueva ubicación. Las funciones Copiar, Cortar y Pegar se encuentran en la ficha Inicio de la Cinta de opciones, en el grupo de herramientas portapapeles.

1. En este ejercicio, veremos las diferentes maneras de copiar, cortar y pegar un fragmento de texto. Continuaremos trabajando sobre el documento **Pista.docx**. Seleccionaremos la primera frase del documento activo. Sitúese al inicio del documento pulsando la combinación de teclas **Ctrl. + Inicio**, pulse la tecla **Mayúsculas** y, sin soltarla, haga clic detrás del primer punto. 1
2. Pulse el botón **Copiar** situado en el grupo de herramientas **Portapapeles** de la ficha **Inicio**, en la **Cinta de opciones**, y representado por dos hojas escritas. 2
3. Pulse la combinación de teclas **Ctrl. + Fin** 3 y haga clic sobre el icono **Pegar** 4 del grupo de herramientas **Portapapeles.**

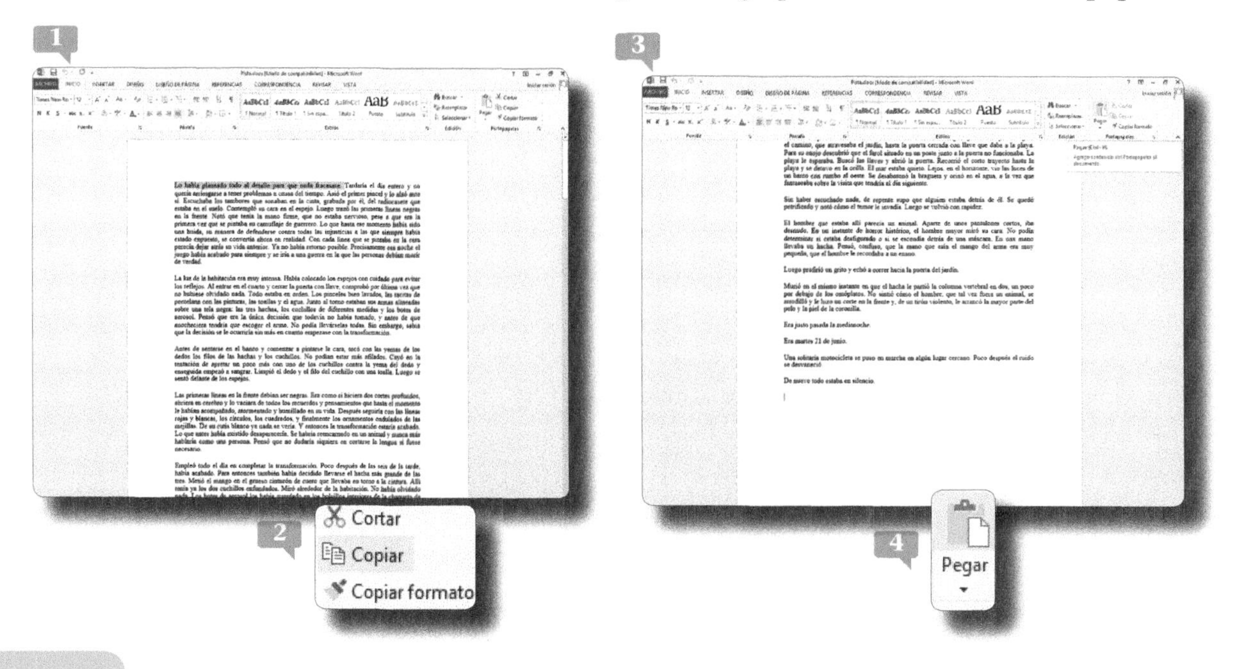

4. Nuestro texto se ha pegado en la nueva ubicación. A continuación, demostraremos que el texto copiado se ha almacenado en el Portapapeles de modo que, hasta que no cerremos todos los programas de Office que estén abiertos, dicha información podrá continuar siendo pegada. Pulse la tecla retorno, esta vez, ejecutaremos la función **Pegar** usando el atajo de teclado adecuado. Pulse la combinación de teclas **Ctrl.+V.** 5
5. Ahora comprobaremos la diferencia que existe entre la función **Copiar** y la función **Cortar.** Seleccione la última frase del documento. 6
6. Pulse sobre la herramienta **Cortar**, cuyo icono muestra unas tijeras del grupo de herramientas **Portapapeles de oficce.** 7
7. Colóquese al inicio del documento y pulse el icono **Pegar** del grupo de herramientas **Portapapeles.**
8. El texto que hemos cortado ha desaparecido de su ubicación original y ahora aparece al inicio del documento. 8 Ahora comprobaremos si la misma información que acabamos de pegar podemos pegarla en otro documento distinto. Abra el documento **Ilíada.docx** y pulse la combinación de teclas **Control+V.** 9

El programa vuelve a pegar el fragmento de texto cortado, que permanecerá en el portapapeles hasta que lo eliminemos manualmente de este elemento.

IMPORTANTE

Puede acceder al contenido del Portapapeles pulsando sobre el iniciador de cuadro de diálogo del grupo de herramientas Portapapeles. De esta forma se abre este elemento en forma de panel mostrando su contenido. Un texto copiado se almacena sin necesidad de realizar la operación una segunda vez si se desea pegar de nuevo, en el mismo documento o en un documento nuevo.

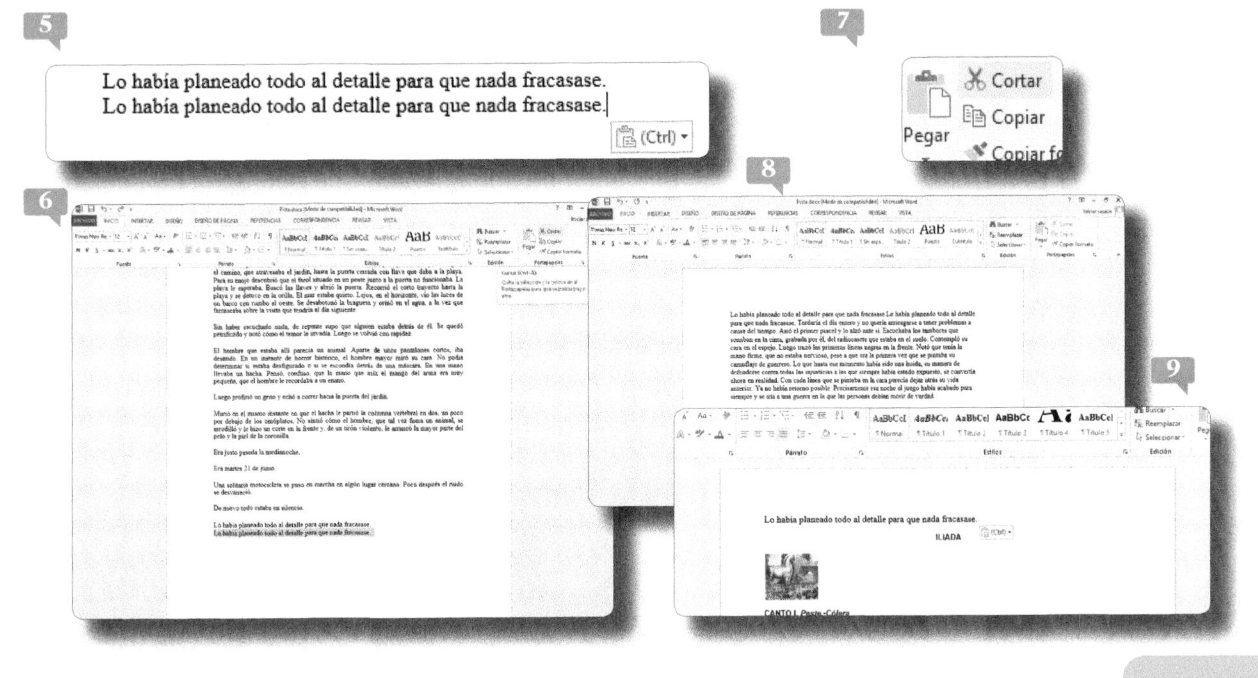

Trabajar con las opciones de pegado

LA ETIQUETA INTELIGENTE QUE APARECE junto a los fragmentos de texto o elementos que se pegan en un documento se denomina Opciones de pegado e incluye una serie de opciones que permiten al usuario escoger la manera en que desea pegar la información copiada o cortada.

1. En este ejercicio, puede trabajar sobre un documento nuevo o sobre el que ha estado utilizando en los ejercicios anteriores. Para empezar, sitúese al final del documento pulsando la combinación de teclas **Ctrl. + Fin.**
2. Si el fragmento de texto cortado en el ejercicio anterior continúa aún en el Portapapeles, pulse directamente el comando **Pegar** del grupo de herramientas **Portapapeles.** De no ser así, copie cualquier otro fragmento y péguelo en el nuevo documento.
3. Como siempre que hemos utilizado la función **Pegar**, ha aparecido, al final del fragmento pegado, una etiqueta inteligente, llamada **Opciones de pegado.** Pulse sobre la etiqueta inteligente para ver todas las opciones que ofrece.
4. La opción seleccionada en este momento, **Mantener formato de origen**, pega en la ubicación de destino tanto el formato

IMPORTANTE

Entre las opciones presentadas por la etiqueta **Opciones de pegado**, es posible elegir entre pegar únicamente el contenido, pegar la información cortada o copiada manteniendo tanto el contenido como el formato original, hacerlo de manera que esta se adapte al formato de la ubicación de destino, etc. Aunque estas suelen ser las opciones más comunes de esta etiqueta, debe saber que no siempre son las mismas ya que pueden variar dependiendo del elemento que se haya cortado o copiado.

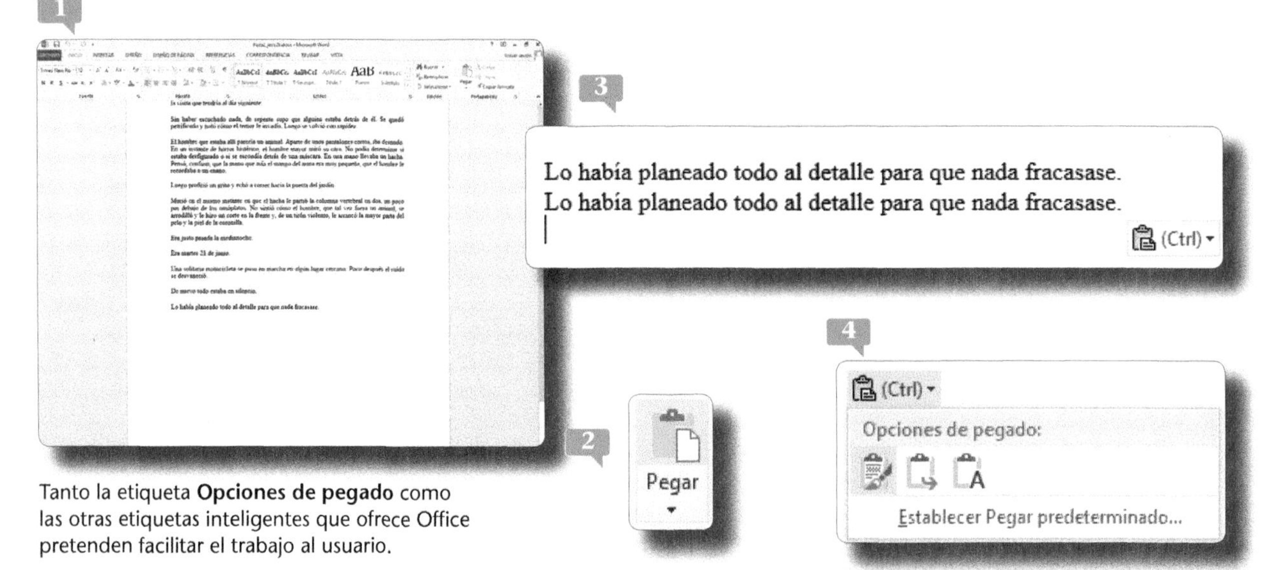

Tanto la etiqueta **Opciones de pegado** como las otras etiquetas inteligentes que ofrece Office pretenden facilitar el trabajo al usuario.

original de la información cortada como su contenido, es decir, el texto en sí. Vamos a cambiar dicha opción. Pulse sobre el tercer icono, **Mantener sólo texto.** 5

5. Comprobemos ahora cuál es el funcionamiento del resto de opciones de la etiqueta inteligente. Pulse de nuevo sobre la etiqueta inteligente **Opciones de pegado** y haga clic sobre el segundo icono, correspondiente a la opción **Combinar formato.** 6
6. De este modo el fragmento pegado adopta el formato aplicado al lugar donde se pega. Haga clic de nuevo sobre la etiqueta inteligente **Opciones de pegado** y pulse esta vez sobre la opción **Establecer Pegar predeterminado.** 7
7. El programa abre ahora el cuadro **Opciones de Word** en la ficha **Avanzadas**, mostrando las opciones correspondientes a las operaciones de copia, corte y pegado. 8 Mantendremos estas opciones de pegado tal y como aparecen por defecto. Haga clic en la parte inferior de la **Barra de desplazamiento vertical.**
8. Observe que la opción **Mostrar el botón Opciones de pegado al pegar contenido** se encuentra marcada por defecto, por lo que al pegar el fragmento de texto cortado o copiado hemos podido ver la mencionada etiqueta. 9 Cierre el cuadro **Opciones de Word** pulsando el botón **Aceptar.**

IMPORTANTE

En el apartado **Cortar, copiar y pegar** del cuadro **Opciones de Word** en la ficha **Avanzadas** podemos establecer el modo en que los fragmentos de texto cortados o copiados se pegarán en el documento de manera predeterminada.

Cortar, copiar y pegar

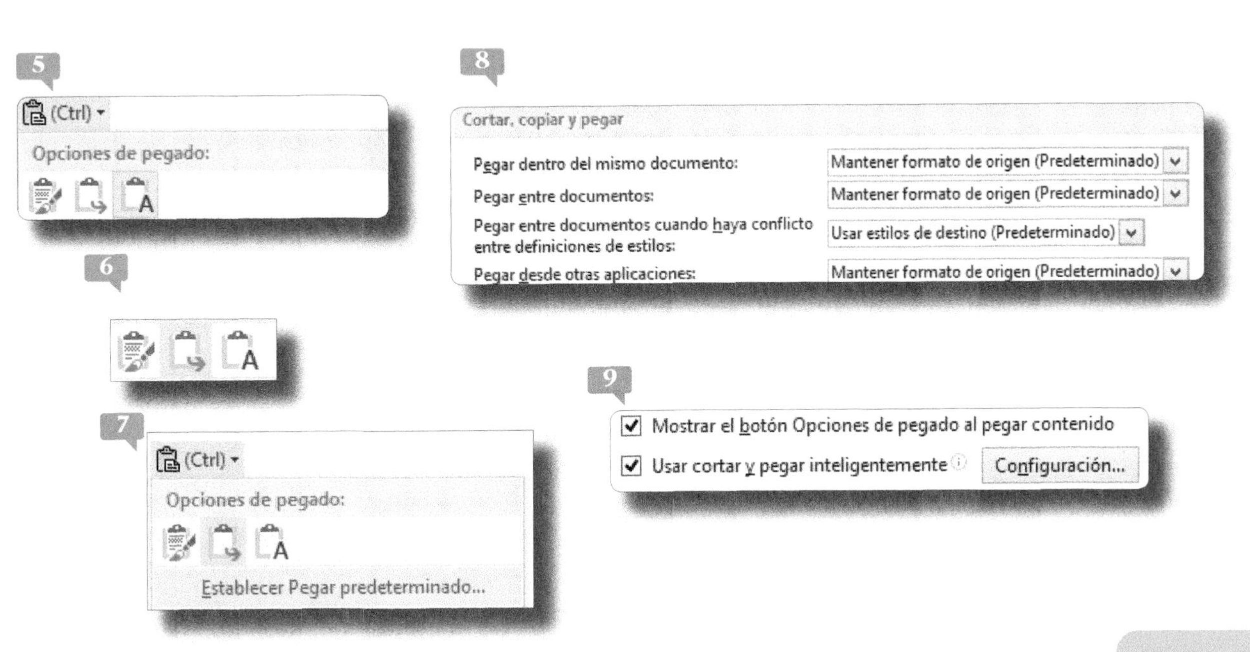

Efectuar pegados especiales

IMPORTANTE

La opción **Pegado especial,** que en versiones anteriores de Word encontrábamos en el menú **Edición,** se ha incluido ahora dentro del botón **Pegar** de la ficha **Inicio.**

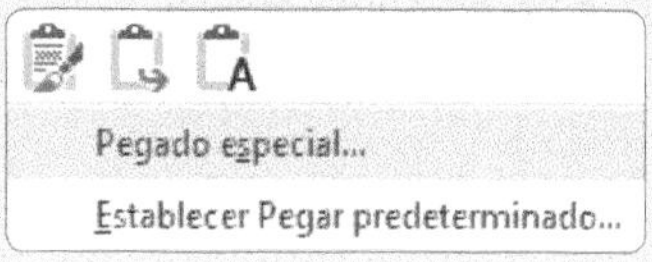

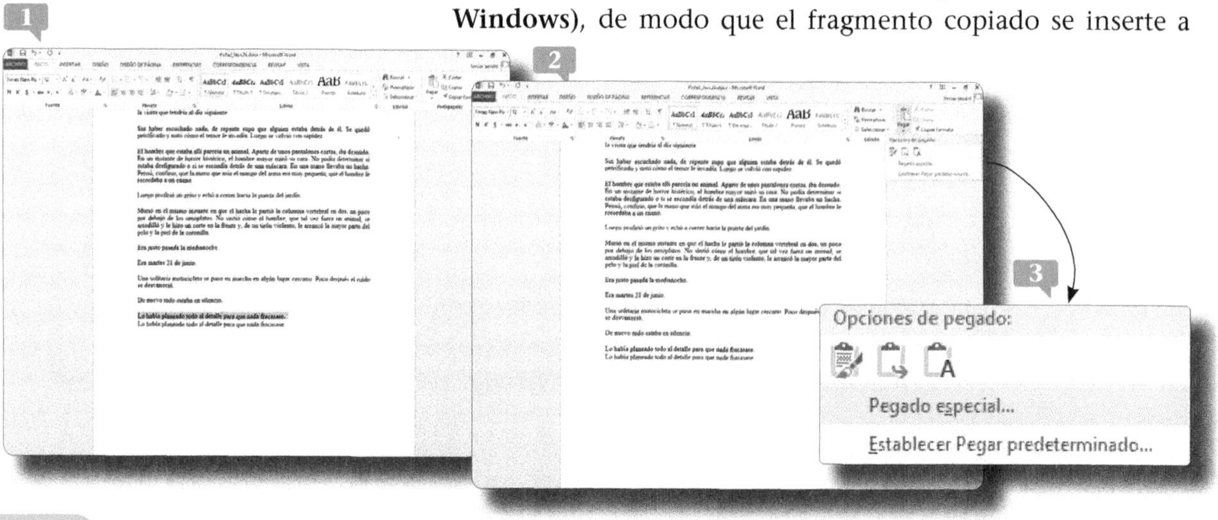

Pegado especial...

Establecer Pegar predeterminado...

EL BOTÓN PEGAR QUE ENCONTRAMOS en el grupo de herramientas Portapapeles de la ficha Inicio sólo se activa cuando existe algún elemento en el Portapapeles de Office, esto es, cuando se ha cortado o copiado un fragmento de texto, una imagen, una tabla o cualquier otro componente de un archivo.

1. En este ejercicio conoceremos la utilidad de las opciones especiales de pegado. Para empezar, seleccionaremos un fragmento del texto y lo copiaremos en el Portapapeles de Office. Sobre el documento **Pista.docx**, haga clic en el margen izquierdo de la penúltima frase del documento para seleccionarla entera y pulse la combinación de teclas **Ctrl.+ C** para copiarla. [1]
2. A continuación, y tras situar el cursor en la última línea en blanco del documento, haga clic en el botón de punta de flecha del comando **Pegar** del grupo de herramientas **Portapapeles** para ver las opciones que incluye. [2]
3. El comando **Pegar** esconde el panel **Opciones de pegado**, aunque con una opción adicional: **Pegado especial.** Pulse sobre dicha opción. [3]
4. Esta herramienta abre el cuadro de diálogo **Pegado especial**, donde podemos seleccionar el formato en que vamos a pegar el fragmento copiado. Mantenga seleccionada la opción **Pegar**, haga clic sobre el formato **Imagen (metarchivo de Windows)**, de modo que el fragmento copiado se inserte a

1

2

3

Opciones de pegado:

Pegado especial...

Establecer Pegar predeterminado...

modo de imagen de metarchivo de Windows, y pulse el botón **Aceptar**.

5. Para comprobar que el fragmento pegado actúa como una imagen, haga clic sobre él.
6. Observe que en la **Cinta de opciones** aparece la ficha contextual **Herramientas de imagen**, lo que certifica que el elemento seleccionado es una imagen. Pulse la tecla **Suprimir** para eliminar el texto copiado.
7. Para acabar, veremos cómo actúa la herramienta **Pegar vínculo**. Para ello, y con el fin de comprobar mejor el funcionamiento de esta opción, copie alguna frase de la primera página del documento y vuelva a situarse al final del mismo.
8. Seguidamente, haga clic en el botón de punta de flecha del comando **Pegar** y seleccione de nuevo la opción **Pegado especial**.
9. Se abre así una vez más el cuadro de diálogo **Pegado especial**. En este caso, haga clic sobre la opción **Pegar vínculo**, mantenga como formato la opción **Formato HTML** y pulse el botón **Aceptar**.
10. El fragmento de texto se pega en el punto en que se encuentra el cursor a modo de vínculo. Para comprobarlo, haga clic sobre la nueva frase para seleccionarla, pulse con el botón derecho del ratón sobre ella y, en el menú contextual que aparece, haga clic en la opción **Abrir vínculo**, dentro del comando **Objeto Documento vinculado**.

Automáticamente el programa nos sitúa en el punto del documento donde se encuentra el fragmento de texto original que hemos copiado.

018

IMPORTANTE

La opción **Pegar vínculo** también puede utilizarse entre documentos distintos, con la ventaja que las modificaciones en el archivo original afectan también al documento en que se ha pegado el elemento.

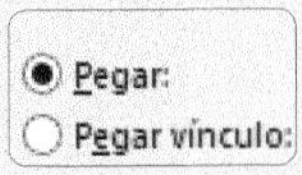

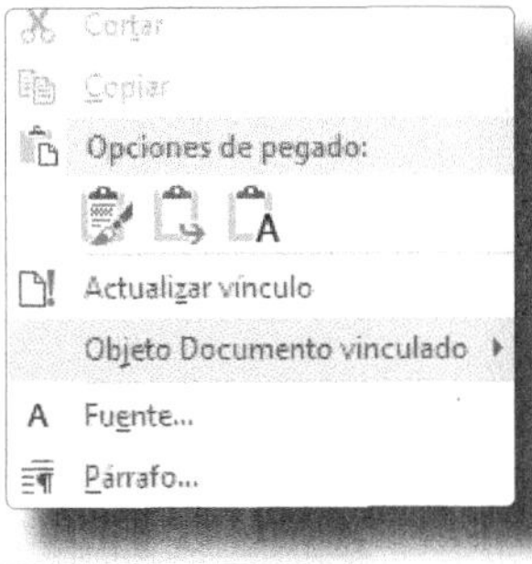

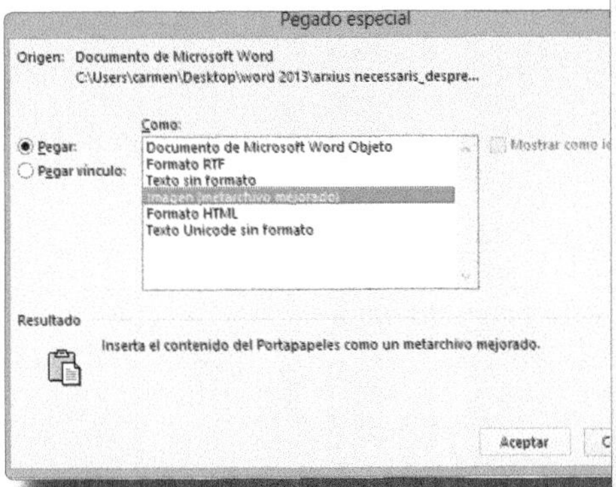

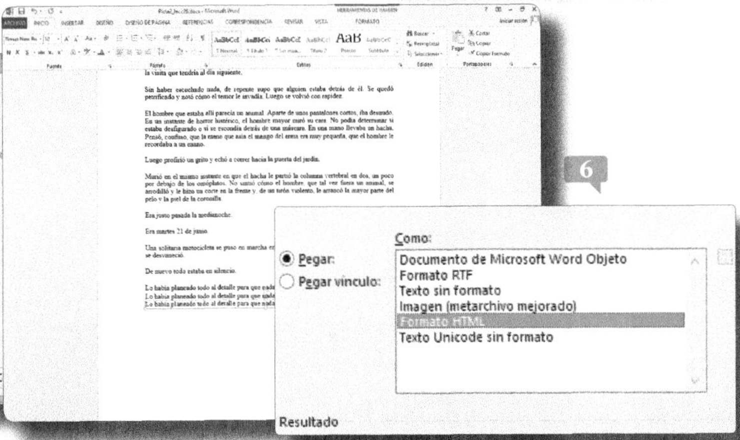

Deshacer y rehacer

LA FUNCIÓN DESHACER RETROCEDE UN PASO en la secuencia de trabajo, anulando la última acción ejecutada. Se trata de una función enormemente utilizada para reparar posibles errores cometidos. La función Rehacer, por su parte, ejecuta la acción contraria y sólo puede ser utilizada cuando previamente se ha usado el comando Deshacer.

1. En el sencillo ejercicio que proponemos a continuación, comprobaremos la enorme utilidad de las herramientas **Deshacer** y **Rehacer**, que se muestran a modo de icono en la **Barra de herramientas de acceso rápido**. Para ello, continuamos trabajando sobre el documento **Pista.docx**. Vamos a realizar algunas modificaciones en el documento. Seleccione una frase del texto, la primera, por ejemplo. 1
2. A continuación, pulse sobre la herramienta **Negrita** del grupo de herramientas **Fuente** para aplicar ese estilo. 2
3. A continuación, seleccione otra parte del texto y pulse sobre el icono **Cursiva**, que muestra una K en el grupo de herramientas **Fuente** para aplicar ese estilo. 3

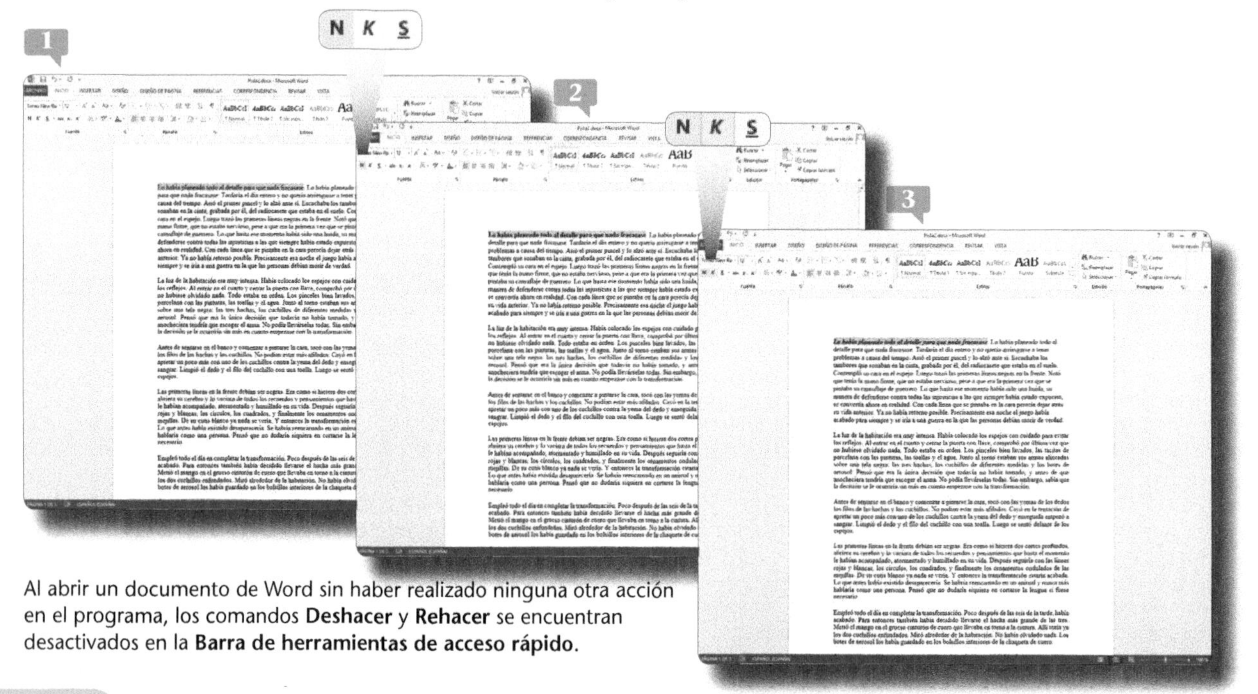

Al abrir un documento de Word sin haber realizado ninguna otra acción en el programa, los comandos **Deshacer** y **Rehacer** se encuentran desactivados en la **Barra de herramientas de acceso rápido**.

4. Comprobemos ahora cómo funciona la función **Deshacer**. Haga clic en el botón de punta de flecha que acompaña a este comando de la **Barra de herramientas de acceso rápido**, el que muestra una flecha curvada hacia la izquierda.
5. Aparecen todas las acciones que hemos realizado sobre el texto. Si pulsamos sobre la última acción, se desharán todas las realizadas. Pulse sobre la opción **Cursiva.**
6. Como ve, el texto aparece de nuevo tal y como estaba antes de que se aplicara el atributo Cursiva. Las acciones **Deshacer** y **Rehacer** también pueden ejecutarse mediante combinaciones de teclas; la combinación que lleva a cabo la acción **Deshacer** es **Ctrl.+Z** y la que realiza la acción **Rehacer** es **Ctrl.+Y**. Pulse en este caso la combinación **Ctrl.+Z.**
7. Efectivamente, hemos deshecho la primera acción realizada en este ejercicio. Si pulsando este icono se anula la última acción, pulsando sobre el icono **Rehacer**, ésta vuelve a ejecutarse. Haga clic en dicho icono de la **Barra de herramientas de acceso rápido**, el que muestra una flecha curvada hacia la derecha.
8. La aplicación del estilo negrita vuelve a realizarse. Pulse ahora la combinación de teclas **Ctrl.+Y.**

El fragmento seleccionado vuelve a mostrarse en cursiva. Como éste ha sido el último cambio en el formato del documento realizado, el comando **Rehacer** se muestra ahora inactivo.

IMPORTANTE

Desde la lista de acciones que aparece al pulsar sobre el botón de flecha del icono **Deshacer** de la **Barra de herramientas de acceso rápido** es posible deshacer todas las acciones realizadas si se pulsa sobre la última acción de la lista, sobre la cual se indican el número de acciones totales.

Deshacer 2 Acciones

Insertar texto

IMPORTANTE

Para eliminar un carácter o un espacio situado a la derecha del cursor se utiliza la tecla **Suprimir**, y para eliminar un carácter o un espacio situado a la izquierda del cursor se utiliza la tecla **Retroceso**.
Por otra parte, otra forma de unir líneas consiste en situar el cursor al inicio de una línea y pulsar la tecla **Retroceso** tantas veces como espacios deban eliminarse hasta que lleguen a unirse.

INSERTAR TEXTO ES UNA TAREA FUNDAMENTAL si tenemos en cuenta que Microsoft Word es un procesador de textos diseñado básicamente para la creación de documentos escritos.

1. Para empezar, escriba al final del documento la palabra **Cuento.** 1
2. Imagine que su intención era escribir **Cuanto** en lugar de **Cuento.** Deberá, pues, sustituir la letra a por la letra e. Haga clic entre las letras **u** y **e** de la palabra para situar en ese punto el cursor de edición, pulse la tecla **Suprimir** de su teclado y luego la tecla **a.** 2
3. El siguiente paso será aprender a eliminar espacios entre párrafos. Haga clic al final de alguno de los párrafos existentes 3 y pulse la tecla **Suprimir** para eliminar el espacio entre esta línea y la siguiente.
4. Ambas líneas se han unido. 4 Pulse la **barra espaciadora** del teclado para añadir un espacio entre el punto y la inicial de la palabra siguiente. 5
5. Otra tecla muy importante durante la creación de documentos es la tecla **Retorno.** Cada vez que se pulsa esta tecla el cursor

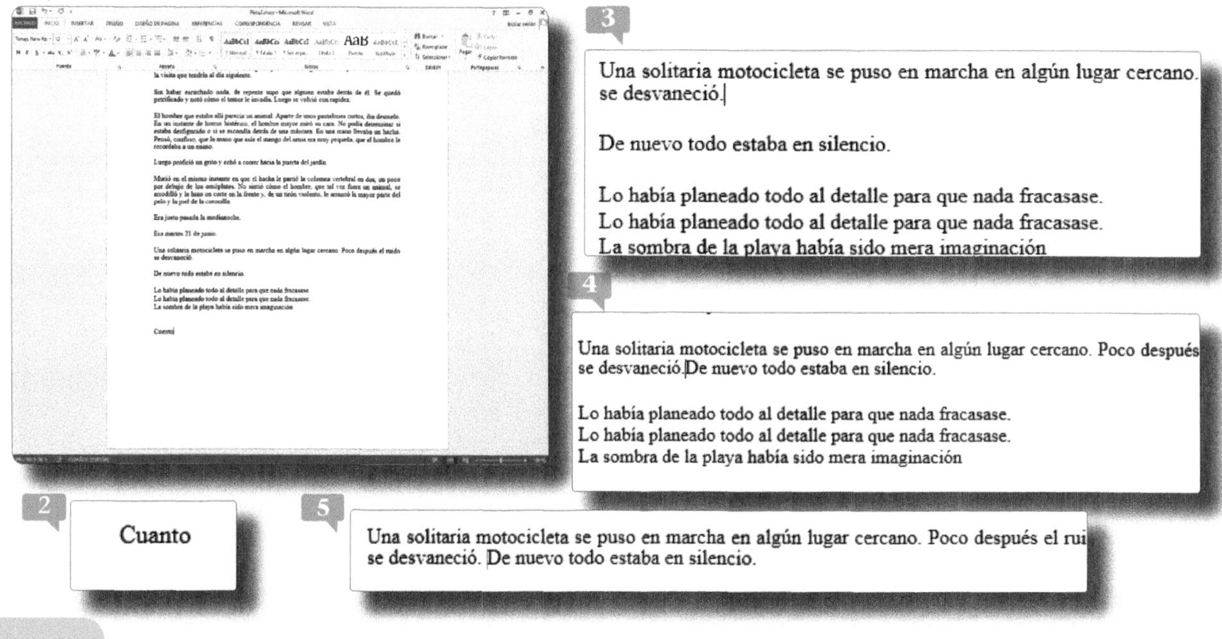

se sitúa al inicio de la línea siguiente, por lo tanto, creamos un nuevo párrafo. Haga clic justo después de la última palabra del documento, **Cuanto**, y pulse dos veces la tecla **Retorno**.

6. Se han añadido dos nuevas líneas en blanco al documento. Ahora pulse dos veces la **tecla de dirección hacia arriba** para situarse al principio de la última línea escrita del documento.
7. En esta versión del programa, el modo **Sobrescribir** está desactivado por defecto y la tecla **Insert** no lo activa a menos que así lo especifiquemos en el cuadro de opciones. Haga clic en la pestaña **Archivo** y pulse sobre el comando **Opciones**.
8. Pulse en la categoría **Avanzadas** del panel de la izquierda.
9. Active la opción **Usar la tecla Insert para controlar el modo Sobrescribir** del apartado **Opciones de edición** pulsando en su correspondiente casilla de verificación y pulse el botón **Aceptar** para aplicar el cambio realizado en las opciones del programa.
10. Veamos cómo actúa la tecla **Insert** ahora. Le recordamos que esta tecla se encuentra normalmente en el grupo de teclas situado en la parte superior de las teclas de desplazamiento. Pulse la tecla **Insert** y escriba las letras **Mi**.
11. A medida que se introduce el nuevo texto, éste sustituye al anterior. Pulse de nuevo la tecla **Insert** para desactivar la función **Sobrescribir**.

IMPORTANTE

Si activamos la opción **Usar modo Sobrescribir**, incluida en la opción **Usar la tecla Insert para controlar el modo Sobrescribir** del cuadro de opciones de Word, el programa activará ese modo de escritura que podrá desactivarse al pulsar la tecla **Insert**, según lo establecido.

☑ Usar modo Sobrescribir

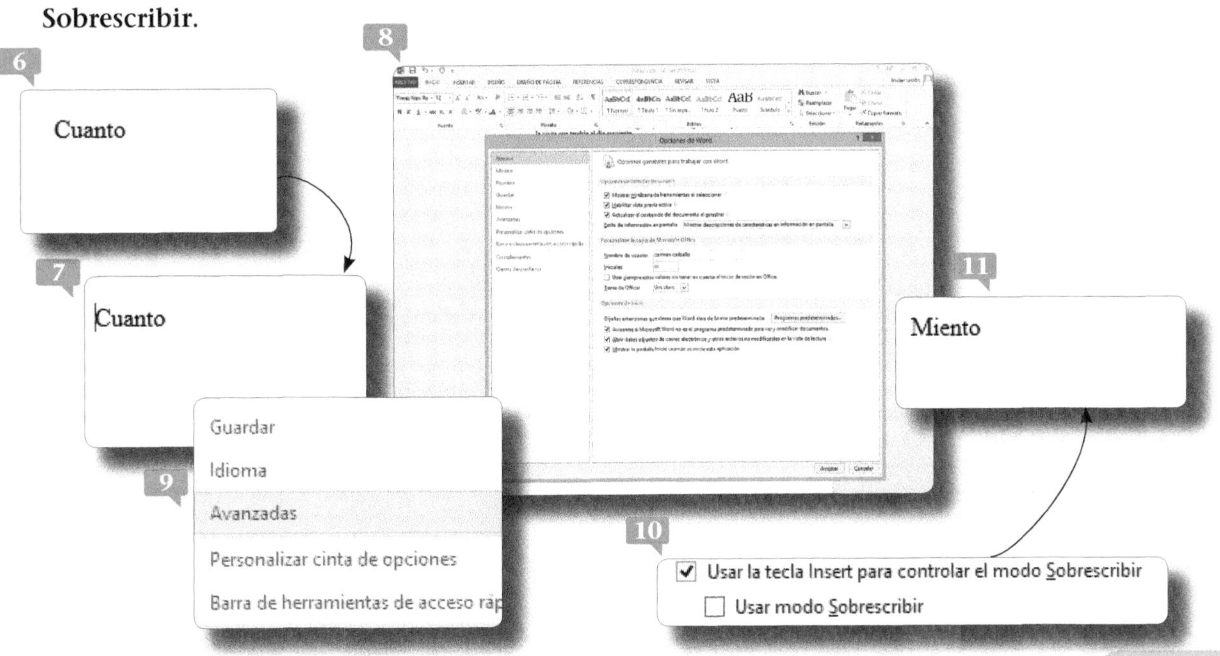

Insertar saltos de página

> **IMPORTANTE**
>
> Otra forma de insertar un salto de página es pulsar la tecla Retorno tantas veces como líneas falten para llegar al inicio de la página siguiente.

INSERTAR UN SALTO DE PÁGINA CONSISTE en situar el fin de una página y el inicio de otra allí donde se encuentre el cursor. Como sabe, cada página de Word presenta unas medidas predeterminadas y el programa no considera que pasa de una página a otra hasta que el cursor se sitúa en la última línea de la misma y luego pasa a la siguiente.

1. Para empezar pulse la combinación de teclas **Ctrl.+Fin** para situarse al final del documento y pulse la tecla **Retorno.** [1]
2. A continuación, haga clic en la pestaña **Insertar** de la **Cinta de opciones.** [2]
3. En el grupo de herramientas **Páginas**, pulse sobre el comando **Salto de página.** [3]
4. Observe que acaba de aparecer un salto de página representado por una línea recta que separa las páginas. [4] También es importante fijarse en que el cursor de edición está en la primera línea de la nueva página. Ahora eliminaremos este salto de página. Pulse la tecla **Retroceso.**
5. A continuación, insertaremos un salto de página en otro punto del documento, usando esta vez la combinación de teclas adecuada. Haga clic al principio de la última línea escrita del

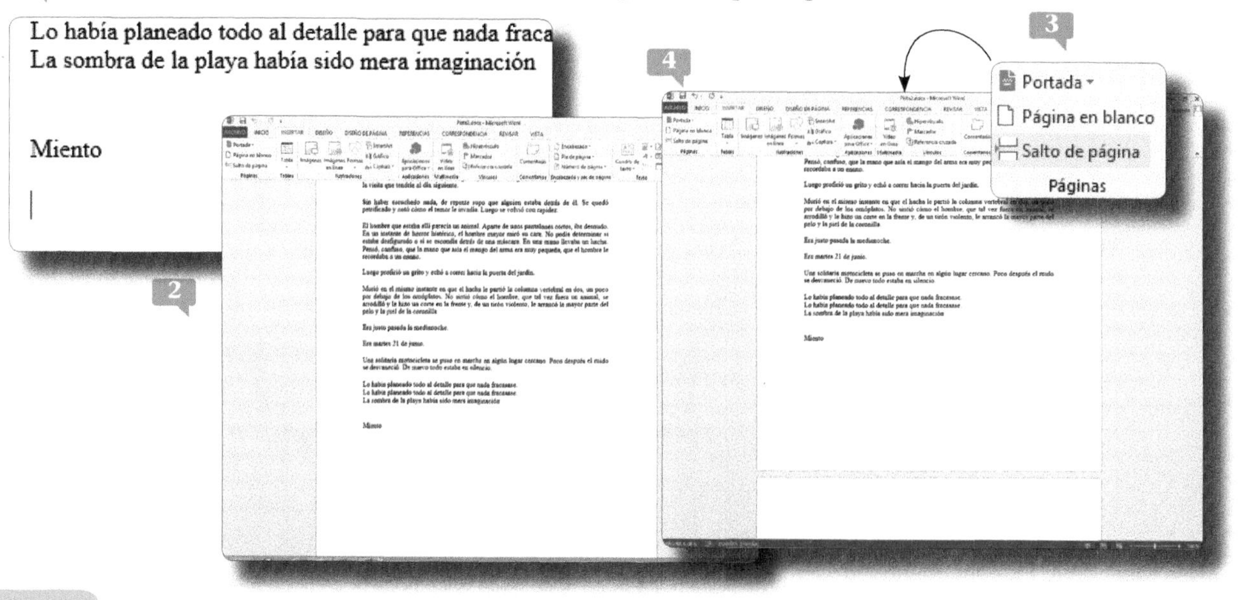

documento y pulse la combinación de teclas **Ctrl. + Retorno.**

6. Al igual que en el caso anterior, hemos insertado un salto de página pero en este caso, como nos encontrábamos ante una línea escrita, ésta se ha desplazado hasta la nueva página. Pulse la tecla **Retroceso** para eliminar el salto de página.
7. Ahora veremos una tercera manera de insertar un salto de página. Haga clic en la pestaña **Diseño de página** de la **Cinta de opciones.**
8. Despliegue el comando **Saltos**, en el grupo **Configurar página**, y de la lista de opciones que aparece elija **Página.**
9. Word nos permite configurar algunas opciones para controlar dónde se deben insertar los saltos de página automáticos. Estas opciones se encuentran en el cuadro de diálogo **Párrafo.** Haga clic en el iniciador de cuadro de diálogo del grupo de herramientas **Párrafo.**
10. En el cuadro de diálogo **Párrafo**, pulse sobre la pestaña **Líneas y saltos de página.**
11. Le recomendamos que, cuando practique con Word por su cuenta, compruebe la utilidad de estas funciones escribiendo párrafos al final de las páginas. Mantenga las opciones de paginación tal y como aparecen en este cuadro y pulse el botón **Aceptar.**

IMPORTANTE

La opción **Control de líneas viudas y huérfanas** hace que, al escribir, una página nunca acabe con una única línea de un párrafo nuevo ni empiece con sólo la última línea de un párrafo anterior (las llamadas líneas huérfanas y viudas). La opción **Conservar con el siguiente**, por su parte, evita que se inserten saltos de página entre párrafos que se desea mantener juntos y la opción **Conservar líneas juntas** impide que se inserte un salto de página entre líneas de un párrafo que no se desea dividir.

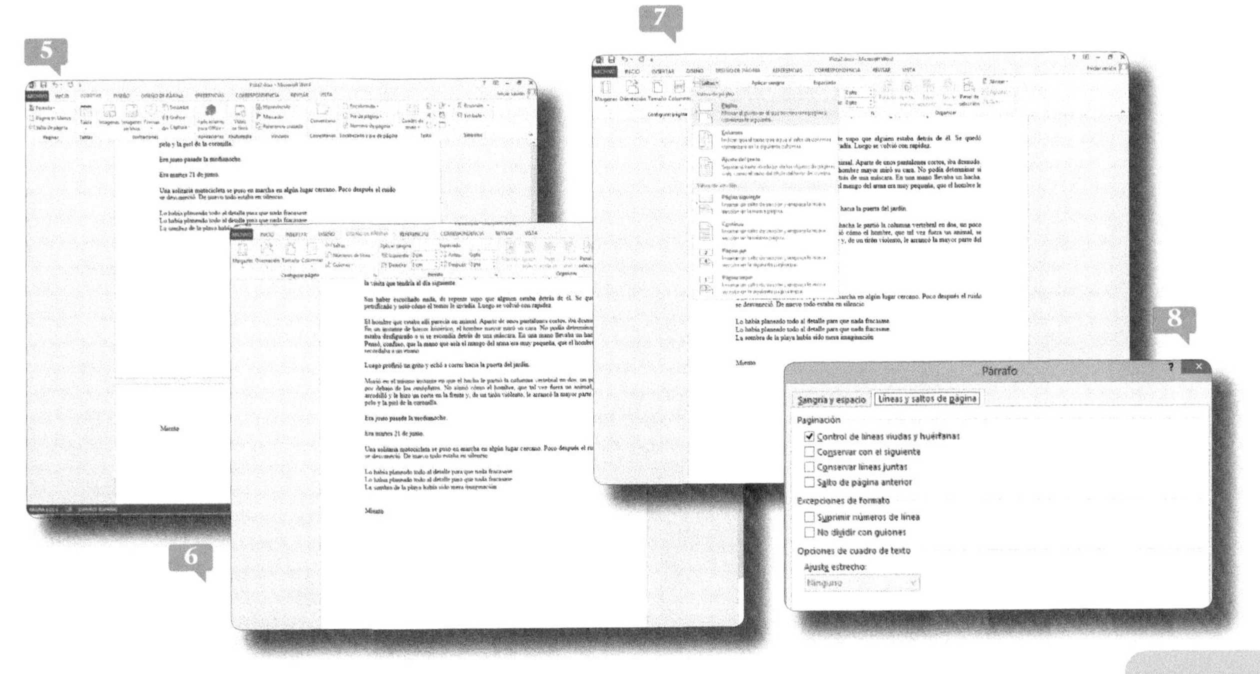

Insertar número de página

IMPORTANTE

La información que se incluye en los encabezados y pies de página es independiente del cuerpo del documento, por lo que para modificarla hay que hacer doble clic sobre ella para que aparezca la ficha de herramientas contextual correspondiente a este elemento.

LOS NÚMEROS DE PÁGINA SE PUEDEN INSERTAR en la parte superior, en la parte inferior o en los márgenes de un documento. Para llevar a cabo esta acción se utiliza el comando Número de página, que se encuentra en el grupo de herramientas Encabezado y pie de página de la ficha Insertar.

1. Para empezar, active la ficha **Insertar** de la **Cinta de opciones** pulsando sobre su pestaña y haga clic en el comando **Número de página** del grupo de herramientas **Encabezado y pie de página.** [1]
2. En este caso, insertaremos el número de página al pie del documento. Haga clic en la opción **Final de página** para ver la galería de diseños, pulse en la parte inferior de la **Barra de desplazamiento vertical** y pulse sobre la opción **Círculo.** [2]
3. Haga clic sobre el círculo que incluye el número de página. [3]
4. Ahora se encuentra seleccionado el cuadro de texto en el que se muestra el número de la página. Al seleccionar este elemento han aparecido dos fichas contextuales: **Formato** incluye las herramientas necesarias para modificar el cuadro de texto, y **Diseño** cuyo contenido se encuentra activo por defecto. Haga clic en la pestaña **Formato.** [4]

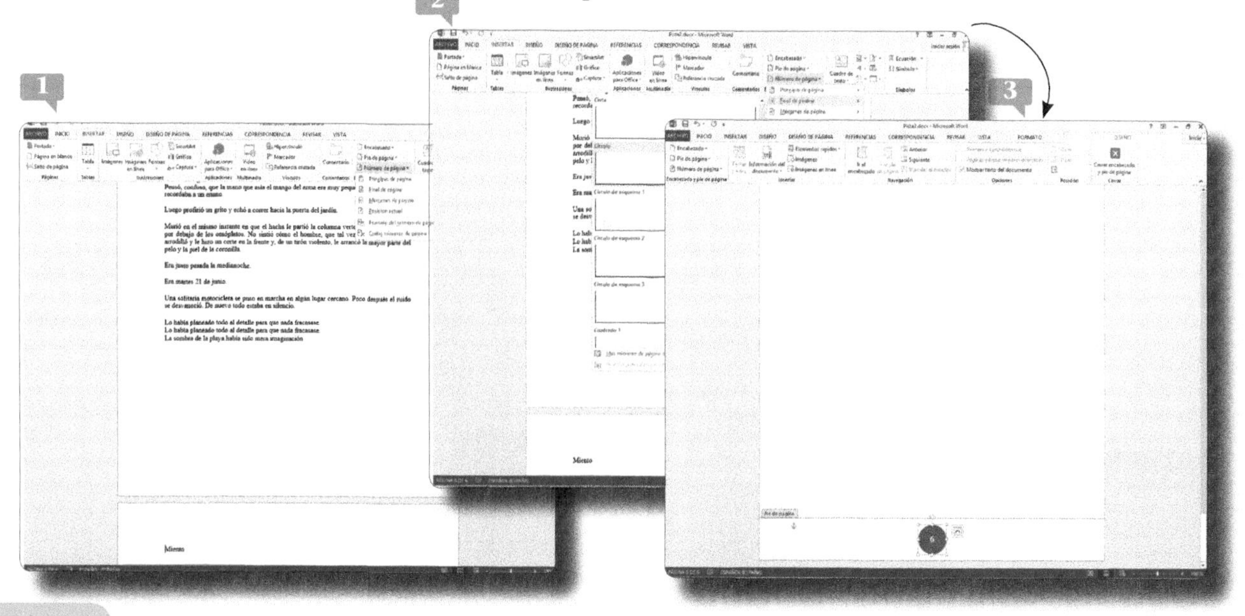

5. Vamos a cambiar el estilo del cuadro de texto y después le aplicaremos un efecto de sombra. Haga clic en el botón **Más** de la galería de estilos del cuadro de texto, en el grupo de herramientas **Estilos de forma**, y elija el estilo que más le guste.
6. A continuación, en el mismo grupo de herramientas, haga clic en el comando **Efectos de formas**, pulse sobre la opción **Sombra** y elija el efecto que desee.
7. Una vez modificado el diseño del cuadro de texto, veremos cómo cambiar el formato del número de página. Haga clic en la pestaña **Diseño**, la última de la **Cinta de opciones**.
8. Pulse sobre el botón **Número de página** del grupo de herramientas **Encabezado y pie de página** y haga clic en la opción **Formato del número de página.**
9. Se abre así el cuadro **Formato de los números de página**, desde el cual podemos cambiar el formato de número, incluir el número de capítulo y cambiar el inicio de la numeración de las páginas. Elija el formato para el número que más le guste y pulse el botón **Aceptar** para aplicarlo.
10. Pulse el botón **Cerrar encabezado y pie de página** de la ficha **Diseño.**

9

Formato de los números de página

Formato de número: 1, 2, 3, ...

- 1 -, - 2 -, - 3 -, ...

a, b, c, ...

A, B, C, ...

i, ii, iii, ...

Incluir número de

Empezar con el est

Usar separador: (guión)

Ejemplos: 1-1, 1-A

Numeración de páginas

Continuar desde la sección anterior

Iniciar en:

Aceptar

Cancelar

4

FORMATO

DISEÑO

5

Abc

Relleno de forma

Contorno de forma

Efectos de forma

6

Otros rellenos de formas

7

10

Cerrar encabezado y pie de página

Cerrar

8

Encabezado

Pie de página

Número de página

Fecha y hora

Principio de página

Final de página

Márgenes de página

Posición actual

Formato del número de página...

Insertar símbolos

IMPORTANTE

El comando **Símbolos** de la ficha **Insertar** muestra una serie de símbolos predeterminados (los más comunes y los últimos utilizados) y permite también acceder al cuadro de diálogo **Símbolo** para poder ver otros.

Ω Más símbolos...

EN OCASIONES RESULTA NECESARIO introducir en un documento un símbolo que no aparece en nuestro teclado. Entre estos símbolos se encuentran, por ejemplo, los correspondientes al alfabeto griego, árabe, hebreo, cirílico, etc. así como otro tipo de símbolos, como el de Copyright u otros caracteres especiales.

1. Para empezar, sitúese en la pestaña **Insertar** y en el grupo de herramientas **Símbolos**, pulse sobre el comando **Símbolo** para ver las opciones que incluye. [1]
2. Pulse como ejemplo sobre el símbolo de copyright, el cuarto de la primera fila. [2]
3. Automáticamente aparece el símbolo seleccionado en el punto en que se encontraba el cursor de edición. [3] Ahora accederemos al cuadro de diálogo **Símbolos.** Pulse de nuevo sobre el comando **Símbolo** del grupo de herramientas **Símbolos** y pulse sobre la opción **Más símbolos.** [4]
4. El cuadro de diálogo **Símbolo** incluye dos fichas, **Símbolos** y **Caracteres especiales.** Pulse sobre el botón de punta de flecha del campo **Fuente** y seleccione la fuente **Wingdings.** [5]

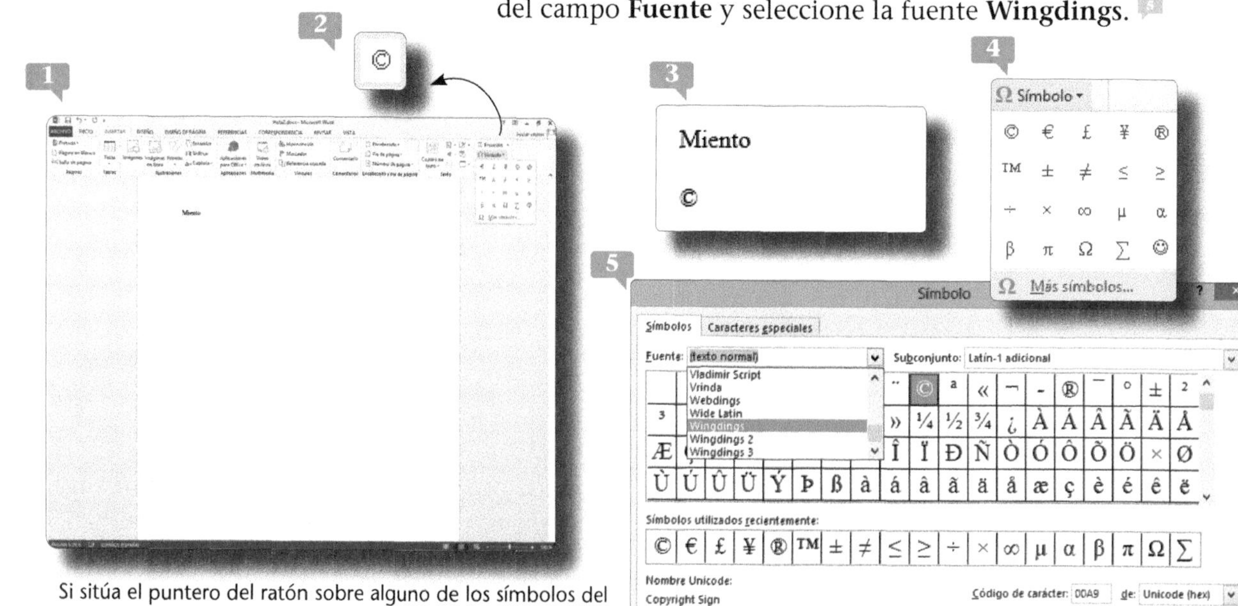

Si sitúa el puntero del ratón sobre alguno de los símbolos del comando **Símbolo** aparecerá una etiqueta emergente con el nombre de dicho elemento.

5. Como ve, esta fuente incluye todo tipo de símbolos decorativos. Haga clic sobre el símbolo que muestra un libro abierto en la primera fila, pulse sobre el botón **Insertar** y, seguidamente, sobre el botón **Cerrar**.
6. El símbolo seleccionado aparece en pantalla al lado del de Copyright. A continuación, practicaremos con la ficha **Caracteres especiales** del cuadro **Símbolo**. Haga clic nuevamente sobre el comando **Símbolo** y haga clic en la opción **Más símbolos**.
7. En el cuadro **Símbolo**, pulse sobre la pestaña **Caracteres especiales**.
8. Seleccione el símbolo correspondiente al Copyright y seguidamente pulse el botón **Autocorrección**.
9. En este cuadro podemos establecer una cadena de texto o un carácter específico para que, cada vez que lo introduzcamos, el ordenador lo identifique y lo sustituya por el símbolo seleccionado. Como ve, el cursor ya se encuentra en el cuadro **Reemplazar**. Escriba directamente desde su teclado dos letras C en mayúsculas, pulse el botón **Agregar** y, a continuación, el botón **Aceptar**.
10. Ahora comprobaremos que al insertar dos letras C seguidas, Word las corrige automáticamente para pasar a insertar el símbolo de Copyright, tal y como hemos establecido en la ventana de autocorrección. Pulse el botón **Cerrar** del cuadro **Símbolo**.
11. Escriba las letras CC en mayúsculas, pulse la **barra espaciadora** y compruebe el resultado.

IMPORTANTE

Desde el cuadro de diálogo **Símbolos**, existe la posibilidad de asociar una tecla a un símbolo específico a través del botón **Teclas.** También debe saber que el **Código de carácter** se utiliza básicamente para identificar a los caracteres, con el fin de facilitar la búsqueda de los mismos.

Insertar comentarios

IMPORTANTE

Dependiendo de la vista utilizada, el comentario está visible o no. En la nueva vista modo lectura por ejemplo no esta visible. En cualquier caso, incluso en aquellas vistas en las que no se visualizan los comentarios, existen unos indicadores en forma de bocadillo cuyo objetivo es marcar discretamente su existencia. De este modo, puede localizarlos fácilmente sin que por ello la estética del documento se vea afectada, ni el lector tenga ningún tipo de distacción.

INSERTAR COMENTARIOS ES UNA de las funciones de Word más utilizadas por los usuarios en los documentos de uso personal. No quita espacio y es muy útil como recordatorio o ayuda. Esta nueva versión de Word ha mejorado mucho esta herramienta, ya que puede responder a la persona que hizo el comentario o mantener una conversació o debate, justo al lado del texto en cuestión.

1. Para empezar este ejercicio en el que aprenderemos a trabajar con comentarios, deberá seleccionar un fragmento de texto. Una vez lo haya hecho, pulse sobre la pestaña **Revisar** de la **Cinta de opciones** 1 y haga clic en el comando **Nuevo comentario** del grupo de herramientas **Comentarios.** 2
2. Automáticamente se abre un globo de comentario que se sitúa en el margen derecho de la página, en la llamada **Área de revisiones**, 3 y en el que debemos introducir el texto de la nota. Aparece también el nombre de la persona que realiza el comentario y el momento justo en que se realiza. Escriba como ejemplo la palabra **eliminar.** 4
3. Para responder a un comentario, puede utilizar el comando **Nuevo comentario** o el botón **Respuesta a un comentario**

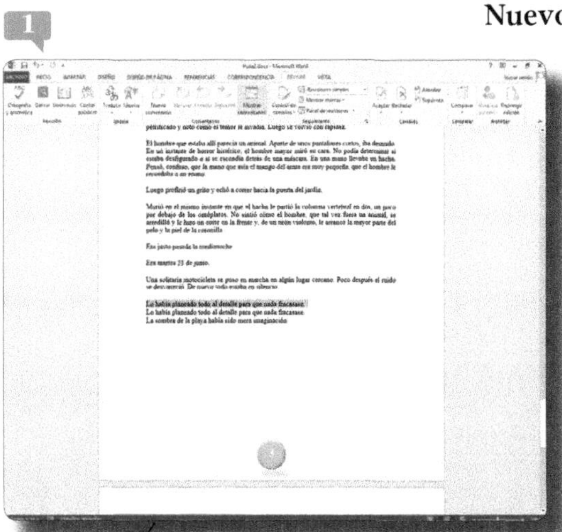

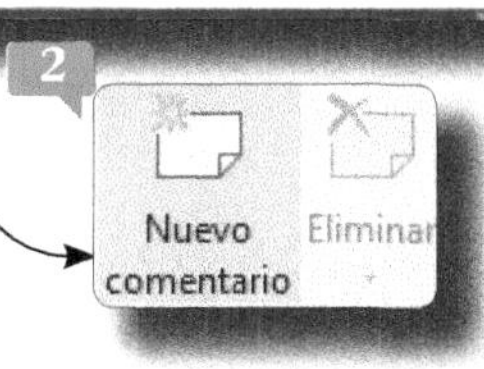

1

3

2

Nuevo comentario
Eliminar

Al insertar un comentario, todos los comandos del grupo **Comentarios**, con las que podemos gestionar las notas, se activan.

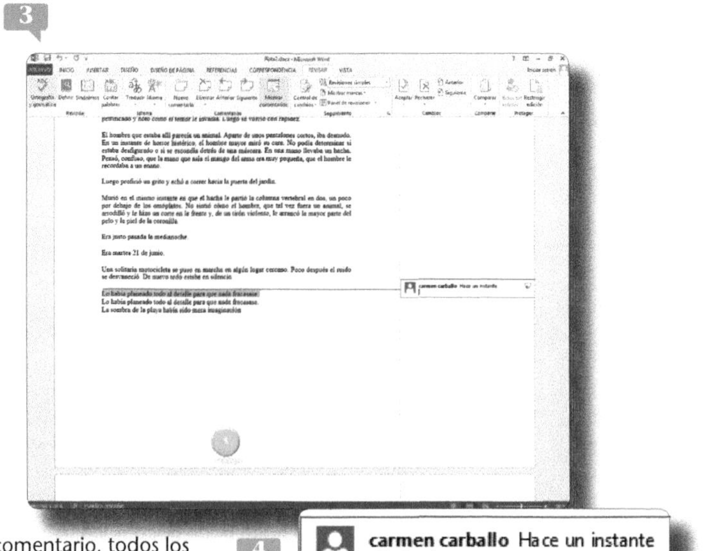

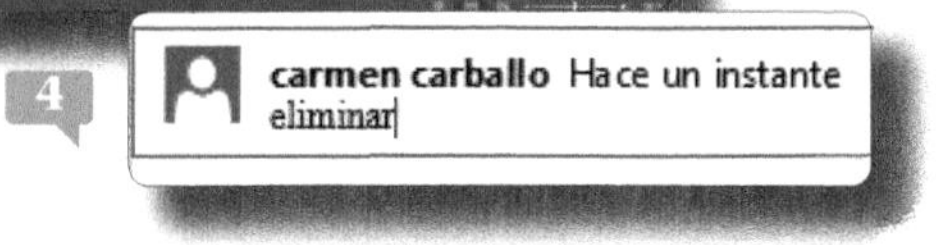

4

carmen carballo Hace un instante
eliminar

situado en el globo del comentario. Haga clic sobre el botón **Respuesta a un comentario.** [5]

4. En nuestro ejemplo la misma persona realiza los dos comentarios. Escriba como contestación la palabra **mantener**. [6]
5. Ahora veremos cómo eliminar un comentario. Haga clic dentro del globo del segundo comentario.
6. Haga clic en el botón de punta de flecha del comando **Eliminar**, en el grupo de herramientas **Comentarios**, y pulse en la opción del mismo nombre para suprimir el comentario seleccionado. [7]
7. Antes de acabar, accederemos al **Panel de revisiones** en el que Word nos informa de todos los cambios y comentarios que se han introducido en el documento. En el grupo de herramientas **Seguimiento**, pulse en el botón de punta de flecha del comando **Panel de revisiones** y haga clic en la opción **Panel de revisiones vertical.** [8]
8. El Panel de revisiones se abre y muestra el único comentario que se ha introducido en el documento y el nombre de su creador. [9] Cierre este panel pulsando el botón de aspa de su cabecera.

IMPORTANTE

Para ocultar los comentarios del documento, es preciso desplegar, en el grupo de herramientas **Seguimiento**, el comando **Mostrar marcas** y desactivar la opción **Comentarios**.

Mostrar marcas
✓ Comentarios
✓ Entradas de lápiz

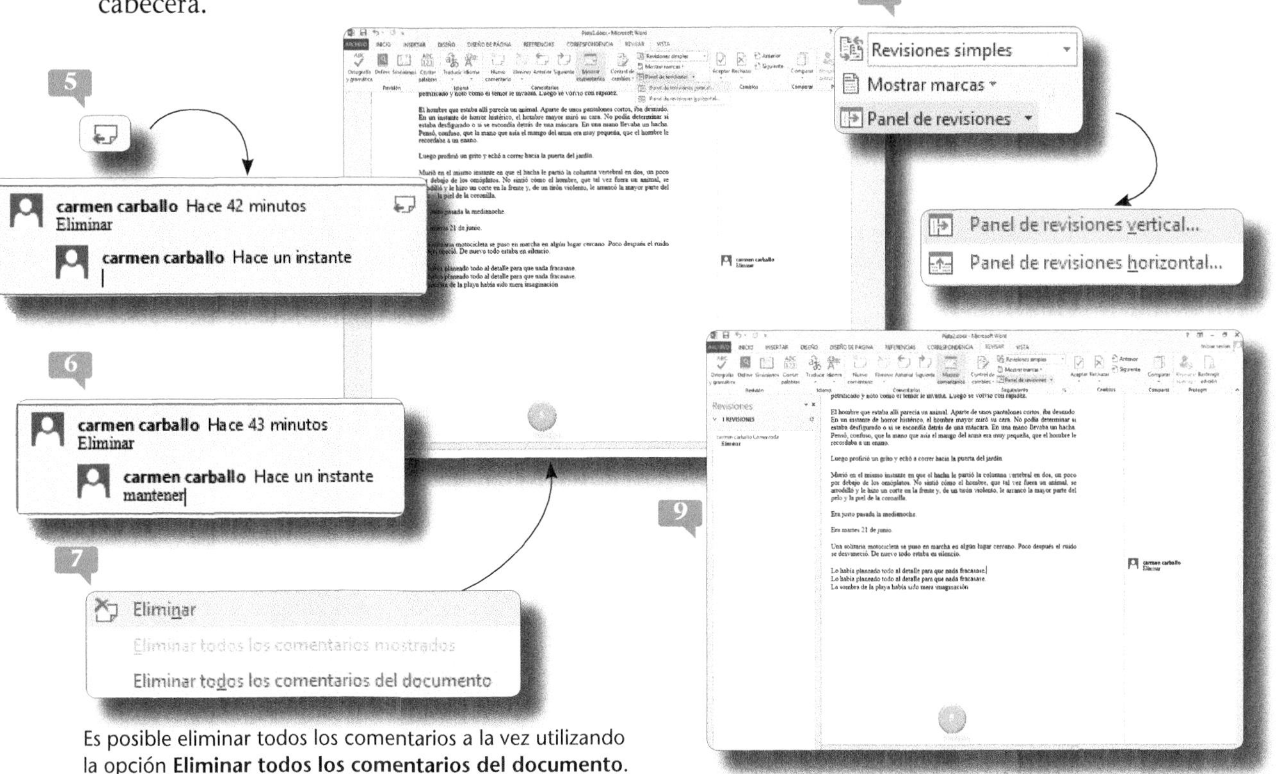

Es posible eliminar todos los comentarios a la vez utilizando la opción **Eliminar todos los comentarios del documento**.

Insertar un cuadro de texto

IMPORTANTE

Para trazar un cuadro de texto manualmente, se utiliza la opción **Dibujar cuadro de texto**, incluida en el comando Cuadro de texto del grupo de herramientas **Texto** de la ficha **Insertar** de la **Cinta de opciones.**

Dibujar cuadro de texto

UN CUADRO DE TEXTO ES UN CONTENEDOR móvil de tamaño variable para texto o gráficos. Los cuadros de texto se utilizan básicamente por motivos estéticos y organizativos ya que permiten diferenciar a la perfección distintos bloques de texto que figuren en una misma página.

1. Podemos insertar un cuadro de texto dibujándolo manualmente o bien seleccionándolo en una extensa galería que nos ofrece Word 2016. Haga clic en la pestaña **Insertar** de la **Cinta de opciones.**
2. Pulse sobre la herramienta **Cuadro de texto** del grupo **Texto** para ver las opciones que incluye.
3. Haga clic en la parte inferior de la **Barra de desplazamiento vertical** de la galería de cuadros de texto y pulse sobre el diseño **Barra lateral de retrospectiva.**
4. Como éste se encuentra seleccionado, se ha activado la ficha contextual **Herramientas de dibujo**, en cuya subficha **Formato** encontramos todas las herramientas que nos permiten modificar el aspecto del cuadro de texto. En primer lugar,

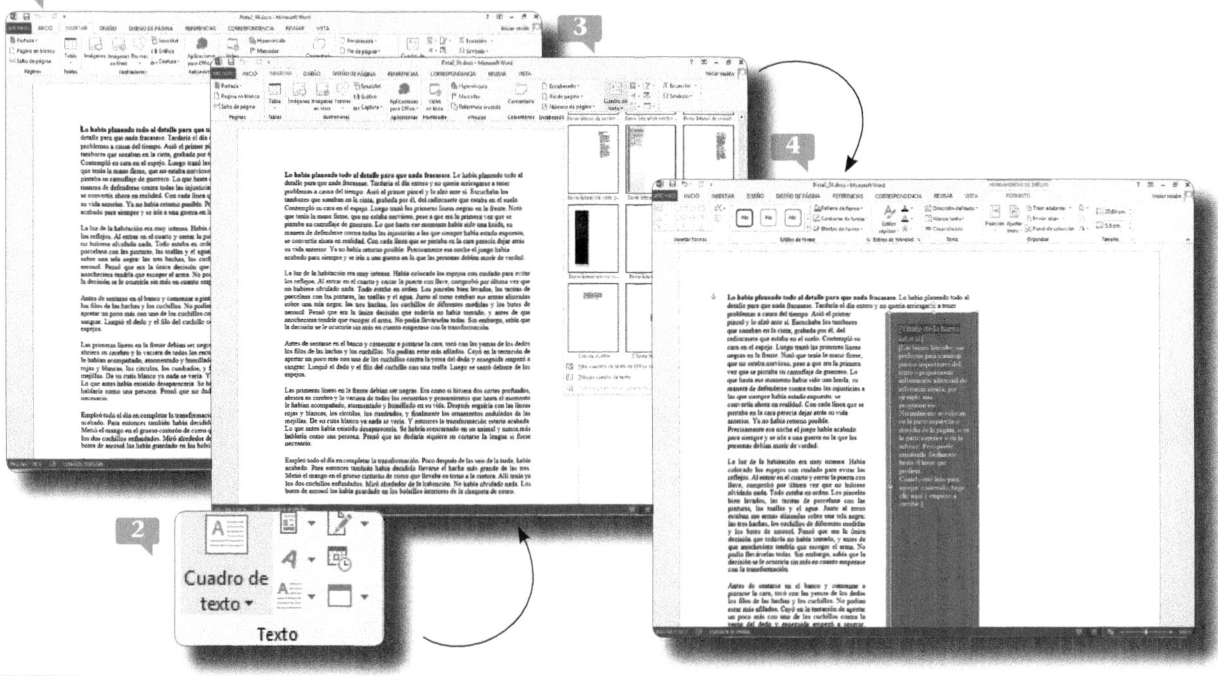

cambiaremos su estilo. Haga clic en el botón **Más** del grupo de herramientas **Estilos de forma** para ver la galería de estilos disponibles 5 y pulse sobre el segundo estilo de la última fila para aplicarlo al cuadro de texto. 6

5. Seguidamente, añadiremos un contorno al cuadro de texto y cambiaremos su forma. Despliegue el comando **Contorno de forma** del grupo de herramientas **Estilos de forma**, pulse sobre la opción **Grosor** y elija el valor **6 puntos.** 7
6. Ahora accederemos al nuevo panel **Formato de forma** de esta versión, para modificar la alineación del texto en el cuadro. Haga clic en el iniciador de cuadro de diálogo del grupo de herramientas **Estilos de forma**.
7. Aparece el panel **Formato de forma,** 8 también podemos cambiar los colores y las líneas del cuadro, su tamaño, su diseño, efectos, iluminación etc. Haga clic sobre el apartado **Opciones de texto**, y puse sobre el tercer icono **Diseño y propiedades** 9
8. Despliegue el campo **Alineación vertical** en la sección **Cuadro de texto**, y haga clic en la opción **En el medio.** 10 Cierre el panel **Formato de forma** a través de su botón de aspa.

IMPORTANTE

Para dibujar un cuadro de texto con unas dimensiones personalizadas, debemos pulsar y arrastrar el puntero del ratón hasta que el cuadro adquiera dichas dimensiones. Si hacemos clic en un punto de la hoja, se trazará también un cuadro de texto, pero con unas dimensiones predeterminadas que siempre se podrán modificar con ayuda de las herramientas de cuadro de texto.

5

Abc Abc Abc

Relleno de forma

Contorno de forma

Efectos de forma

Estilos de forma

6

Abc Abc Abc Abc Abc Abc Abc

Abc Abc Abc Abc Abc Abc Abc

Abc Abc Abc Abc Abc Abc Abc

Abc Abc Abc Abc Abc Abc Abc

10

Superior

En el medio

7

8

Formato de forma

9

Formato de forma

Insertar un objeto

IMPORTANTE

La ficha **Crear nuevo** del cuadro de diálogo **Objeto** muestra tipos distintos de archivos que el usuario puede insertar en un documento. Los tipos disponibles dependerán de los programas instalados en el equipo.

POR OBJETO SE ENTIENDE CUALQUIER ELEMENTO, ya sea un archivo de texto, de audio, una imagen, etc., que se puede insertar en un documento de Word. El hecho de insertar un objeto vinculado implica que éste se modificará automáticamente en el archivo de destino cada vez que sufra cualquier tipo de cambio en su ubicación de origen.

1. En este ejercicio aprenderemos a insertar un objeto vinculado a su original en un documento. Para ello, trabajaremos con un documento de texto creado sobre WordPad, programa incluido en Windows. Dicho documento, denominado **Detective.rtf**, puede descargarlo, como es habitual, desde nuestra página web. Cuando disponga de él guardado en su equipo, haga clic en la pestaña **Insertar** de la **Cinta de opciones.** 1
2. Despliegue el comando **Insertar objeto**, último icono del grupo de herramientas **Texto**, y pulse sobre la opción **Objeto.** 2
3. El cuadro de diálogo **Objeto** contiene dos fichas. Pulse sobre la pestaña **Crear desde un archivo.** 3
4. Ahora procederemos a buscar el archivo que deseamos insertar y vincular. Pulse el botón **Examinar.**
5. Se abre el cuadro **Examinar**. Haga clic sobre el documento de WordPad 4 y pulse el botón **Insertar.**

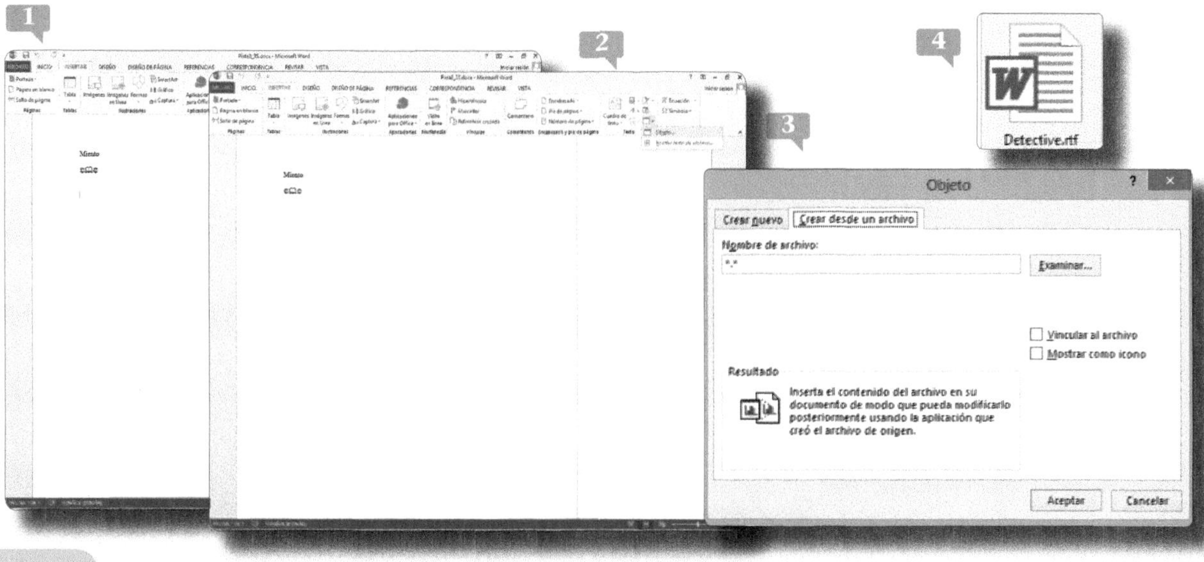

6. De vuelta en el cuadro de diálogo **Objeto**, vemos que en el campo **Nombre de archivo** figura la ubicación del archivo seleccionado. Ahora debe asegurarse de que este objeto se vincule a su archivo de origen. Haga clic en la casilla de verificación de la opción **Vincular al archivo**. 5
7. La opción **Mostrar como icono** hace que el objeto se inserte a modo de icono, por lo que para visualizarlo será necesario hacer doble clic sobre él. En este caso mantendremos esta opción desactivada para que el archivo se muestre abierto en el documento de Word. Pulse el botón **Aceptar**.
8. El archivo vinculado se ha insertado en el documento actual, en el punto en que se encontraba el cursor de edición. 6 A continuación, abriremos el archivo original para modificarlo, pero antes guarde los cambios en éste pulsando sobre el icono **Guardar** de la **Barra de herramientas de acceso rápido.** 7
9. Para abrir el documento original haga doble clic sobre la imagen del archivo insertado.
10. El archivo original se abre en este caso con Word. Realice algún cambio en este archivo, 8 guárdelo y ciérrelo.
11. Los cambios en el archivo vinculado se actualizan automáticamente. 9

IMPORTANTE

Para que los archivos vinculados no se actualicen automáticamente al abrir un documento, debemos desactivar la opción **Actualizar vínculos automáticos al abrir** incluida en el apartado General de la sección **Avanzadas** del cuadro **Opciones de Word.**

☑ Actualizar vínculos automáticos al abrir

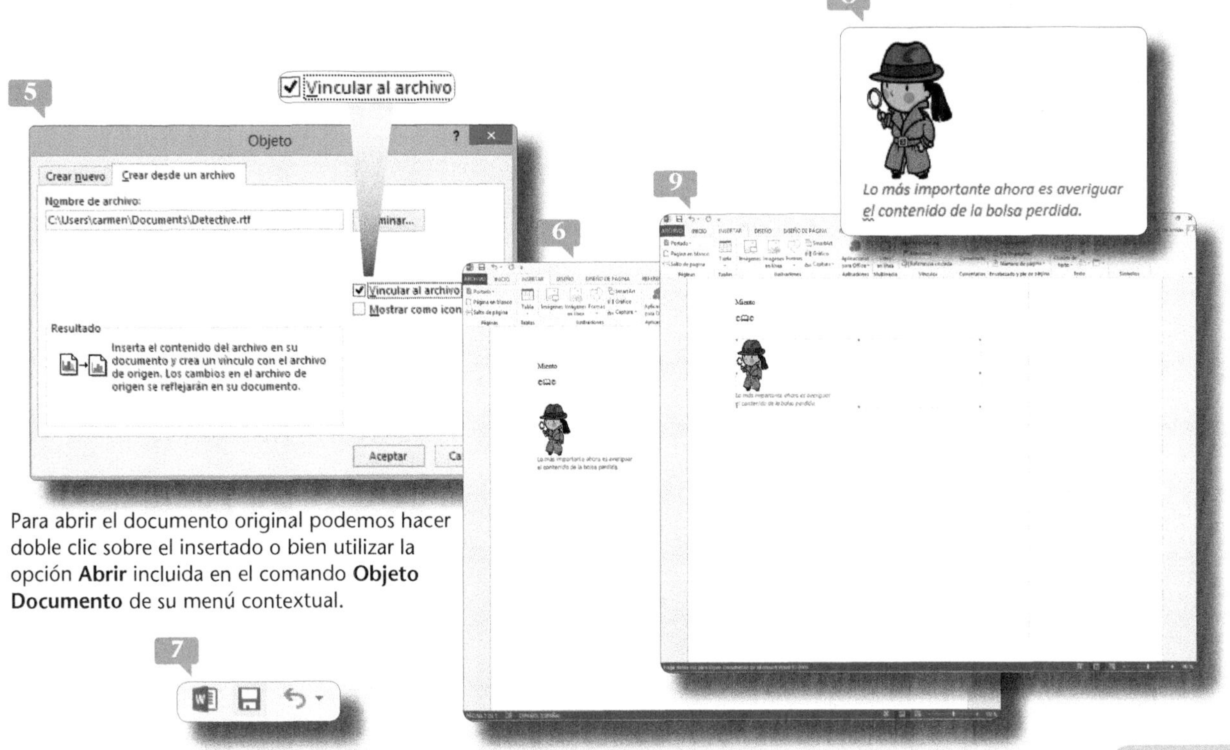

Para abrir el documento original podemos hacer doble clic sobre el insertado o bien utilizar la opción **Abrir** incluida en el comando **Objeto Documento** de su menú contextual.

Insertar texto de archivo

IMPORTANTE

Mediante la opción **Insertar texto de archivo** podemos insertar el texto de un archivo en nuestro documento. Si tenemos un cuadro de texto seleccionado, el texto se agregará a este cuadro de texto.

CUANDO HAY QUE INSERTAR TEXTO procedente de otro documento en el que se está trabajando se debe utilizar la opción Insertar texto de archivo, incluida en la herramienta Objeto de la ficha Insertar, esta opción sustituye desde la versión 2007 de Word a la herramienta Insertar archivo de versiones anteriores. Con ella, podemos insertar en un documento de Word otro documento creado con este programa y vincularlo al original de manera que los cambios producidos en éste se reflejen en el insertado.

1. Para llevar a cabo este ejercicio, le recomendamos que descargue de nuestra página web el documento denominado **Falsa pista.docx** y lo guarde en su equipo. Por el momento, no lo abra. Cuando disponga de él, despliegue el comando **Insertar objeto**, el último del grupo de herramientas **Texto**, y pulse sobre la opción **Insertar texto de archivo.** 1
2. Se abre así el cuadro **Insertar archivo**. Busque la ubicación donde ha guardado el documento **pista.docx**, u otro documento que desee insertar y selecciónelo. 2

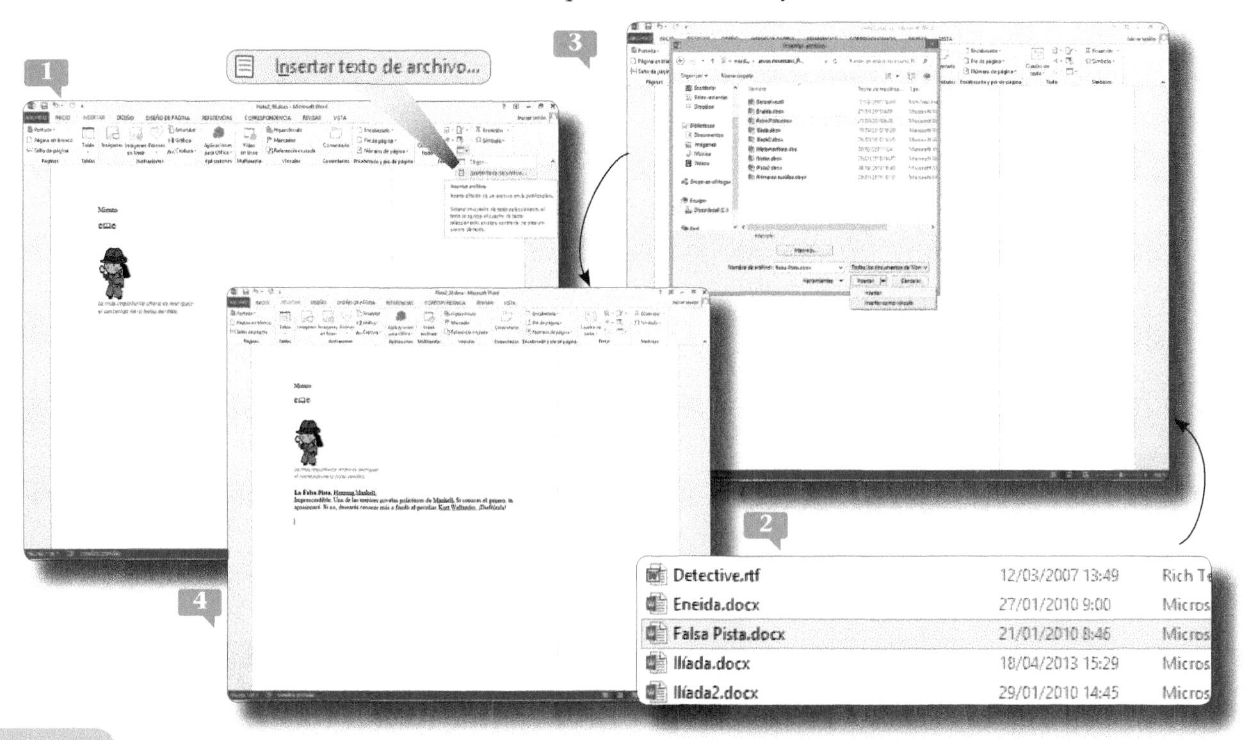

3. Despliegue el botón **Insertar** y pulse sobre la opción **Insertar como vínculo.**
4. En el punto en que se encontraba el cursor de edición se inserta el texto del documento seleccionado. Ahora comprobaremos que este texto está efectivamente vinculado a su original; para ello, realizaremos una sencilla modificación en el documento original y veremos cómo el texto insertado se actualiza. Acceda al original, aplique un subrayado sobre el título del texto, guarde los cambios realizados y cierre el archivo.
5. Haga clic con el botón derecho del ratón sobre el fragmento de texto que ha modificado en el original y, en el menú contextual que aparece, pulse sobre la opción **Actualizar campos.**
6. El objeto insertado se actualiza automáticamente. Según lo establecido de manera predeterminada en el cuadro de opciones de Word, los archivos vinculados se actualizarán automáticamente al cerrar y abrir de nuevo el documento en que se han insertado. Pulse el icono **Guardar** de la **Barra de herramientas de acceso rápido** para guardar los cambios y dar por terminado este ejercicio.

Insertar hipervínculos

IMPORTANTE

Desde el cuadro de opciones de Word es posible cambiar el método para seguir los hipervínculos. Para ello, deberá situarse en la sección **Avanzadas** y, en el apartado **General**, desactivar la opción **Utilizar Ctrl.+Clic de Mouse para seguir hipervínculo.** Tras esta acción un único clic bastará para seguir el vínculo.

UN HIPERVÍNCULO ES UN ENLACE QUE CONECTA directamente con otro lugar de un mismo documento, con otro archivo o con un sitio Web. Este archivo puede estar generado por otra aplicación, de modo que, si se pulsa un hipervínculo de este tipo, al abrirse el archivo también se abrirá automáticamente la aplicación que lo gestiona.

1. En este ejercicio aprenderemos a insertar hipervínculos en nuestro documento **Pista**. Uno de ellos nos conducirá a un sitio web y otro, a una parte concreta del documento. Para empezar, seleccione el título **La falsa pista.**
2. En la ficha **Insertar** de la **Cinta de opciones**, haga clic en el la opción **Hipervínculo**, del grupo de comandos **Vínculos.**
3. Se abre el cuadro de diálogo **Insertar hipervínculo.** En el campo **Dirección**, escriba la dirección **www.fnac.es.**
4. Pulse el botón **Aceptar** y observe el resultado en el documento activo.
5. El texto vinculado a la página web se muestra ahora en color

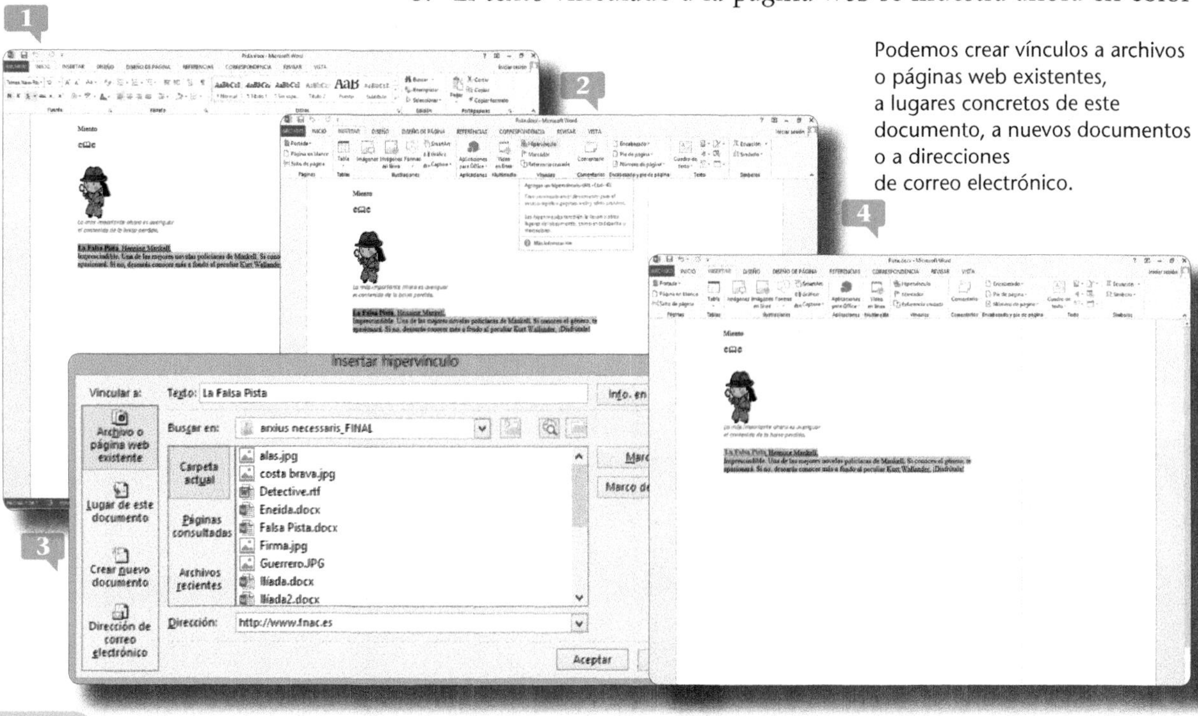

Podemos crear vínculos a archivos o páginas web existentes, a lugares concretos de este documento, a nuevos documentos o a direcciones de correo electrónico.

azul. Pulse la tecla **Control** y, sin soltarla, haga clic sobre el hipervínculo para seguirlo.

6. Se abre así el navegador de internet predeterminado mostrando la página web especificada. Cierre el programa pulsando el botón de aspa de su **Barra de título**.
7. Ahora crearemos otro hipervínculo que, esta vez, nos conducirá al principio del documento. Pulse la combinación de teclas **Ctrl.+Fin** para situar el cursor de edición al final del documento, pulse la tecla Retorno, escriba la palabra **Inicio** y selecciónela.
8. Pulse en la opción **Hipervínculo** del grupo de comandos **Vínculos** .
9. En el cuadro **Insertar hipervínculo**, pulse sobre la opción **Lugar de este documento** del panel **Vincular a.**
10. Seleccione la opción **Principio del documento** y pulse el botón **Aceptar**.
11. Para seguir este nuevo hipervínculo, pulse la tecla **Control** y, sin soltarla, haga clic sobre el término **Inicio.**
12. Efectivamente, el hipervínculo nos conduce al principio del documento. Para acabar este ejercicio en el que hemos aprendido a crear hipervínculos, guarde los cambios pulsando el icono **Guardar** de la **Barra de acceso rápido**.

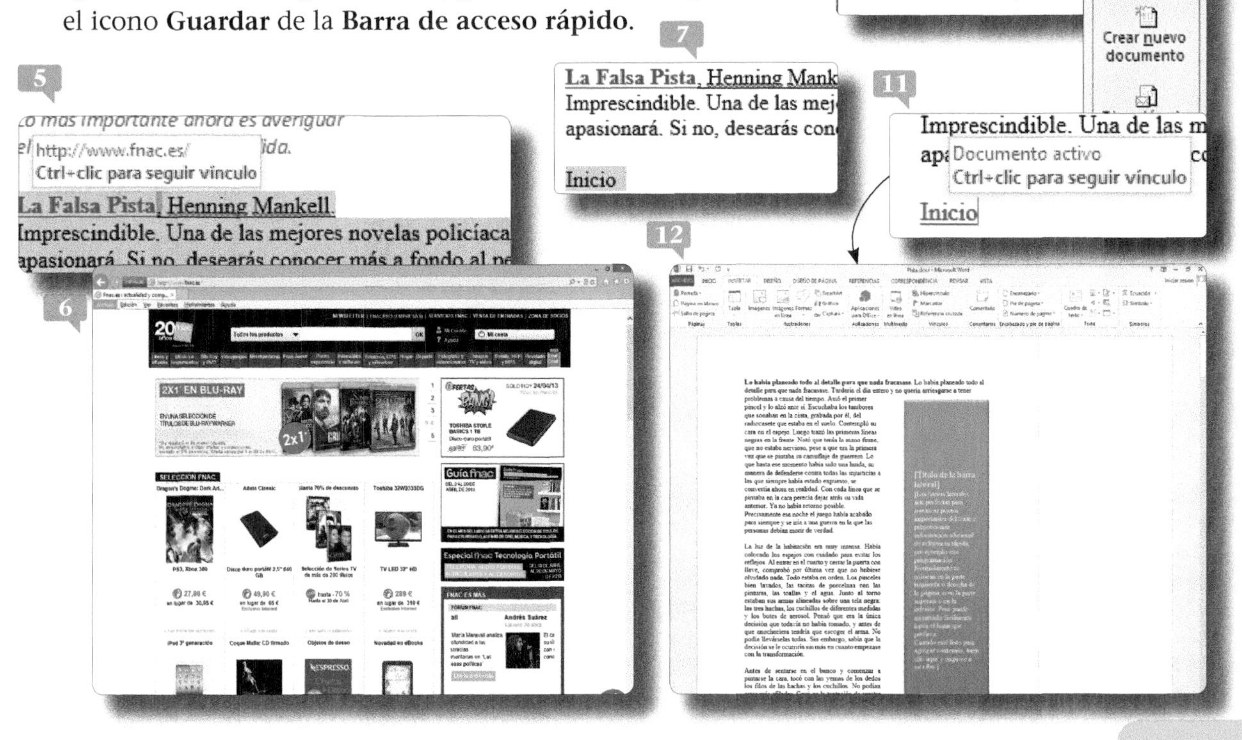

Insertar tablas

IMPORTANTE

Las tablas se componen de columnas y filas que, al cruzarse, forman las denominadas celdas. Una tabla puede contener tanto texto como gráficos e incluso otras tablas, en cuyo caso se denominan tablas anidadas.

EL USO DE LAS TABLAS EN WORD SE JUSTIFICA por la obtención de una mejor y más comprensible presentación de los documentos. El uso de las tablas facilita también la organización de la información y puede ser muy útil dependiendo del tipo de documento en el que se esté trabajando.

1. En este ejercicio aprenderemos a insertar tablas de diferentes maneras en un documento. Antes de realizar ninguna operación, pulse la combinación de teclas **Ctrl.+Fin** para situar el cursor al final del documento y pulse dos veces la tecla **Retorno** para añadir dos líneas en blanco.
2. Ya tenemos el cursor de edición en el punto deseado para que se sitúe la tabla. En primer lugar, insertaremos una de las tablas predeterminadas. En la pestaña **Insertar** de la **Cinta de opciones**, despliegue el comando **Tabla** del grupo de herramientas **Tablas** y pulse sobre la opción **Tablas rápidas.** [1]
3. Aparece así la galería de tablas rápidas. En la parte inferior de esta galería, seleccione la llamada **Lista de tabular** [2]
4. Automáticamente la tabla seleccionada se inserta en el punto en que se encontraba el cursor de edición y con el formato preestablecido. [3] Ahora crearemos otra tabla especificando su

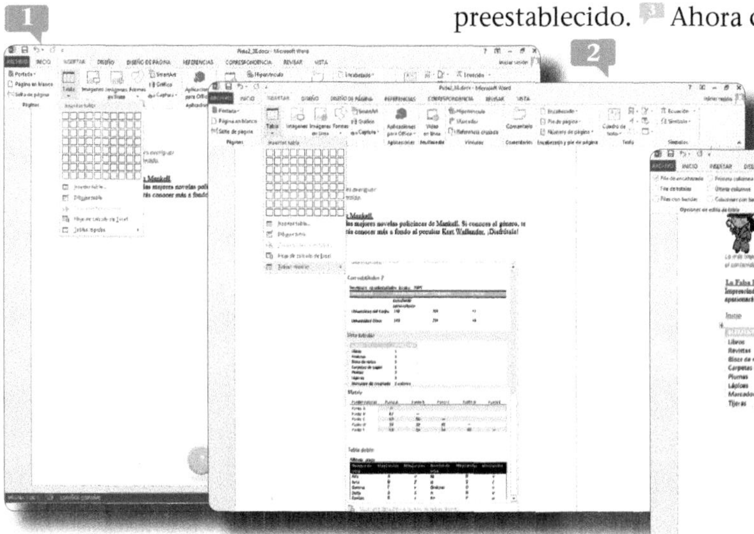

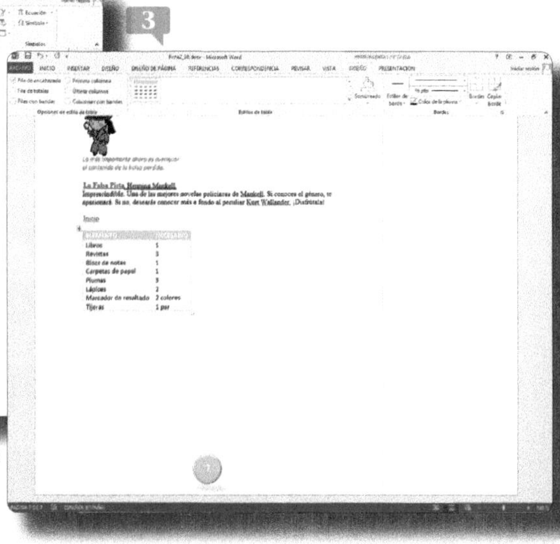

Al trabajar con tablas, Word muestra la ficha contextual **Herramientas de tabla**, con cuyas dos subfichas, **Diseño** y **Presentación**, podemos modificar el aspecto de las mismas.

número de filas y columnas. Para ello, haga clic debajo de la tabla para deseleccionarla y pulse la tecla **Retorno** para añadir una línea en blanco al documento.

5. Sitúese en la ficha **Insertar** de la **Cinta de opciones**, haga clic nuevamente en el comando **Tabla** del grupo de herramientas **Tablas** y pulse sobre la opción **Insertar tabla.** 4
6. Inserte el valor **3** tanto en el campo **Número de columnas** como en el campo **Número de filas** del cuadro **Insertar tabla** y pulse el botón **Aceptar.** 5
7. La nueva tabla aparece ya en el documento con las dimensiones que hemos establecido. 6 Ahora borraremos esta tabla y crearemos otra usando el casillero que incluye el comando **Tabla**. Haga clic en la pestaña **Presentación** de la ficha **Herramientas de tabla**, despliegue el comando **Eliminar** del grupo de herramientas **Filas y columnas** y, de las opciones que se muestran, elija **Eliminar tabla.** 7
8. Active nuevamente la ficha **Insertar** de la **Cinta de opciones** pulsando sobre su pestaña.
9. Despliegue una vez más el comando **Tabla** y haga clic en la tercera casilla de la segunda fila para crear una tabla de tres filas y dos columnas. 8

029

IMPORTANTE

Si sabe que todas las tablas que va a tener que crear en este documento deben contar con estas dimensiones, puede activar la opción **Recordar dimensiones para tablas nuevas** del cuadro de diálogo **Insertar tabla** para no tener que ajustarlas cada vez.

La opción **Dibujar tabla**, incluida también en el comando **Tabla**, permite trazar manualmente una tabla, que en un principio constará de una sola celda pero que después podremos dividir, dibujando líneas a mano, en diferentes celdas.

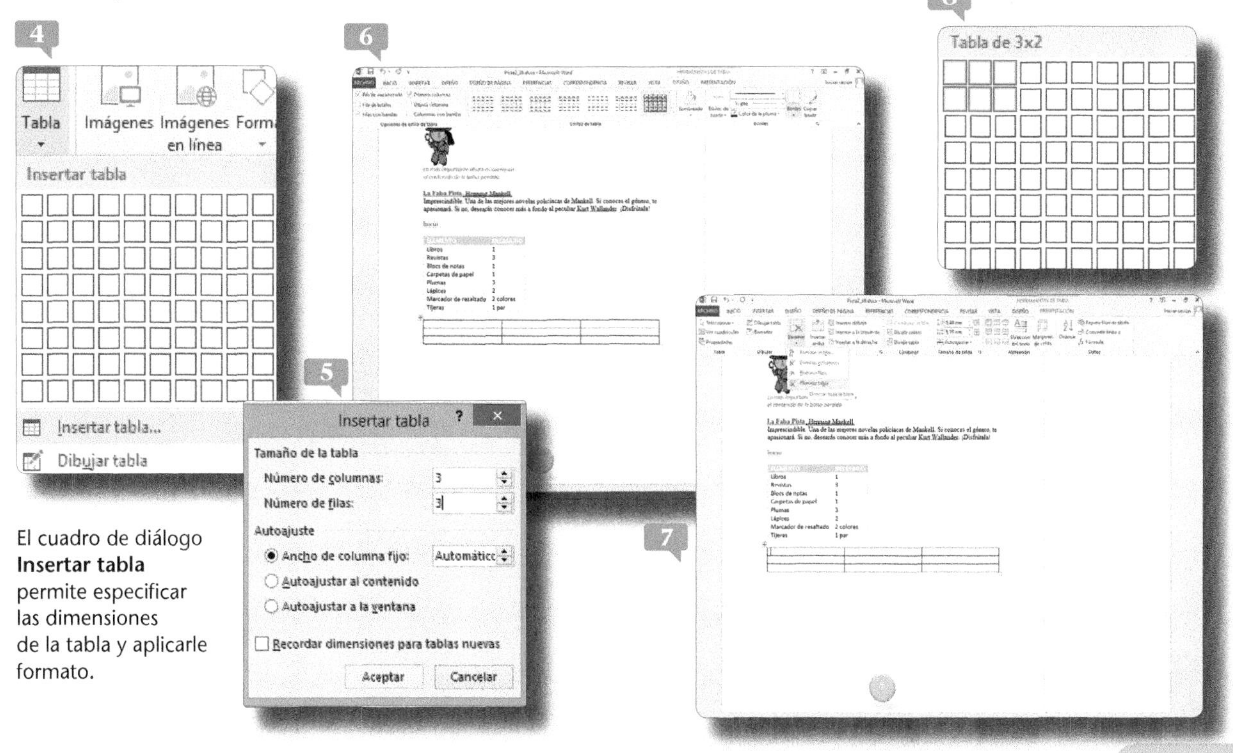

El cuadro de diálogo **Insertar tabla** permite especificar las dimensiones de la tabla y aplicarle formato.

Aplicar formato a tablas

IMPORTANTE

La opción **Estilos de tabla** permite aplicar un formato predeterminado a una tabla con un solo clic. Gracias a la función de vista previa activa, es posible ver el aspecto de cada uno de los estilos antes de aplicarlos definitivamente a la tabla.

TANTO LAS TABLAS RÁPIDAS COMO LAS TABLAS CREADAS por el usuario se pueden modificar con las herramientas que se incluyen en las subfichas Diseño y Presentación de la ficha contextual Herramientas de tabla, que aparece siempre que una tabla se encuentra seleccionada.

1. En este ejercicio, utilizaremos las herramientas de tabla para modificar el aspecto de las dos tablas creadas en el ejercicio anterior. Para empezar, haga clic sobre la tabla rápida para seleccionarla y pulse sobre la pestaña **Diseño** de la ficha **Herramientas de tabla.**
2. Haga clic en el botón **Más** de la galería de estilos de tabla, el que muestra una pequeña línea horizontal sobre una punta de flecha, y pulse sobre el último estilo de la quinta fila del apartado **Tablas de cuadrícula.**
3. En el grupo de herramientas **Opciones de estilo de tabla** podemos activar o desactivar las opciones que queramos para seguir modificando el estilo. Active, por ejemplo, la opción **Filas con bandas** pulsando en su casilla de verificación.
4. Haga clic en la pestaña **Presentación** de la ficha **Herramientas de tabla** y, en el grupo de herramientas **Datos**, pulse sobre el comando **Ordenar.**

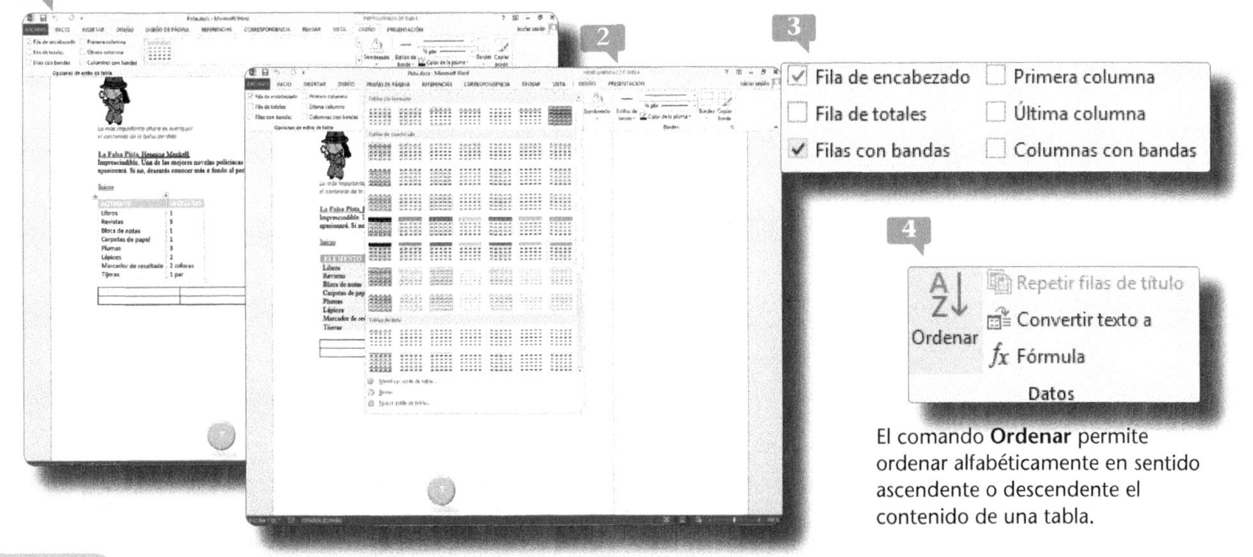

El comando **Ordenar** permite ordenar alfabéticamente en sentido ascendente o descendente el contenido de una tabla.

5. En el cuadro de diálogo **Ordenar**, mantenga la configuración por defecto y pulse el botón **Aceptar**.
6. Ahora, centraremos en sus celdas el contenido de la columna **Necesario**. Haga clic sobre la palabra **Necesario** para situar el cursor de edición en esa columna, despliegue el comando **Seleccionar** del grupo **Tabla** y haga clic en la opción **Seleccionar columna**.
7. Para alinear los datos de esa columna en las celdas, pulse sobre el segundo comando de la segunda fila del grupo de herramientas **Alineación**.
8. Una vez modificado el aspecto de esta tabla rápida, cambiaremos también el de la tabla de dos filas que hemos insertado manualmente. Haga clic dentro de la primera celda de dicha tabla para seleccionarla, active la subficha **Diseño** de la ficha **Herramientas de tabla** pulsando sobre su pestaña, despliegue el comando **Bordes** y pulse en la opción **Bordes y sombreado**.
9. Aplique el color y la anchura que usted quiera a los bordes de la tabla y pulse el botón **Aceptar** para aplicar el nuevo estilo de línea.
10. Para terminar el ejercicio, veremos el modo de eliminar de una tabla filas y columnas. En la subficha **Presentación** de la ficha **Herramientas de tabla**, haga clic en el comando **Eliminar** del grupo **Filas y columnas**, pulse sobre la opción **Eliminar filas** y vea cómo la tabla pasa a tener una sola fila.

IMPORTANTE

Desde el cuadro de diálogo **Bordes y sombreado** podemos cambiar el estilo, el color y la anchura de los bordes de una tabla. En el apartado **Valor**, deberá mantener seleccionada la opción **Todos** para que los bordes se apliquen a todas las celdas de la tabla seleccionada.

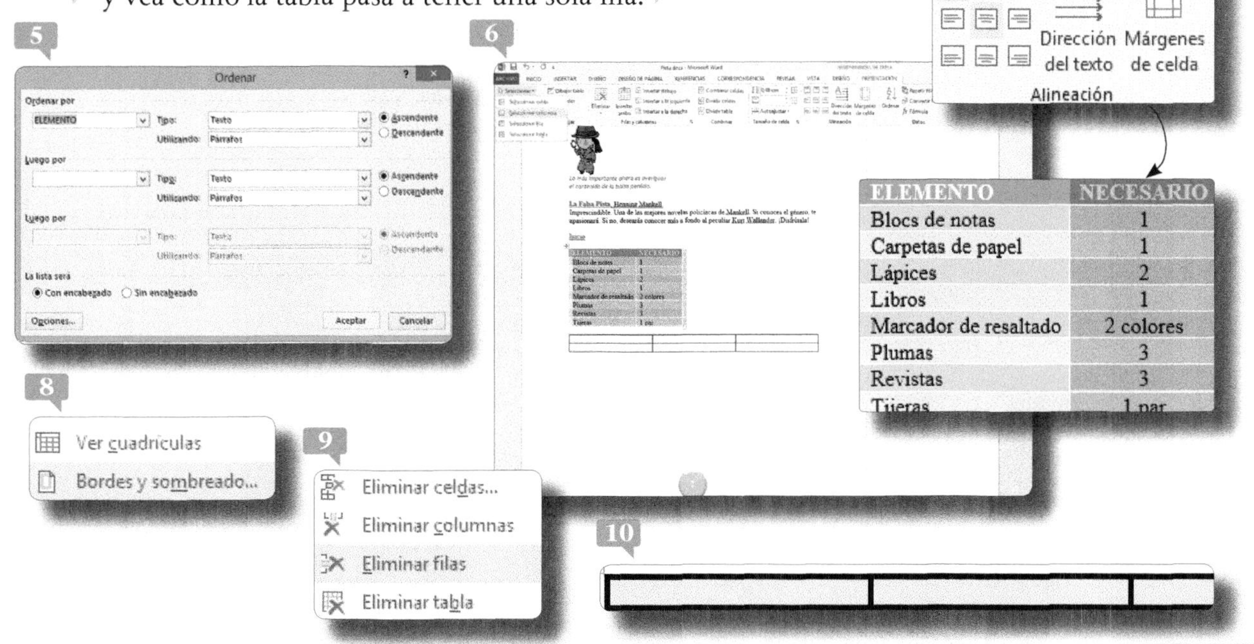

Aplicar sangrías

IMPORTANTE

Cuando los cambios de sangrado se realizan sobre un solo párrafo, el único requisito imprescindible es que el cursor esté situado en cualquier punto del mismo. La selección del texto tan solo es necesaria cuando las modificaciones se van a realizar sobre dos o más párrafos.

LA SANGRÍA DE UN PÁRRAFO ES LA DISTANCIA establecida entre el texto y los márgenes dispuestos en el documento, tanto el derecho como el izquierdo. Generalmente se aplica a un párrafo, aunque puede aplicarse también solo a una línea.

1. En este ejercicio aprenderemos a aplicar sangrías a un texto. Seleccione el tercer párrafo del documento haciendo tres veces clic sobre el margen izquierdo de la primera palabra.
2. Antes de empezar a trabajar con las sangrías, activaremos la regla para tener un punto de referencia y, más adelante, utilizarla para aplicar cierto tipo de sangrías. Muestre la pestaña **Vista** de la **Cinta de opciones y** seleccione el comando **Regla** situado en el grupo de herramientas **Mostar.** 1
3. Empecemos aumentando la sangría izquierda. Pulse sobre la pestaña **Inicio** y haga clic sobre el comando **Aumentar sangría**, quinto icono del grupo de herramientas **Párrafo.** 2
4. El texto se ha desplazado hacia la derecha al igual que el marcador situado en el lado izquierdo de la regla horizontal. 3 Desharemos ahora la sangría a la izquierda y observaremos de nuevo el desplazamiento del mencionado marcador de la regla. Pulse el botón **Deshacer** de la **Barra de acceso rápido**.

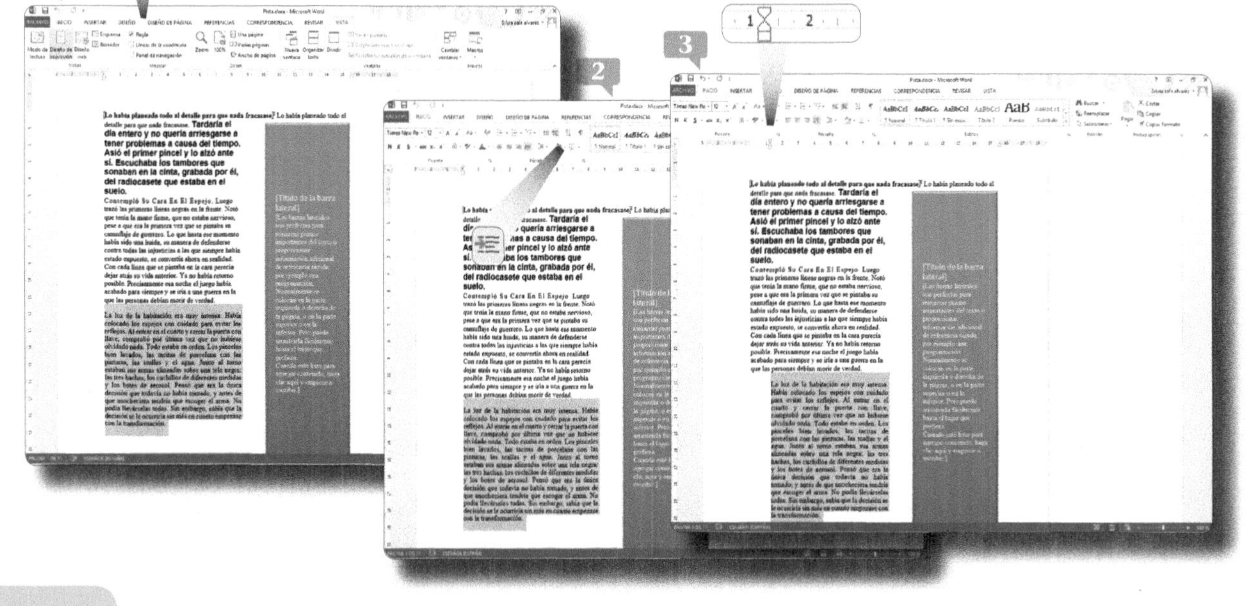

5. Haga clic sobre el marcador **Sangría derecha** y, sin soltar el botón del ratón, arrástrelo hasta alcanzar el número **7** de la regla horizontal, momento en que podrá liberar el botón del ratón. 4

6. Observe sobre la regla que se ha establecido una sangría derecha con respecto al margen del párrafo. Pulse de nuevo el icono **Deshacer.** 5

7. Veamos a continuación cómo aplicar una sangría de primera línea. Haga clic en el iniciador de cuadro de diálogo del grupo de herramientas **Párrafo** para abrir el cuadro de diálogo de ese nombre. 6

8. Como ve, la ficha **Sangría y espacio** del cuadro de diálogo **Párrafo** cuenta con un apartado llamado **Sangría.** En este caso practicaremos con las sangrías especiales. Despliegue el campo **Especial**, seleccione la opción **Sangría francesa** y pulse el botón **Aceptar.** 7

9. El resultado es claro: la única línea que no ha aumentado su sangría es la primera del párrafo. 8 Como este tipo de sangría suele utilizarse en listas con viñetas o numeradas vamos a deshacerla para buscar otro tipo de sangría más adecuado. Nuevamente, acceda al cuadro de diálogo **Párrafo** pulsando sobre su iniciador.

10. Despliegue el campo **Especial**, seleccione la opción **Primera línea** y pulse el botón **Aceptar.** 9

11. Dejaremos el párrafo tal y como ha quedado con este tipo de sangría. Haga clic al inicio de la primera línea del párrafo seleccionado para eliminar la selección. 10

IMPORTANTE

El color blanco de la regla indica los límites de los márgenes, mientras que la situación de los marcadores de la misma señaliza la posición de las sangrías.

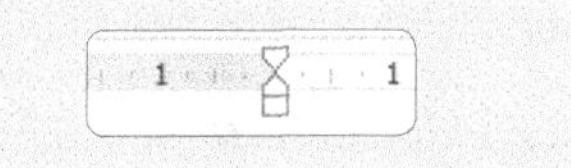

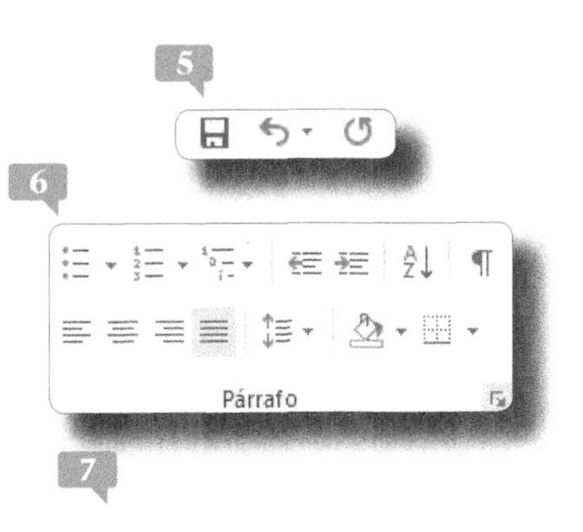

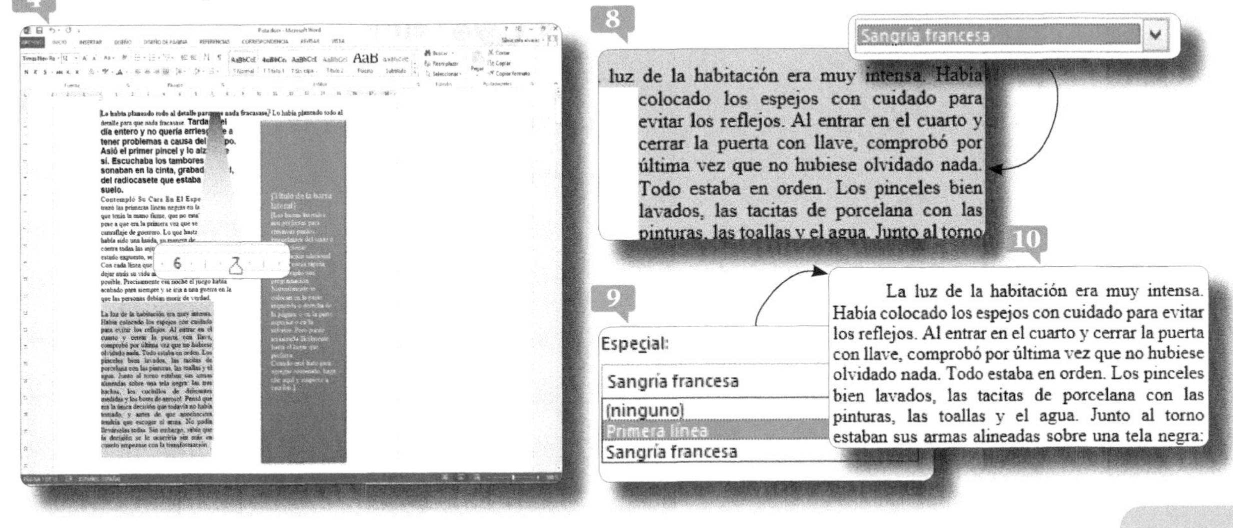

Cambiar el interlineado del texto

IMPORTANTE

La aplicación de un tipo de interlineado u otro depende de las exigencias de formato de cada párrafo o documento. En un documento que se utilice como borrador, por ejemplo, puede ser de gran utilidad insertar un interlineado doble con el fin de visualizar mejor cualquier tipo de anotación o comentario.

EL INTERLINEADO ES EL ESPACIO EXISTENTE entre las líneas de un párrafo. De forma predeterminada, el interlineado aplicado por Microsoft Word es el sencillo, aunque existen otros tipos: 1,5 líneas, doble, mínimo, exacto, múltiple, etc.

1. En este ejercicio practicaremos con el tercer párrafo del documento abierto, que también hemos utilizado para aplicar los diferentes tipos de alineación disponibles. Con el cursor situado al inicio de dicho párrafo, haga clic en el iniciador de cuadro de diálogo del grupo de herramientas **Párrafo** de la ficha **Inicio.** [1]
2. Se abre el cuadro de diálogo **Párrafo.** Dentro del apartado **Espaciado** se encuentra la opción **Interlineado** que, en este caso, muestra seleccionado el tipo **Exacto.** Despliegue este campo, seleccione el tipo **Doble** y pulse **Aceptar.** [2]
3. El espacio entre las líneas de este párrafo del documento ha aumentado considerablemente. [3] Comprobaremos ahora cuál es el valor correspondiente a dicho espacio entre líneas utilizando el comando **Interlineado** de la ficha **Inicio.** Despliegue dicho comando, situado a la derecha del comando **Justificado** en el grupo de herramientas **Párrafo.** [4]

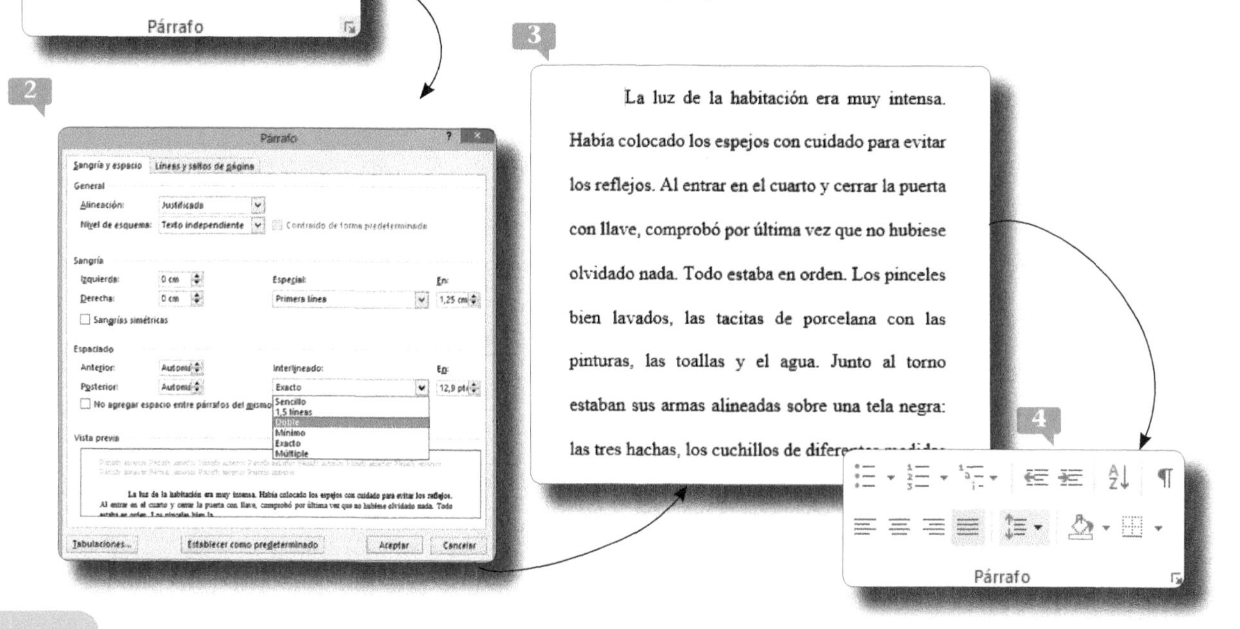

4. El valor preestablecido del tipo de interlineado **Doble** es 2 puntos. Desde este icono también podemos acceder a las opciones de interlineado así como agregar espacios antes o después del párrafo. Active el valor **3,0** [5] y observe el cambio.
5. El interlineado ha aumentado todavía más. [6] Veamos ahora a qué tipo de los establecidos en el cuadro de diálogo **Párrafo** corresponde este valor predeterminado. Pulse de nuevo sobre el iniciador de cuadro de diálogo del grupo de herramientas **Párrafo**.
6. Como ve, el tipo de interlineado seleccionado es el denominado **Múltiple**. [7] Despliegue el campo **Interlineado** y seleccione la opción **Sencillo**. [8]
7. Antes de terminar, modificaremos el espacio entre párrafos ya que ésta es otra de las opciones que, junto con **Interlineado**, aparece en el apartado **Espaciado**. En el campo **Posterior**, inserte el valor **24** y luego pulse el botón **Aceptar**. [9]
8. El párrafo muestra ahora el interlineado **Sencillo** y aumenta ligeramente la separación entre el tercer párrafo y el cuarto. [10] Antes de guardar los cambios, veamos otra de las funciones del comando **Interlineado**. Haga clic tras el punto y aparte del tercer párrafo, despliegue dicho comando y seleccione la opción **Quitar espacio después del párrafo**. [11]

Efectivamente, la acción realizada ha devuelto a su estado anterior este espaciado.

IMPORTANTE

La modificación del interlineado de un párrafo no requiere la selección del mismo, sino que basta con situar el cursor sobre cualquier punto de éste. La selección de texto tan solo es necesaria cuando se desea modificar la alineación de dos o más párrafos.

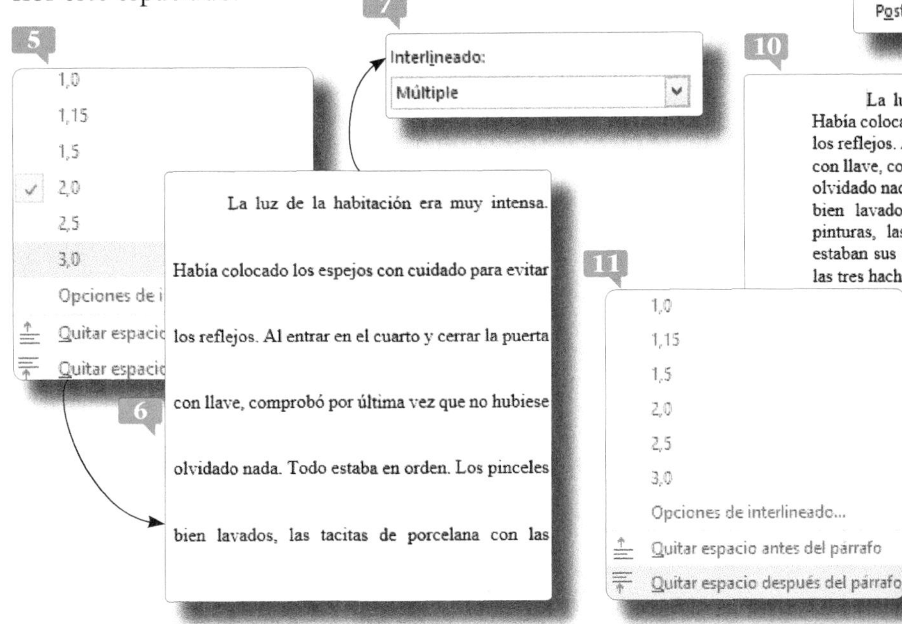

Aplicar Estilos y formato

EL ESTILO ES UN CONJUNTO DE ATRIBUTOS de formato, por ejemplo, fuente, tamaño de fuente, sangría, etc., que recibe un nombre y se almacena como un único elemento. Al aplicar un estilo sobre un texto, todo el conjunto de atributos que conforman dicho estilo se aplican sobre el texto en cuestión.

1. En este ejercicio aprenderemos a aplicar un estilo concreto a un texto. En esta ocasión, copie un fragmento del documento **Ilíada.docx** y péguelo en un nuevo documento para trabajar con él. Para empezar, comprobaremos cuáles son los atributos de formato aplicados a la primera línea de este documento. Haga clic en el margen izquierdo de la primera línea del documento para seleccionarla y, para mostrar el panel **Estilos**, pulse sobre el iniciador de cuadro de diálogo situado junto al título del grupo de herramientas **Estilos**. 1
2. En el panel **Estilos** se muestra seleccionado el estilo **Normal**, al que corresponde nuestra selección. Vamos a aplicar a la selección uno de los estilos que aparecen en la lista, pero antes modificaremos uno de sus atributos principales. Sitúe el puntero del ratón sobre el estilo **Cita destacada**, pulse sobre el botón de punta de flecha que aparece y haga clic sobre la opción **Modificar**. 2
3. Imaginemos que queremos cambiar la fuente de este estilo. Para ello, haga clic en el botón **Formato** y seleccione la opción **Fuente**. 3

IMPORTANTE

Si en el apartado **Aplicar a** del cuadro **Bordes y sombreado** se encuentra seleccionada la opción **Párrafo**, el nuevo estilo se aplicará a todo el párrafo en el que se encuentra el cursor.

Aplicar a:
Párrafo

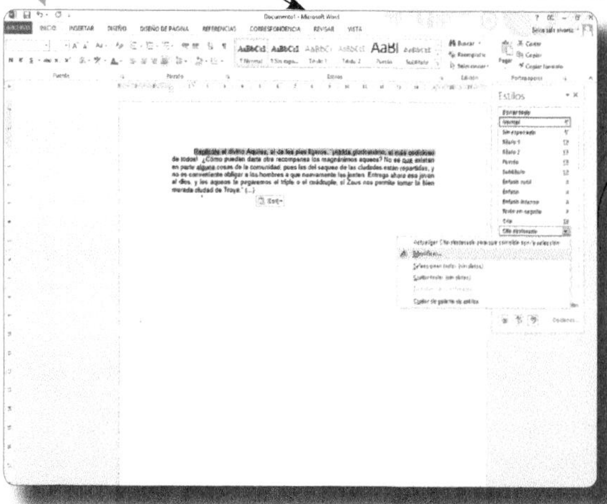

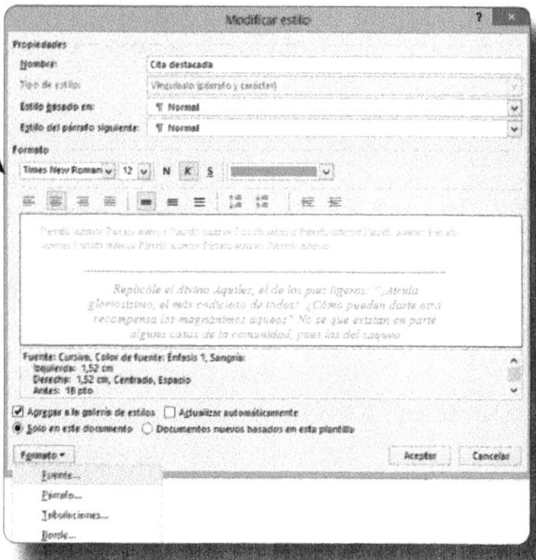

Si mantiene unos segundos el puntero del ratón sobre el nombre de alguno de los estilos, aparecerá una etiqueta emergente con las características de dicho estilo.

4. Tras situarse en la pestaña **Fuente** del cuadro de diálogo del mismo nombre, seleccione la fuente **Arial**, pulse el botón **Aceptar** del cuadro de diálogo **Fuente** para aplicar el cambio y pulse también el botón **Aceptar** para cerrar el cuadro **Modificar estilo**.
5. Una vez modificado el estilo **Cita destacada**, lo aplicaremos al fragmento de texto seleccionado. Pulse sobre él en el panel **Estilos**. 4
6. Observe cómo cambia el aspecto de la línea seleccionada. 5 A continuación, crearemos un nuevo estilo que almacenaremos en la galería de estilos para poder utilizarlo siempre que queramos. Haga clic en el icono **Nuevo estilo**, el primero de los que se encuentran al pie del panel **Estilos**. 6
7. Se abre así el cuadro de diálogo **Crear nuevo estilo a partir del formato**, donde definiremos los atributos de nuestro nuevo estilo. En el campo **Nombre**, escriba la palabra **prueba**.
8. Haga clic en el botón **Formato** y pulse sobre la opción **Borde**. 7
9. Aparece en pantalla el cuadro **Bordes y sombreado**. Haga clic en el valor **Cuadro**, despliegue el campo **Color** y seleccione el color púrpura en la paleta de muestras de colores estándar. 8
10. Pulse el botón **Aceptar** del cuadro **Bordes y sombreado** y repita la operación con el cuadro **Crear nuevo estilo a partir de formato**.

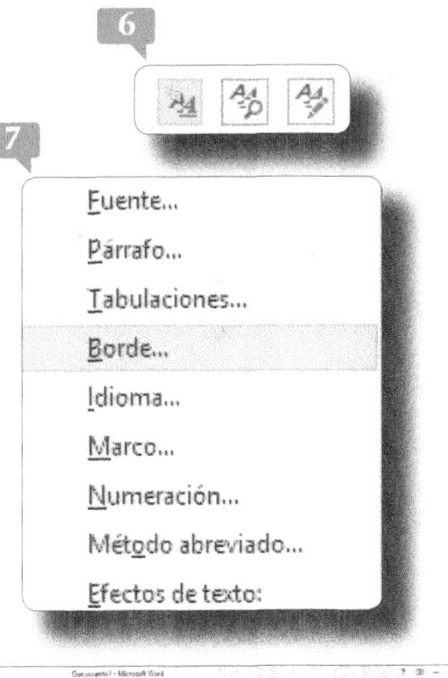

El estilo **prueba** se ha aplicado a todo el párrafo a la vez que se ha añadido a la lista de estilos y a la galería que aparece en el grupo de herramientas **Estilo** de la ficha **Inicio**. 9

Aplicar efectos visuales

IMPORTANTE

Además de permitir la aplicación de espectaculares efectos visuales sobre el texto de un documento, Word 2016 también permite aplicar formato al texto para que se fusione a la perfección con las imágenes incluidas. Gracias a estos efectos visuales, un sencillo documento de Word puede convertirse de manera rápida y sencilla en una presentación profesional.

EN WORD 2016, ES POSIBLE APLICAR EFECTOS VISUALES propios de imágenes, como sombras, biseles, iluminación o reflejos, sobre un texto. El comando desplegable Efectos de texto incluido en el grupo de herramientas Fuente de la ficha Inicio contiene, organizado por categorías, todos los efectos visuales disponibles.

1. En este ejercicio insertaremos una imagen en nuestro documento y agregaremos un texto encima, el cual manipularemos con los nuevos efectos visuales. Puede utilizar cualquier imagen que tenga almacenada en el equipo o descargar de nuestra página web la denominada **alas.jpeg**. Cuando disponga de ella en su equipo, insértela en el documento.
2. A continuación, insertaremos el texto sobre la imagen. ¿Cómo? Agregando previamente un cuadro de texto. Desde la pestaña **Insertar**, despliegue el comando **Cuadro de texto** del grupo de herramientas **Texto** y elija la opción **Dibujar cuadro de texto.**
3. De esta forma podemos crear el cuadro con unas medidas personalizadas. Haga clic en el vértice superior izquierdo de al imagen y, sin soltar el botón del ratón, arrastre en diagonal y hacia abajo hasta crear un rectángulo sobre el fondo de la misma.
4. Aplicaremos al cuadro de texto un color de fondo transparente. Para ello, despliegue el comando **Relleno de forma** del

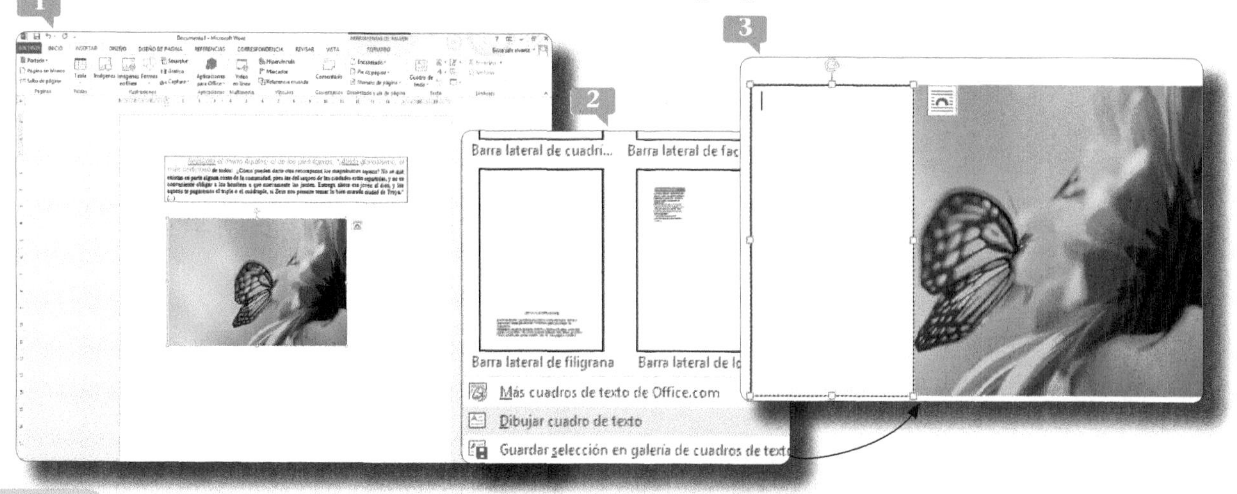

grupo de herramientas **Estilos de forma**, en la ficha contextual **Herramientas de dibujo**, y elija la opción **Sin relleno** del panel que se despliega.

5. Ahora sí, ya podemos escribir el texto que nos interesa. Escriba al inicio del cuadro de texto el nombre **Aquiles**, selecciónelo haciendo doble clic sobre él, despliegue el comando **Dirección del texto** del grupo de herramientas **Texto**, en la ficha contextual **Herramientas de dibujo**, y elija la opción **Girar todo el texto 270 grados.**
6. Seguidamente iniciaremos la manipulación del texto insertado. Sitúese en la pestaña **Inicio** de la Cinta de opciones, despliegue el comando **Tamaño de fuente**, en el grupo de herramientas **Fuente** y elija un tamaño grande, por ejemplo, 48 puntos.
7. A continuación, en el mismo grupo de herramientas, despliegue el comando **Efectos de texto**, que muestra una A con un borde resplandeciente de color azul, pulse sobre la opción **Sombra** y elija el primer efecto de sombra en perspectiva.
8. La sombra se aplica debajo del texto. Lo que haremos a continuación es acceder al cuadro de opciones del efecto para comprobar si podemos modificarlo en algún aspecto. Despliegue de nuevo el comando **Efecto de texto**, haga clic sobre la opción **Sombra** y pulse en este caso sobre **Opciones de sombra**.
9. Se abre el panel **Formato de forma**, mostrando las opciones del efecto aplicado en estos momentos, **Sombra**. Observe que puede cambiar el color de la sombra, su porcentaje de transparencia, el tamaño, el desenfoque, entre otras características. Realice los cambios que desee y, cuando termine, pulse el botón **Aceptar** para aplicarlos.

IMPORTANTE

El cuadro de texto puede llevar un borde. Si desea que lleve este contorno puede aplicar diferentes grosores y colores, en el caso de que no desee borde puede indicarlo desplegando el comando **Contorno forma** del grupo de comandos **Estilos de forma** y seleccionar la opción **Sin Contorno.**

Contorno de forma

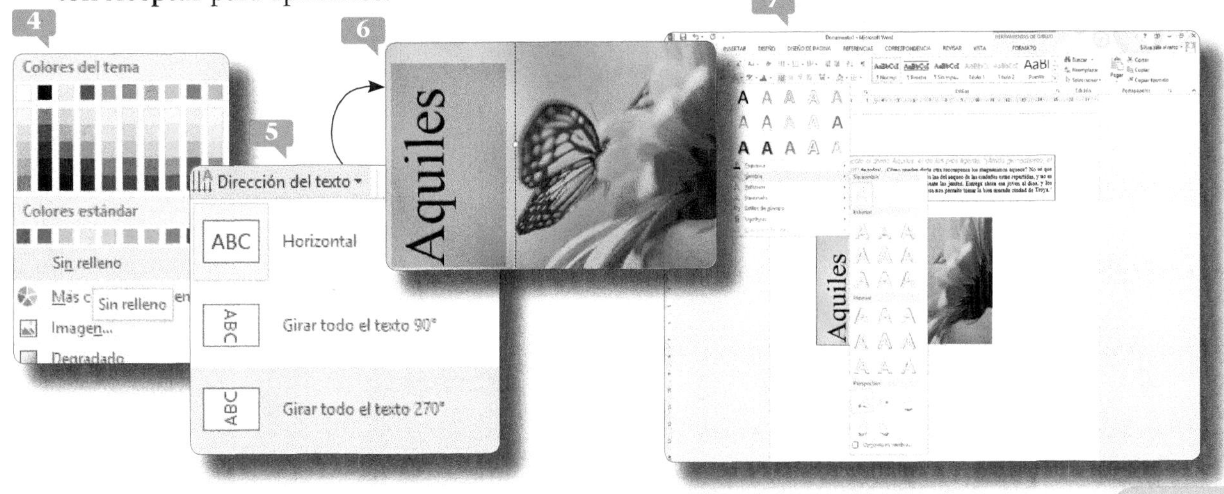

Crear tabulaciones

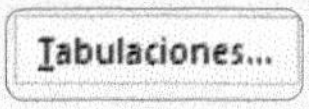

LAS TABULACIONES SON UNAS POSICIONES en la regla horizontal que se utilizan para ubicar y alinear el texto en una posición determinada de la página. Existen cuatro tipos de tabulaciones que alinean el texto de diferente forma: izquierda, derecha, centrada y decimal.

1. En este ejercicio practicaremos con las diferentes tabulaciones que pueden establecerse en un documento. Para ello, recupere el documento **Ilíada.docx** y seleccione en él el primer párrafo del denominado Texto 1, en la primera página. Empecemos con la tabulación izquierda. Haga clic en la parte inferior del número **2** de la regla horizontal. 1
2. Observe que ha aparecido una pequeña marca en el punto donde hemos pulsado para indicar que en él se sitúa la tabulación izquierda. Pulse sobre el iniciador de cuadro de diálogo del grupo de herramientas **Párrafo**. 2
3. En el cuadro **Párrafo**, pulse sobre el botón **Tabulaciones**. 3
4. En este cuadro figura el tabulador izquierdo especificado anteriormente. Insertemos ahora la tabulación centrada. En el apartado **Alineación**, haga clic en el botón de opción correspondiente a **Centrada**. 4

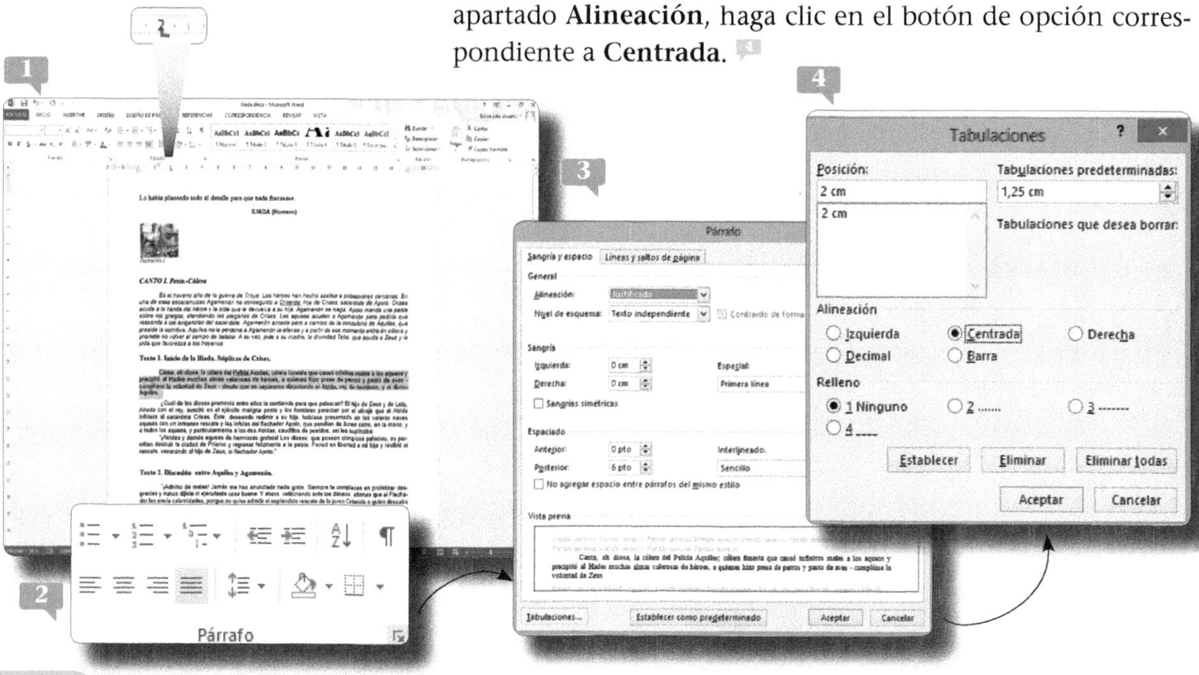

IMPORTANTE

Por defecto, la tecla **Tabulador** mueve el cursor 1,25 cm a lo largo del ancho de la página, a no ser que se hayan especificado unas tabulaciones específicas. Las tabulaciones pueden modificarse manualmente desde la regla horizontal o desde el cuadro de diálogo **Tabulaciones**, al que se accede desde el cuadro **Párrafo**.

Tabulaciones...

5. Introduzca el número **8** en el campo **Posición**, pulse sobre el botón de opción **2** del apartado **Relleno** y, por último, pulse el botón **Establecer**. [5]
6. Sigamos ahora con el último tipo de tabulación con el que practicaremos en este ejercicio: la derecha. Pulse ahora sobre el botón de opción correspondiente a **Derecha** en el apartado **Alineación**. [6]
7. En el campo **Posición**, inserte el número **13**, pulse sobre el botón de opción **2** en el apartado **Relleno** y luego pulse el botón **Establecer**.
8. Ya hemos insertado todas las tabulaciones que nos interesaban. Pulse el botón **Aceptar**.
9. Observe que en la regla horizontal aparecen las marcas de las tabulaciones establecidas. [7] Comprobemos ahora cuál es la función de las mismas. Haga clic al inicio del texto seleccionado y pulse la tecla **Tabulador**.
10. El inicio de este párrafo se sitúa en el punto de la regla horizontal donde hemos establecido la tabulación izquierda. A continuación, haga clic justo antes de la palabra **Pelida** de esta primera línea de párrafo y pulse dos veces la tecla **Tabulador**.
11. En este caso, el texto se desplaza hasta la siguiente tabulación, la centrada, que hemos fijado en 8 cm y rellenado con puntos. [8] Para terminar, haga clic justo delante de la palabra **héroes** de la segunda línea de este mismo párrafo y pulse dos veces la tecla **Tabulador**. [9]

IMPORTANTE

En el extremo izquierdo de la regla horizontal se encuentra un recuadro de color gris con un símbolo en forma de ele. Dicho símbolo representa la tabulación izquierda. A través de este recuadro se puede seleccionar cualquier tabulador. Una vez seleccionado, tan solo son necesarias dos operaciones: situar el cursor en el párrafo al que deseamos aplicar la tabulación y hacer clic en el lugar de la regla en que deseamos establecer dicho tabulador.

5

Tabulaciones

Posición: 8 cm — 2 cm, 8 cm

Tabulaciones predeterminadas: 1,25 cm

Tabulaciones que desea borrar:

Alineación: Izquierda, Centrada, Derecha, Decimal, Barra

Relleno: 1 Ninguno, 2 ...., 3 -------, 4 ____

Establecer | Eliminar | Eliminar todas

6

Alineación: Izquierda, Centrada, Derecha, Decimal, Barra

7

8

Canta, oh diosa, la cólera del ....Pelida Aquiles;
aqueos y precipitó al Hades muchas almas valerosas de héroe
aves - cumplíase la voluntad de Zeus - desde que se separaron
ino Aquiles.

9

Canta, oh diosa, la cólera del ....Pelida Aquiles; cólera funesta que causó infinitos males a los aqueos y precipitó al Hades muchas almas valerosas de .... héroes, a quienes hizo presa de perros y pasto de aves - cumplíase la voluntad de Zeus - desde que se separaron disputando el Atrida, rey de hombres, y el divino Aquiles.

Aplicar viñetas

IMPORTANTE

La utilización de viñetas constituye una forma perfecta de separar los distintos pasos a seguir en un procedimiento, o las distintas partes de un elemento. Por defecto, los símbolos que utiliza Microsoft Word para sus viñetas son unas bolas negras que presentan unas sangrías predeterminadas.

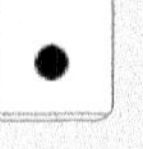

LAS VIÑETAS SON HERRAMIENTAS DE FORMATO sumamente útiles a la hora de presentar y configurar listas de información en los documentos. Las viñetas son símbolos que se insertan delante de cada entrada y que suelen utilizarse cuando los distintos elementos de la lista no siguen ningún orden establecido, es decir, cuando se trata de una simple relación.

1. El comando **Viñetas** se encuentra en el grupo de herramientas **Párrafo** y su icono muestra tres líneas encabezadas por tres puntos de color azul. Vamos a acceder a la biblioteca de viñetas para ver las opciones que nos ofrece. Despliegue el comando **Viñetas**. [1]
2. Aparece así una galería en la cual se muestran las viñetas usadas recientemente, la biblioteca de viñetas y las viñetas utilizadas en el documento. Sitúe el puntero del ratón sobre la viñeta que muestra un signo de verificación negro en la Biblioteca de viñetas y aplíquela pulsando sobre ella. [2]
3. Observe que el icono **Viñetas** permanecerá sombreado mientras el cursor se encuentre en una línea con viñeta. Escriba el nombre **Aquiles** como primer elemento de la lista y pulse la tecla **Retorno**. [3]
4. En la nueva viñeta escriba el nombre **Helena** y pulse **Retorno** para crear una nueva viñeta. [4]
5. Pulse de nuevo la tecla **Retorno** para finalizar la lista con viñetas. [5]

1

Párrafo

2

Biblioteca de viñetas

Ninguno

Cambiar nivel de lista

Definir nueva viñeta...

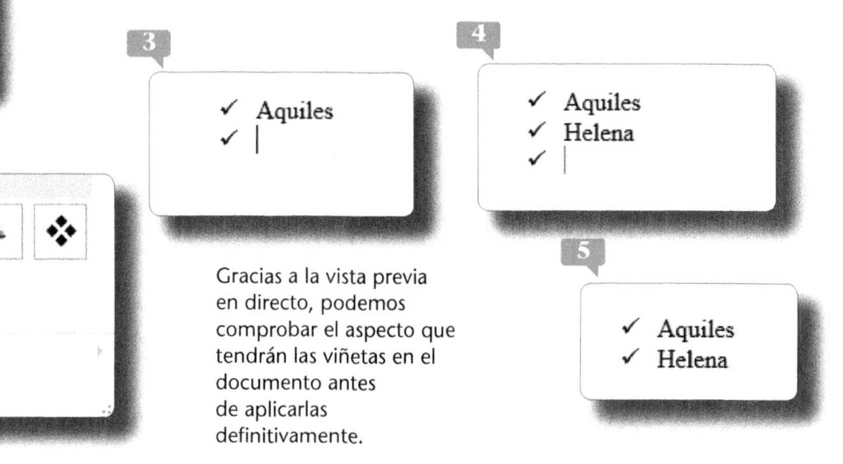

Gracias a la vista previa en directo, podemos comprobar el aspecto que tendrán las viñetas en el documento antes de aplicarlas definitivamente.

6. Ahora crearemos una nueva viñeta utilizando como icono una imagen. (Puede utilizar una imagen propia o descargar de nuestra página web la denominada **Mosaico.jpg**.) Haga clic en el botón de punta de flecha del icono **Viñetas** y pulse sobre la opción **Definir nueva viñeta**.
7. En el cuadro de diálogo **Definir nueva viñeta**, haga clic sobre el botón **Imagen** y, en el cuadro **Insertar imágenes**, pulse el botón **Examinar** del apartado **Desde un archivo** .
8. Aparece ahora la ventana **Insertar imagen**, mostrando por defecto el contenido de la biblioteca **Imágenes**. Seleccione la imagen **Mosaico** y pulse el botón **Insertar**.
9. Mantendremos la alineación izquierda que aparece seleccionada por defecto, teniendo en cuenta que ésta puede ser a la derecha o centrada. Pulse el botón **Aceptar** del cuadro **Definir nueva viñeta.**
10. Se inicia una nueva línea de la viñeta con la imagen seleccionada. Escriba el nombre **Apolo** y pulse la tecla **Retorno.**
11. Por último, veremos cómo cambiar el nivel de una lista. Supongamos que queremos que el margen izquierdo para el nuevo elemento de la lista sea mayor que para el resto de elementos. Despliegue el comando **Viñetas**, haga clic en la opción **Cambiar nivel de lista** y, en el submenú que aparece, seleccione la tercera opción.
12. En la nueva línea de la viñeta introduzca el nombre **Zeus** y pulse cuatro veces la tecla **Retorno** para finalizar el listado.

IMPORTANTE

Mientras el comando **Viñetas** esté activado, cada vez que pulsemos la tecla **Retorno** se creará un nuevo elemento para la lista. Para finalizar la lista con viñetas podemos pulsar dos veces la tecla **Retorno** o bien una vez la tecla **Retroceso** para eliminar la última viñeta.

Crear listas numeradas

IMPORTANTE

La renumeración automática es una de las grandes ventajas de las listas numeradas. Gracias a ella, cuando se añaden o se eliminan elementos de la lista, Word mantiene siempre la numeración correlativa de forma correcta.

LAS LISTAS NUMERADAS SON HERRAMIENTAS de formato que, al igual que las viñetas, resultan sumamente útiles a la hora de configurar listas de información. La gran diferencia es que las listas numeradas, tal y como su nombre indica, numeran los distintos elementos de la lista, por lo que suelen utilizarse en aquellas relaciones en las que hay un orden establecido.

1. En este ejercicio aprenderemos a crear una lista numerada. El comando **Numeración** se encuentra justo a la derecha del comando **Viñetas**, en el grupo de herramientas **Párrafo**, representado por tres líneas numeradas. Pulse sobre dicho comando. 1
2. Como ve, la línea en la que se encuentra el cursor de edición ha adoptado una sangría distinta y ahora aparece numerada. Escriba el nombre **Troya** como primer elemento de la lista numerada y pulse la tecla **Retorno**. 2
3. Mientras el comando **Numeración** esté activado, cada vez que pulsemos la tecla **Retorno** el programa creará una nueva línea numerada. Pulse la tecla **Retroceso** para borrar el número **2** y desactivar la herramienta **Numeración**. 3
4. A continuación, crearemos una nueva lista numerada usando otro de los estilos de numeración que ofrece Word. Despliegue

2

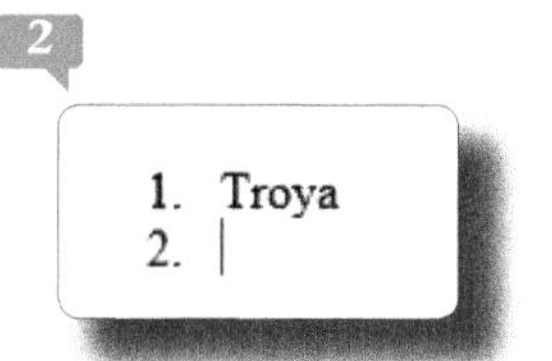

1

3

el comando **Numeración** para ver la biblioteca de numeración, sitúe el puntero del ratón sobre el cuarto elemento de la biblioteca y aplíquelo pulsando sobre él.

5. Una vez aplicada una numeración, podemos cambiar el nivel de la lista así como establecer un nuevo valor para la numeración. Despliegue el comando **Numeración** y haga clic en la opción **Establecer valor de numeración.**
6. Se abre de este modo el cuadro **Establecer el valor de numeración** que nos permite iniciar una nueva lista con el valor que establezcamos o bien continuar la numeración a partir de una lista anterior. Mantenga seleccionada la opción **Iniciar nueva lista** y pulse el botón **Aceptar.**
7. Ahora cambiaremos el formato de número de este listado. Despliegue el comando **Numeración** y haga clic en la opción **Definir nuevo formato de número.**
8. Aparece el cuadro **Definir nuevo formato de número**, donde especificaremos el estilo y el formato de numeración que vamos a aplicar a la lista. Despliegue el campo **Estilo de número** y seleccione la opción **1º, 2º, 3º...**
9. Cambie si lo desea también la fuente y el color, y pulse el botón **Aceptar** para aplicarla.
10. Pulse la tecla **Retorno** para finalizar la introducción de elementos de la lista.

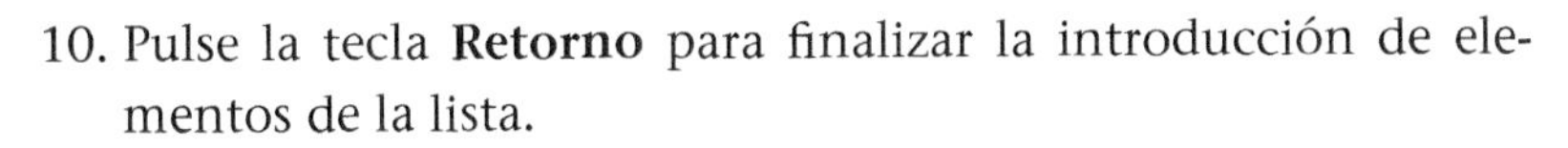

IMPORTANTE

Otra de las características de Word 2016 es la aplicación automática de las listas de numeración que se puede establecer en el cuadro de opciones del programa y que permite proporcionar el formato propio de una lista numerada o de una viñeta a varios elementos que el programa puede considerar como elementos de una lista.

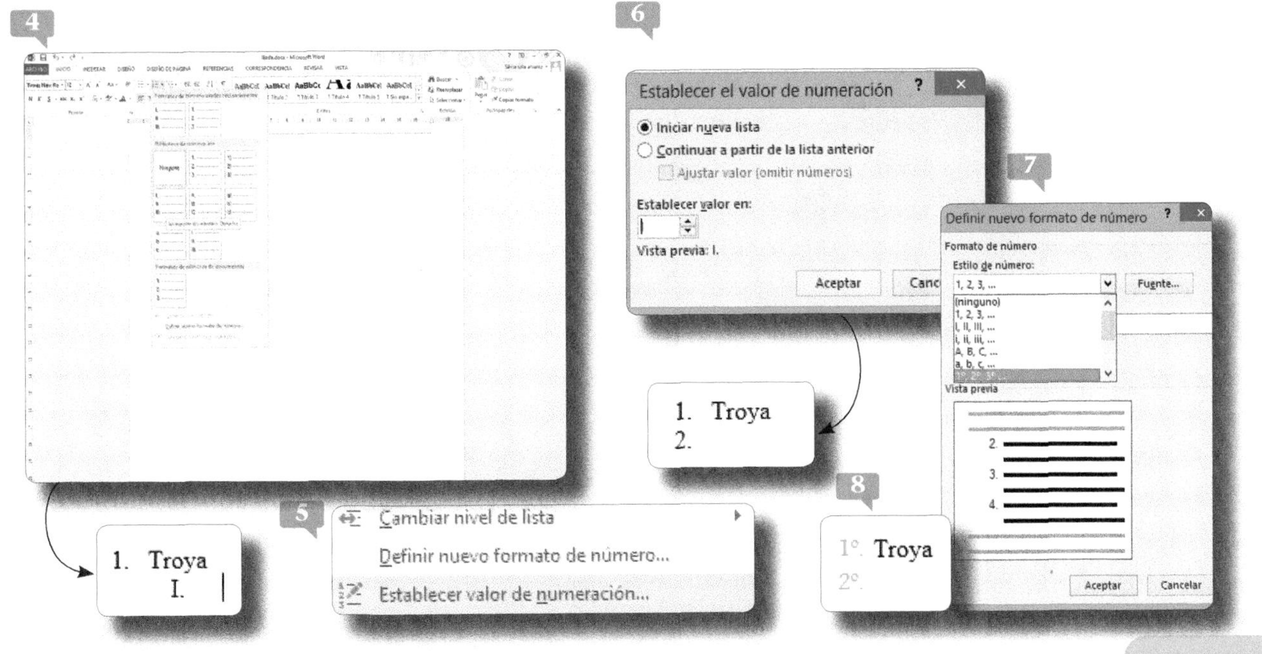

Crear listas multinivel

IMPORTANTE

Al igual que ocurre con las listas numeradas, la introducción o supresión de cualquiera de los niveles de un esquema numerado implica una actualización automática por parte del programa.

LOS ESQUEMAS NUMERADOS SON DE GRAN utilidad en aquellas listas que presentan varios niveles. Dichas listas pueden contar con varios niveles de sangrías y pueden tener tanto números como viñetas.

1. Empezaremos este ejercicio creando una lista multinivel con uno de los estilos disponibles. Despliegue el comando **Lista multinivel**, cuyo icono muestra una lista de varios niveles en el grupo de herramientas **Párrafo**. [1]
2. En el apartado **Biblioteca de listas**, seleccione la primera de la segunda fila para crear el primer elemento de la lista. [2]
3. Aparece así el símbolo de viñeta predeterminado para el primer elemento de esta lista. Escriba el nombre **Menelao** y pulse la tecla **Retorno** para crear el segundo elemento de la lista. [3]
4. Pulse la tecla **Tabulador**, escriba el nombre **Alejandro** y pulse la tecla **Retorno** para pasar al tercer elemento de la lista. [4]
5. Pulse de nuevo la tecla **Tabulador** para añadir un tercer nivel a esta lista, escriba el nombre **Ulises** y pulse **Retorno**. [5]
6. Todos los estilos de listas multinivel se pueden modificar para que muestren en sus diferentes niveles un símbolo, una imagen o una fuente concretos. Veamos cómo hacerlo. Despliegue el comando **Lista multinivel** y pulse sobre la opción **Definir nueva lista multinivel**. [6]

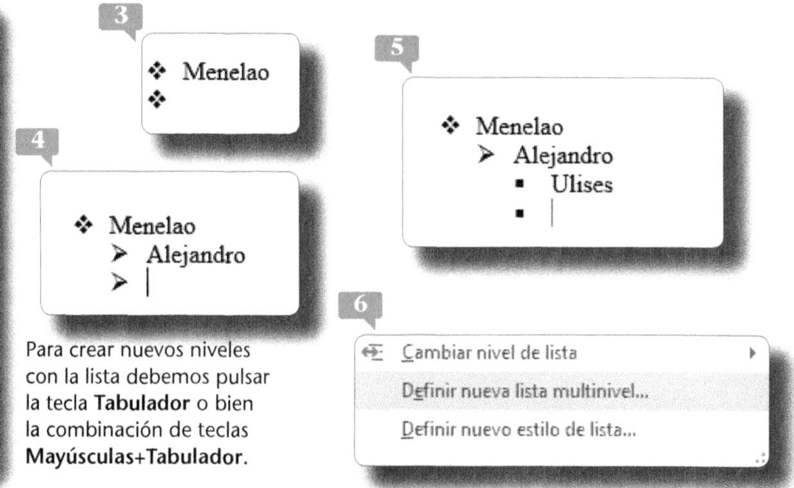

Para crear nuevos niveles con la lista debemos pulsar la tecla **Tabulador** o bien la combinación de teclas **Mayúsculas+Tabulador**.

7. Se abre el cuadro **Definir nueva lista con varios niveles**, donde podemos modificar el formato y el estilo de cada uno de los niveles de la lista. Vamos a hacer que el nivel 3, seleccionado en estos momentos, muestre otra viñeta en vez de la viñeta preestablecida. Despliegue el campo **Estilo de número para este nivel** y pulse sobre la opción **Nueva viñeta.** [7]
8. En el cuadro **Símbolo** seleccione el símbolo que desee de la galería, pulse el botón **Aceptar** [8] y pulse de nuevo el botón **Aceptar** para aplicarlo a la lista multinivel ya creada. [9]
9. Ahora crearemos un nuevo estilo de lista personalizado que se guardará en la biblioteca para que podamos utilizarlo siempre que queramos. Pulse tres veces la tecla **Retorno** para finalizar la lista, despliegue una vez más el comando **Lista multinivel** y pulse sobre la opción **Definir nuevo estilo de lista.**
10. En el cuadro **Definir nuevo estilo de lista** despliegue el campo **Estilo de número para este nivel**, seleccione la tercera opción de la lista que se despliega, la correspondiente a los números romanos, y seleccione un nuevo color de **Fuente.** [10]
11. Aplicaremos un nuevo formato al segundo nivel de la lista. Despliegue el campo **Aplicar formato a**, seleccione la opción **Segundo nivel**, active la opción **Viñetas** pulsando sobre el icono que muestra una lista con viñetas sobre el cuadro de vista previa y pulse el botón **Aceptar.**
12. El primer elemento de la lista que acabamos de crear aparece ya en el documento mostrando las propiedades que hemos establecido. Escriba el término **Afrodita**, pulse **Retorno** y pulse la tecla **Tabulador** para cambiar el nivel de la lista y comprobar que también se aplica el estilo personalizado para este segundo nivel. [11]

IMPORTANTE

El formato de número de un nivel de la lista además de ser un número o una viñeta, también puede definirse como una imagen a través de la opción **Nueva imagen** del desplegable **Estilo de número para este nivel.**

Viñeta: ★
Viñeta: ▪
Imagen:
Viñeta: •
Nueva imagen...
Nueva viñeta...

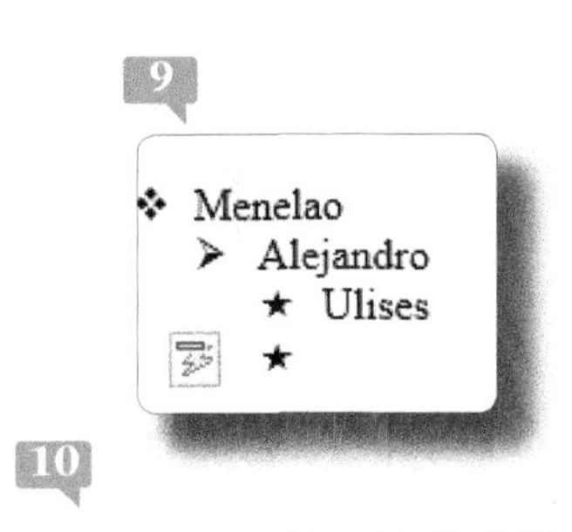

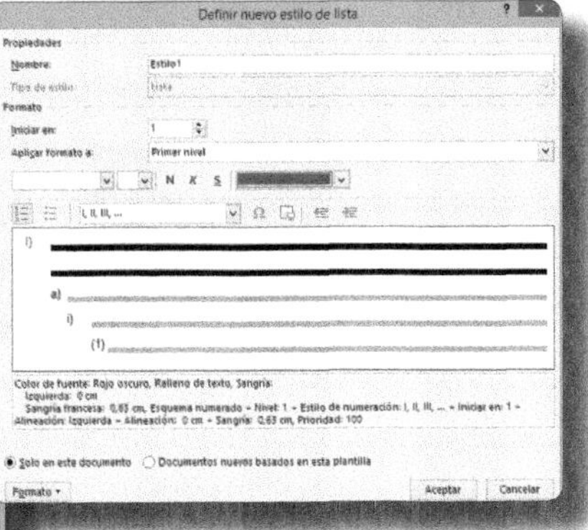

Desde el cuadro **Definir nueva lista con varios niveles** también podemos cambiar la posición de la viñeta respecto al texto.

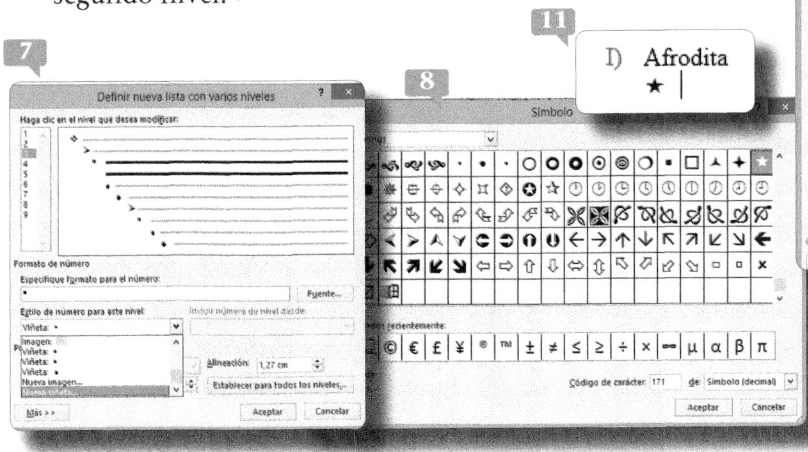

Aplicar bordes y sombreados

EL COMANDO BORDES Y SOMBREADO abre el cuadro de diálogo del mismo nombre, desde el cual es posible aplicar color de relleno a un elemento concreto, encuadrar la página con un borde, encuadrar partes o elementos determinados de una página, insertar un filete de división horizontal, etc.

1. En este ejercicio, vamos a practicar la aplicación de bordes y sombreados. Para empezar, despliegue el comando **Borde inferior**, cuyo icono muestra un cuadro dividido en cuatro partes en el grupo de herramientas **Párrafo**, y haga clic en la opción **Bordes y sombreado.**
2. Aparece el cuadro de diálogo **Bordes y sombreado** mostrando la ficha **Bordes** activa. Haga clic en la pestaña **Borde de página** para activar esta ficha.
3. En el panel **Valor**, pulse sobre la opción **Cuadro** para seleccionarla.
4. A continuación, aplicaremos como borde de la página uno de los diseños de Word. Despliegue el campo **Arte**, localice en la lista de diseños el que más le guste y pulse sobre él para seleccionarlo.

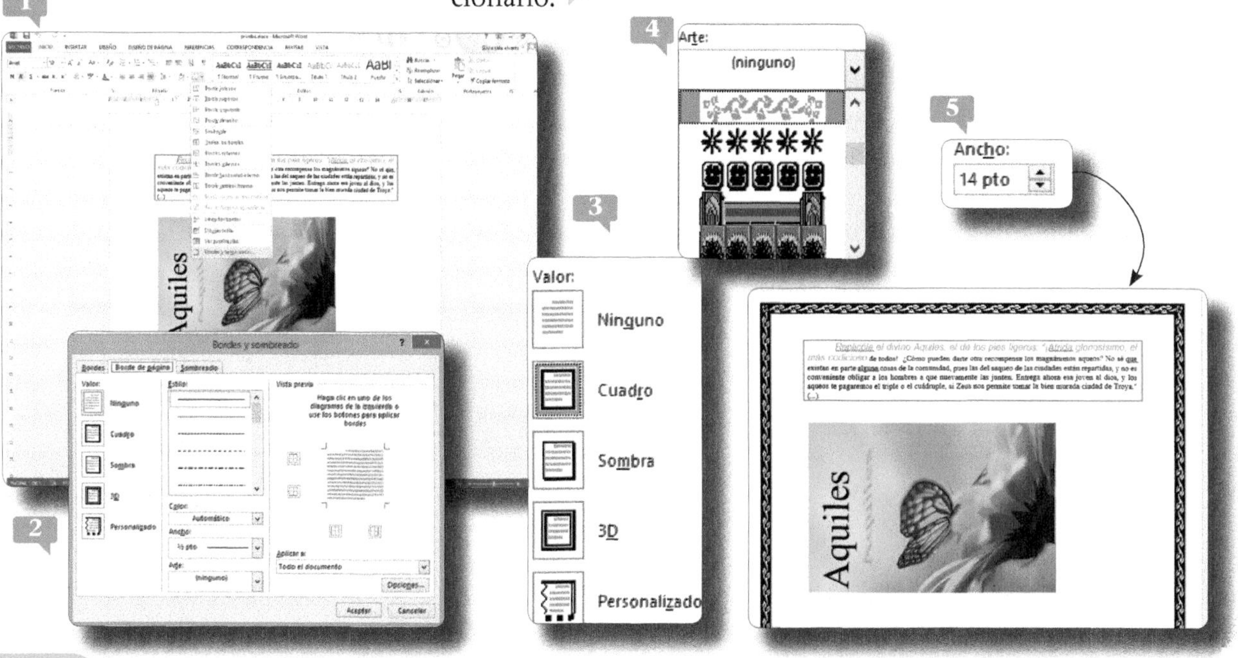

5. A continuación cambiaremos el color y la anchura del borde aplicado. En el campo **Ancho**, escriba el valor **14.**
6. Despliegue el campo color y seleccione el color que más le guste.
7. Vamos a aplicar ahora un color de fondo a toda la página. Haga clic en la nueva pestaña **Diseño** de la **Cinta de opciones**, pulse sobre la herramienta **Color de página** del grupo de herramientas **Fondo de página** y pulse sobre la opción **Efectos de relleno.**
8. Se abre así el cuadro **Efectos de relleno**, que nos permite aplicar un degradado, una textura, una trama o una imagen como relleno de la página. Haga clic en el botón de opción **Dos colores.**
9. Seleccione los colores que desee en los campos **Color 1** y **Color 2** y pulse **Aceptar.**
10. Antes de acabar el ejercicio, aplicaremos una trama a nuestro fondo de página, pulse de nuevo sobre la herramienta **Color de página** y pulse sobre la opción **Efectos de relleno.**
11. En esta ocasión pulse sobre la pestaña **trama**, seleccione la trama que más le guste, y pulse **Aceptar** para finalizar el ejercicio y observar el cambio en nuestro documento.

IMPORTANTE

También es posible acceder a la ficha **Borde de página** del cuadro **Bordes y sombreados** usando la herramienta **Bordes de página**, incluida en el grupo de herramientas **Fondo de página** de la ficha **Diseño** de la **Cinta de opciones.**

Bordes de página

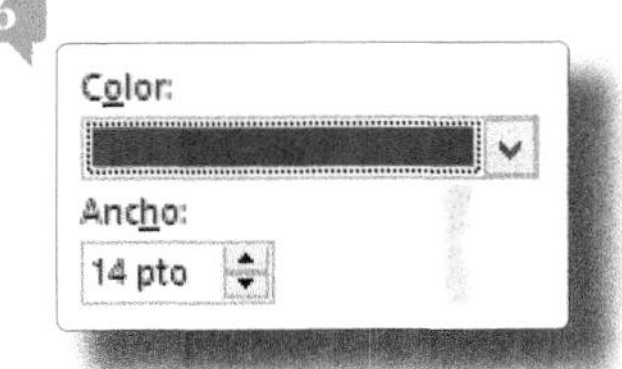

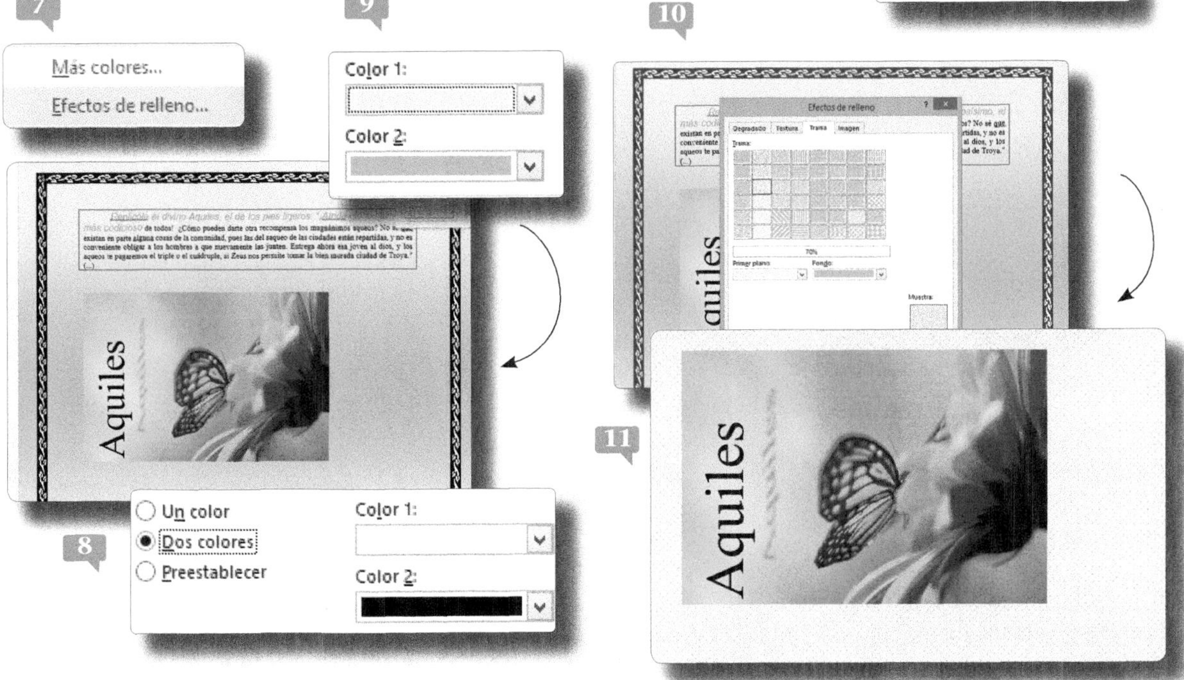

Insertar columnas

IMPORTANTE

En el cuadro de diálogo **Columnas** se indicará el número de columnas que se desea crear, la distancia que existirá entre ellas, a partir de dónde se formarán y se estarán separadas por un línea vertical. La vista previa que ofrece este cuadro permite comprobar el aspecto de las columnas antes de crearlas definitivamente.

LAS COLUMNAS SON UN TIPO DE FORMATO que suele aplicarse a documentos de tipo periodístico, a folletos, a boletines, etc. Para crear columnas es necesario situar el cursor allí donde se desea que empiece este tipo de formato y utilizar el comando Columnas del grupo de herramientas Configurar página de la ficha Diseño de página.

1. Para llevar a cabo este ejercicio puede utilizar cualquier documento del que usted disponga o utilizar el documento denominado **Metamorfosis.docx**, que como ya sabe puede descargarse de nuestra página web. Vamos a dividir en dos columnas el primer párrafo de este documento. Seleccione este párrafo y pulse en la pestaña **Diseño de página**. [1]
2. En el grupo de herramientas Configurar página, despliegue el comando **Columnas** y pulse sobre la opción **Dos**. [2]
3. El texto seleccionado se ha dividido en dos columnas tal y como hemos indicado. Sin embargo, la anchura predeterminada de las dos columnas hace que el texto de la segunda no se muestre completo. Despliegue nuevamente el comando **Columnas** y haga clic en la opción **Más columnas**. [3]

1

DISEÑO DISEÑO DE PÁGINA REFERENCIAS CORRESPONDENCIA REVISAR VISTA

Saltos · Números de línea · Guiones · Aplicar sangría Izquierda: -0,88 cm Derecha: 0,4 cm Espaciado Antes: 0 pto Después: 0 pto Alinear ·

Ovidio, Metamorfosis X, 529-739

Cautivada por la hermosura de aquel joven, no se interesa ya por las playas de Citera, no frecuenta Pafos, la rodeada de un profundo mar, ni Cnido, la abundante en peces; también del cielo se mantiene alejada; Venus prefiere a Adonis. A éste se une, de éste es la compañera, y ella, que acostumbraba a ocuparse de sí misma en la sombra y a acrecentar su hermosura por sus cuidados, ahora va errante por las sierras, por las selvas y riscos llenos de maleza, con la ropa arremangada hasta la rodilla a la manera de Diana, azuza a los perros y persigue a los animales que sin riesgo ofrecen botín (...); se mantiene alejada de los fuertes jabalíes, y evita los lobos y los osos armados de garras y los leones saciados de la carnicería de las reses bovinas.

También a ti, Adonis, te aconseja que temas a éstos y dice: "Sé valiente con los animales que huyen y no provoques a las fieras, a las que la naturaleza ha dado armas. Los impetuosos jabalíes tienen un rayo en sus corvos colmillos, poseen los azafranados leones acometividad y cólera salvaje, y son raza que yo detesto". (...).

Tales fueron las advertencias de Venus, y emprende viaje por el aire conducida por un carro de cisnes, pero el valor de Adonis se alza en contra de los consejos. Sucedió que los perros, siguiendo un seguro rastro, hicieron salir de su escondite a un jabalí, que cuando se disponía a abandonar la espesura fue alcanzado por el joven en disparo sesgado; en el acto se sacudió con su curvo hocico el venablo empapado en su sangre, y persigue a Adonis, que está aturdido y trata de buscar refugio, y le hunde enteramente los colmillos en la ingle y lo derriba moribundo en la azafranada arena.

Conducida Citerea en su ligero carro a través de los vientos, todavía no había llegado a Chipre, sostenida por las alas de sus cisnes: desde lejos reconoció el gemido del moribundo e hizo virar las alas de las blancas aves en aquella dirección, y cuando desde el alto cielo vio el cuerpo sin vida y revolcado en su propia sangre, saltó a tierra y se rasgó el regazo a la vez que los cabellos, y se golpeó con las manos los pechos y quejándose al destino dijo: "Pero aun así no todo va a ser de tu propiedad. Por siempre subsistirá el recuerdo de mi dolor, Adonis, y la representación reiterada de tu muerte realizará una imitación anual de mi pesar, en cuanto a tu sangre, se transformará en una flor."

Después de hablar así, salpicó de fragante néctar la sangre y no tardó más de una hora justa en surgir de la sangre una flor del mismo color, como suelen producirla los granados; sin embargo, es efímera la vida de aquella flor, pues, mal sujeta y caediza por su excesiva ingravidez, la arrancan los mismos vientos que le dan nombre.

PUBLIO OVIDIO NASÓN

La herramienta que permite dividir un texto en varias columnas se encuentra en la pestaña **Diseño de página**.

2

Una

Dos

Tres

Izquierda

Derecha

3

Ovidio, Metamorfosis X, 529-739

PUBLIO OVIDIO NASÓN

4. Se abre el cuadro **Columnas**, donde, como puede ver, se encuentra seleccionada la opción **Dos** y se muestran la anchura de las columnas y el espacio existente entre ellas. En el campo **Ancho**, escriba el valor **6,5** utilizando la coma del teclado alfanumérico como separador de decimales.
5. Puesto que la opción **Columnas de igual ancho** está activada, ambas columnas tendrán la misma anchura cuando apliquemos los cambios. Active la opción **Línea entre columnas** pulsando en su casilla de verificación.
6. Compruebe que al activar esta opción, se ha ajustado automáticamente el valor correspondiente al espacio que debe haber entre las columnas. Sepa que esta configuración puede aplicarse al texto seleccionado, opción activada por defecto, o bien a todo el documento. Pulse el botón **Aceptar** del cuadro **Columnas** para aplicar el cambio.
7. Ahora las dos columnas muestran el contenido correctamente y ha aparecido una línea vertical que las separa. Deseleccione el texto pulsando al inicio de su título.
8. Para acabar este ejercicio en el que hemos aprendido a crear texto en columnas, guarde los cambios pulsando el icono **Guardar** de la **Barra de herramientas de acceso rápido.**

IMPORTANTE

El comando **Columnas** del grupo de herramientas **Configurar página** incluye cinco tipos de columnas y permite acceder al cuadro **Columnas**, en el que podemos establecer manualmente las dimensiones de las columnas y la distancia que debe existir entre ellas.

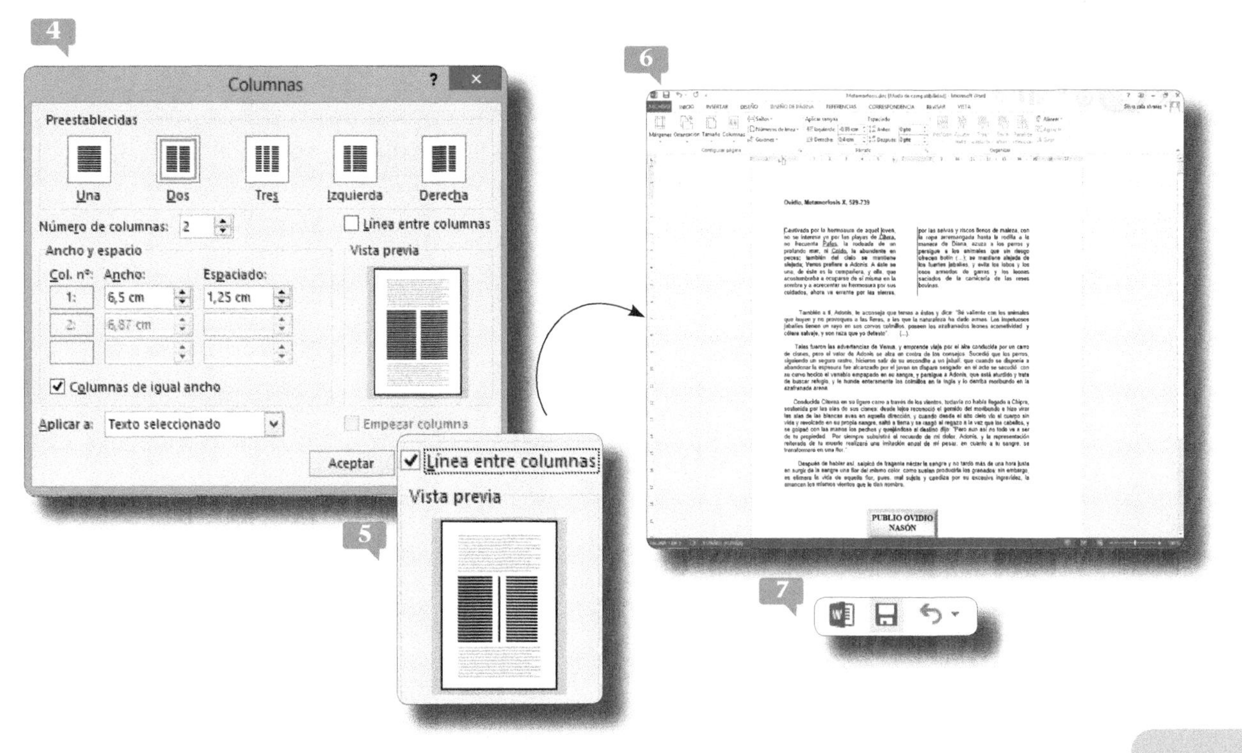

Insertar una letra capital

LAS LETRAS CAPITALES SON LETRAS MAYÚSCULAS de gran tamaño situadas al inicio de un párrafo. La herramienta Letra capital cumple la función de crear y dar formato a la primera letra de cualquier párrafo, que puede servir para empezar de manera destacada un documento, un capítulo o, simplemente, para agregar interés a un texto.

1. En este ejercicio aprenderemos a crear y a editar una letra capital. Para empezar, debemos ubicar el cursor en el párrafo al que deseamos aplicar dicha letra. Haga clic al inicio del primer párrafo, delante de la palabra **Cautivada.** 1
2. Pulse en la pestaña **Insertar** de la **Cinta de opciones**, despliegue el comando **Letra capital**, incluido en el grupo de herramientas **Texto**, y pulse sobre la opción **En texto.** 2
3. La primera letra del párrafo en que se encontraba el cursor ha aumentado de tamaño y, aunque sigue integrada en el cuerpo del párrafo al que pertenece, ahora se encuentra seleccionada como un objeto independiente. Haga clic con el botón derecho del ratón en el margen de la letra capital y pulse sobre la opción **Letra capital.** 3
4. Se abre así el cuadro **Letra capital** desde el cual podemos modificar la posición de la letra capital respecto al texto, la fuen-

IMPORTANTE

Desde el cuadro de diálogo **Letra capital** es posible cambiar la posición de la letra capital en el texto y modificar la fuente, las líneas que ocupa y la distancia que existirá entre ella y el texto. Una vez insertada, es posible decorarla con bordes y sombreados o volver a editarla.

1

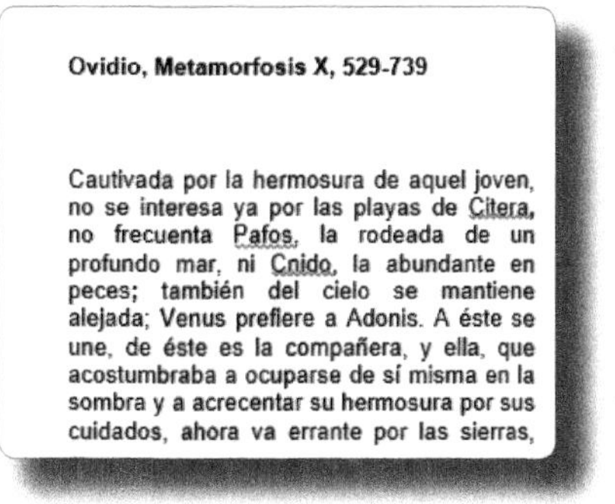

Ovidio, Metamorfosis X, 529-739

Cautivada por la hermosura de aquel joven, no se interesa ya por las playas de Citera, no frecuenta Pafos, la rodeada de un profundo mar, ni Cnido, la abundante en peces; también del cielo se mantiene alejada; Venus prefiere a Adonis. A éste se une, de éste es la compañera, y ella, que acostumbraba a ocuparse de sí misma en la sombra y a acrecentar su hermosura por sus cuidados, ahora va errante por las sierras,

2

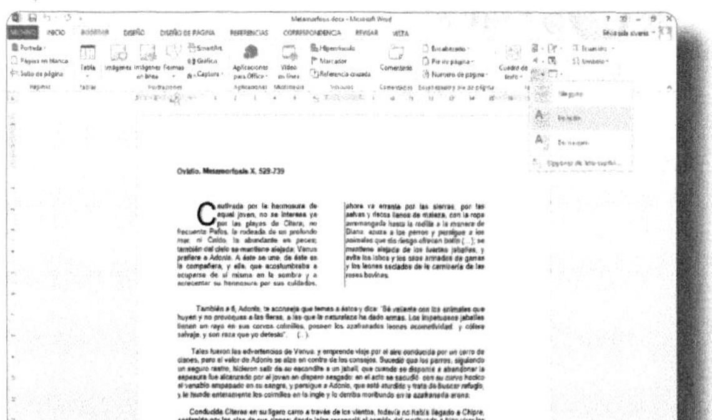

DISEÑO DISEÑO DE PÁGINA REFERENCIAS CORRESPONDENCIA REVISAR VISTA

SmartArt Gráfico Captura Aplicaciones para Office Vídeo en línea Hipervínculo Marcador Referencia cruzada Comentario Encabezado Pie de página Número de página Cuadro de texto

Ovidio, Metamorfosis X, 529-739

Cautivada por la hermosura de aquel joven, no se interesa ya por las playas de Citera, no frecuenta Pafos, la rodeada de un profundo mar, ni Cnido, la abundante en peces; también del cielo se mantiene alejada; Venus prefiere a Adonis. A éste se une, de éste es la compañera, y ella, que acostumbraba a ocuparse de sí misma en la sombra y a acrecentar su hermosura por sus cuidados, ahora va errante por las sierras, por las selvas y riscos llenos de maleza, con la ropa arremangada hasta la rodilla a la manera de Diana; azuza a los perros y persigue a los animales que sin riesgo ofrecen botín (...); se mantiene alejada de los fuertes jabalíes, y evita los lobos y los osos armados de garras y los leones saciados de la carnicería de las reses bovinas.

También a ti, Adonis, te aconseja que temas a éstos y dice: "Sé valiente con los animales que huyen y no provoques a las fieras, a las que la naturaleza ha dado armas. Los impetuosos jabalíes tienen un rayo en sus corvos colmillos, poseen los azafranados leones acometividad y cólera salvaje, y son raza que yo detesto". (...).

Tales fueron las advertencias de Venus, y emprende viaje por el aire conducida por un carro de cisnes, pero el valor de Adonis se alza en contra de los consejos. Sucedió que los perros, siguiendo un seguro rastro, hicieron salir de su escondite a un jabalí, que cuando se disponía a abandonar la espesura fue alcanzado por el joven en disparo sesgado: en el acto se sacudió con su corvo hocico el venablo empapado en su sangre, y persigue a Adonis, que está aturdido y trata de buscar refugio, y le hunde enteramente los colmillos en la ingle y lo derriba moribundo en la azafranada arena.

Conducida Citerea en su ligero carro a través de los vientos, todavía no había llegado a Chipre, sostenida por las alas de sus cisnes: desde lejos reconoció el gemido del moribundo e hizo virar las alas de las blancas aves en aquella dirección, y cuando desde el alto cielo vio el cuerpo sin vida y revolcado en su propia sangre, saltó a tierra y se rasgó el regazo a la vez que los cabellos, y se golpeó con las manos los pechos y quejándose al destino dijo: "Pero aun así no todo va a ser de tu propiedad. Por siempre subsistirá el recuerdo de mi dolor, Adonis, y la representación reiterada de tu muerte realizará una imitación anual de mi pesar; en cuanto a tu sangre, se transformará en una flor."

Después de hablar así, salpicó de fragante néctar la sangre y no tardó más de una hora justa en surgir de la sangre una flor del mismo color, como suelen producirla los granados, sin embargo, es efímera la vida de aquella flor, pues, mal sujeta y caediza por su excesiva ingravidez, la arrancan los mismos vientos que le dan nombre.

PUBLIO

3

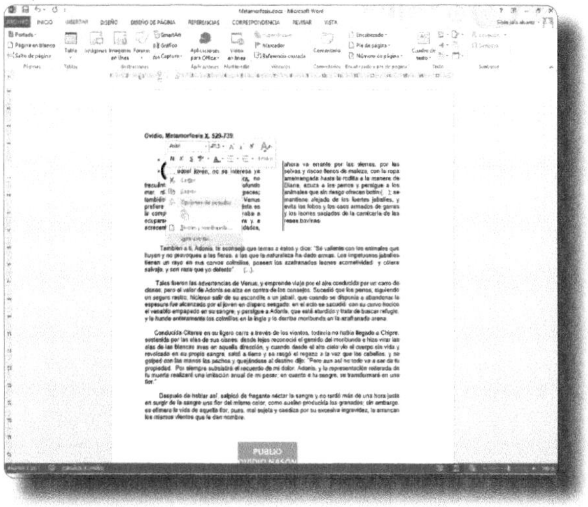

te, las líneas que ocupa y la distancia desde el texto. Despliegue el campo **Fuente** y seleccione la denominada **Castellar.**

5. Seguidamente indicaremos que la letra capital debe ocupar únicamente 2 líneas de texto. En el campo **Líneas que ocupa**, escriba el valor **2.**
6. A continuación, en el campo **Distancia desde el texto**, inserte el valor **0,5**, utilizando la coma del teclado alfanumérico para separar los decimales, y pulse el botón **Aceptar** para salir del cuadro **Letra capital.**
7. Los nuevos parámetros se aplican sobre la letra capital. Antes de acabar este sencillo ejercicio le aplicaremos un borde decorativo. Haga clic con el botón derecho del ratón en el borde de la letra capital y, en el menú contextual que aparece, pulse sobre la opción **Bordes y sombreado.**
8. Se abre así el cuadro **Bordes y sombreado**, con el que ya hemos trabajado en alguna otra ocasión. En el apartado **Valor**, seleccione la opción **Cuadro.**
9. Pulse ahora en el botón de punta de flecha del campo **Color**, seleccione la muestra de color que más le guste y, manteniendo el resto de opciones tal y como se muestran, pulse el botón **Aceptar** para aplicar el borde a la letra capital.
10. Haga clic delante del título del texto para deseleccionar la letra capital y poder comprobar su aspecto.

IMPORTANTE

Los puntos de anclaje que rodean la letra capital permiten modificar su tamaño manualmente.

El hecho de que la letra capital aparezca unos centímetros hacia dentro del párrafo se debe a la sangría aplicada sobre el mismo. Puede eliminar esta sangría desde el grupo de herramientas **Párrafo** de la pestaña **Inicio.**

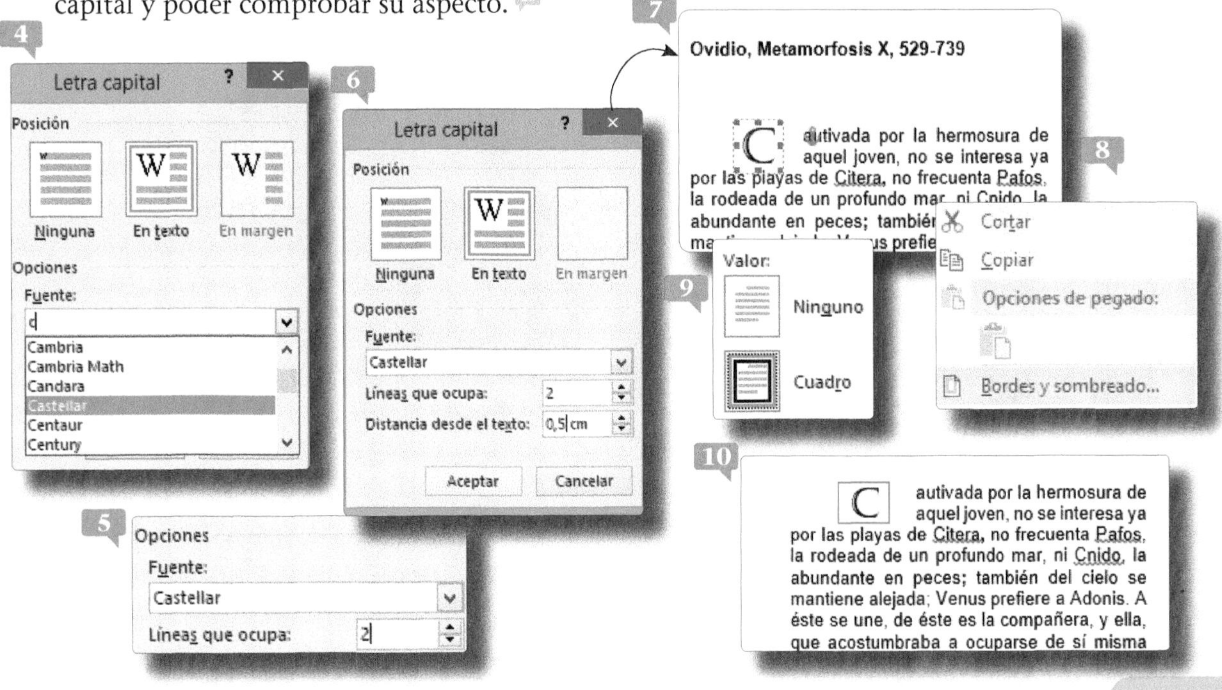

Aplicar un fondo a la página

IMPORTANTE

Es posible aplicar como fondo tanto degradados, tramas y texturas, como imágenes almacenadas en el equipo y colores sólidos. Los degradados, tramas, imágenes y texturas se disponen en mosaico o se repiten para rellenar completamente la página.

LOS FONDOS O PÁGINAS DE COLOR SE SUELEN aplicar a aquellos documentos que se van a visualizar en un explorador Web para conferirles un aspecto más atractivo. Los fondos de página pueden verse en todas las vistas excepto en las denominadas Borrador y Esquema.

1. En este ejercicio veremos el modo de colorear una página y de aplicar una imagen como fondo. Para empezar, active la ficha **Diseño** pulsando sobre su pestaña. [1]
2. En primer lugar, colorearemos el fondo de la página con un color personalizado. Haga clic en la herramienta **Color de página** del grupo de herramientas **Fondo de página** y pulse en la opción **Más colores.** [2]
3. Se abre así el cuadro de diálogo **Colores**, [3] cuyas fichas **Estándar** y **Personalizado** incluyen una paleta de colores más amplia. Pulse sobre la pestaña **Personalizado.**
4. Incluya en el campo **Rojo** el valor **251**, en el campo **Verde**, el valor **205** y en el campo **Azul**, el valor **155** y pulse el botón **Aceptar** para aplicarlo como fondo de la página. [4] (Si lo desea cree un color distinto al propuesto aplicando otros valores.)

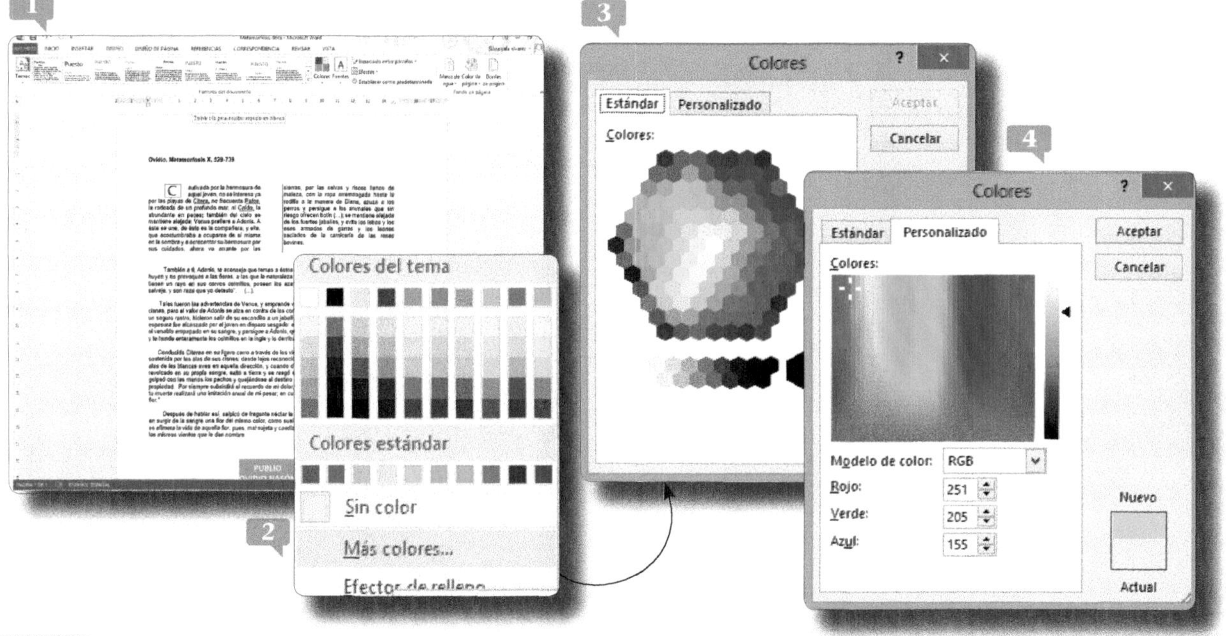

5. A continuación, aplicaremos como fondo de página una imagen, denominada **Ovidio.jpg**, que puede descargar desde nuestra página web. Si lo desea puede utilizar cualquier otra imagen propia en este formato. Haga clic en el botón **Color de página** del grupo de herramientas **Fondo de página** y pulse en la opción **Efectos de relleno.** 5
6. Se abre así el cuadro **Efectos de relleno**, desde el que podemos aplicar un degradado, una textura, una trama, o una imagen como fondo de página. Pulse sobre la pestaña **Imagen** y haga clic sobre el botón **Seleccionar imagen.** 6
7. Busque la imagen que desee utilizar mediante el botón **Examinar**, selecciónela con un clic, pulse el botón **Insertar** y haga clic sobre el botón **Aceptar** para aplicar esta imagen como fondo de página. 7
8. Al aplicar una imagen como fondo de página, ésta se muestra a modo de mosaico para rellenarla por completo. 8 Para acabar el ejercicio, volveremos a mostrar la página sin ningún fondo y guardaremos los cambios. Pulse nuevamente en el botón **Color de página** y haga clic en la opción **Sin color.** 9
9. Guarde los cambios pulsando el icono **Guardar** de la **Barra de herramientas de acceso rápido** para dar por acabado el ejercicio.

IMPORTANTE

Al guardar un documento como una página Web, las texturas y los degradados se guardan como archivos de imagen jpeg, mientras que las tramas se guardan como archivos de imagen gif.

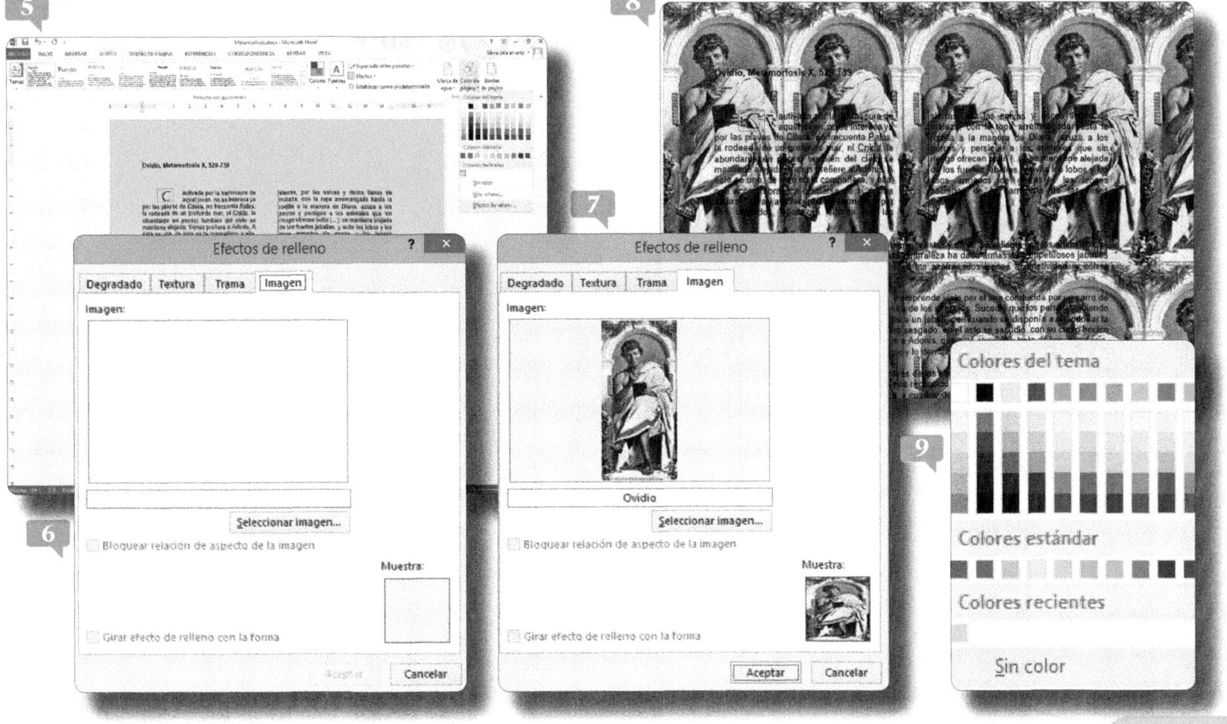

Insertar marcas de agua

UNA MARCA DE AGUA ES UNA IMAGEN o un texto que se muestra con diferente espesor en una hoja de papel con la finalidad de evitar la falsificación o copia indebida de documentos, para demostrar su autenticidad o bien simplemente para adornar el papel.

1. En el sencillo ejercicio que proponemos a continuación aprenderemos a añadir marcas de agua a un documento. Haga clic en el comando **Marca de agua** del grupo de herramientas **Fondo de página**, en la ficha **Diseño**. [1]
2. Aparece así la galería de marcas de agua y las opciones que permiten crear estas marcas, quitarlas del documento y guardar una selección en la galería de marcas de agua. Haga clic sobre la primera marca de agua, **NO COPIAR 1**, para aplicarla al documento. [2]
3. La marca de agua seleccionada se muestra ya en el documento. [3] Para quitar esta marca, haga clic en el comando **Marca de agua** y pulse sobre la opción **Quitar marca de agua.** [4]
4. A continuación crearemos una marca de agua personalizada con la imagen que hemos utilizado anteriormente como fondo de página, **Ovidio.jpeg**, que, como recordará, puede des-

IMPORTANTE

Hay que tener en cuenta que una marca de agua se añade de manera automática a todas las hojas que componen el documento y que puede eliminarse mediante la opción **Quitar marca de agua**, también incluida en el comando **Marca de agua.**

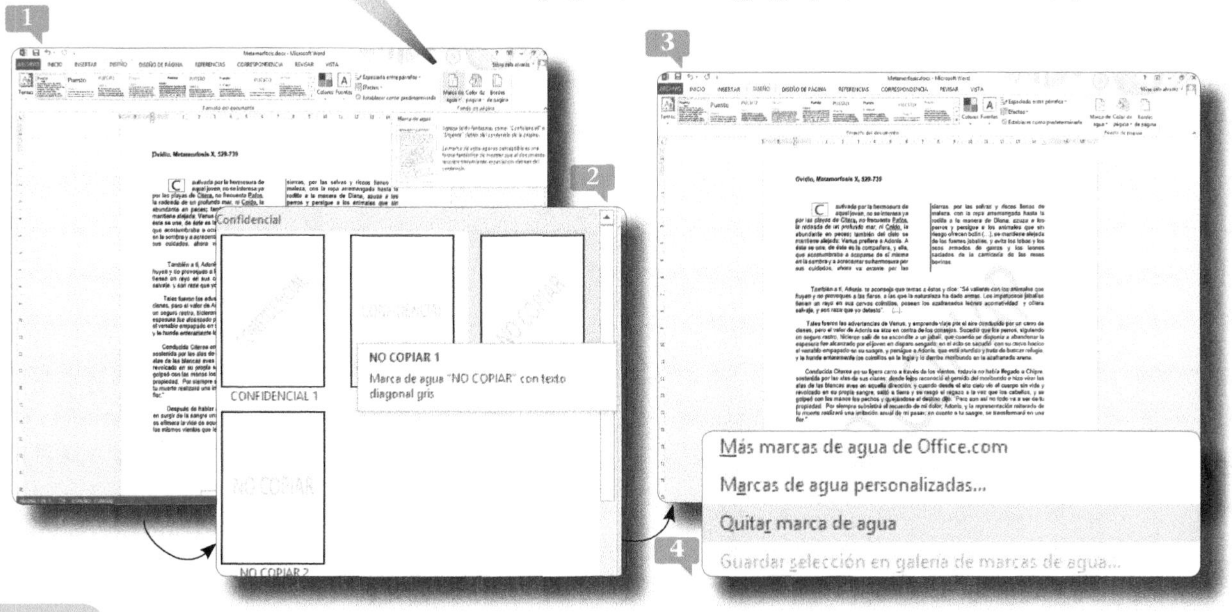

cargar desde nuestra página web. Despliegue nuevamente el comando **Marca de agua** y haga clic en la opción **Marcas de agua personalizadas.** 5

5. En el cuadro de diálogo **Marca de agua impresa**, haga clic en el botón de opción **Marca de agua de imagen** y pulse el botón **Seleccionar imagen.** 6
6. En el cuadro **Insertar imágenes**, busque mediante el botón **Examinar**, seleccione con un clic la imagen **Ovidio** y pulse el botón **Insertar.**
7. En función del tamaño original de la imagen que utilicemos para crear la marca de agua deberemos modificar la escala con la que se aplicará. En nuestro caso, mantendremos la opción **Automático** para que la imagen se ajuste automáticamente a la página. También dejaremos activada la opción **Decolorar** para que la imagen se muestre difuminada. 7 Pulse el botón **Aceptar** para que aparezca la marca de agua que acabamos de crear. 8
8. Debe saber que una marca de agua sólo se puede ver en la vista **Diseño de impresión,** y además en las páginas impresas. Pulse la combinación de teclas **Ctrl. +Inicio** para situarse al inicio del documento.
9. Pulse el botón **Guardar** de la **Barra de herramientas de acceso rápido** para guardar los cambios y dar por acabado el ejercicio.

043

IMPORTANTE

Desde el cuadro **Marca de agua impresa** podemos crear una marca de agua de texto. En esta opción podemos definir el idioma, el texto que mostrará la marca, la fuente, el tamaño, el color y el grado de transparencia de la misma y su distribución en la hoja.

Marca de agua de texto

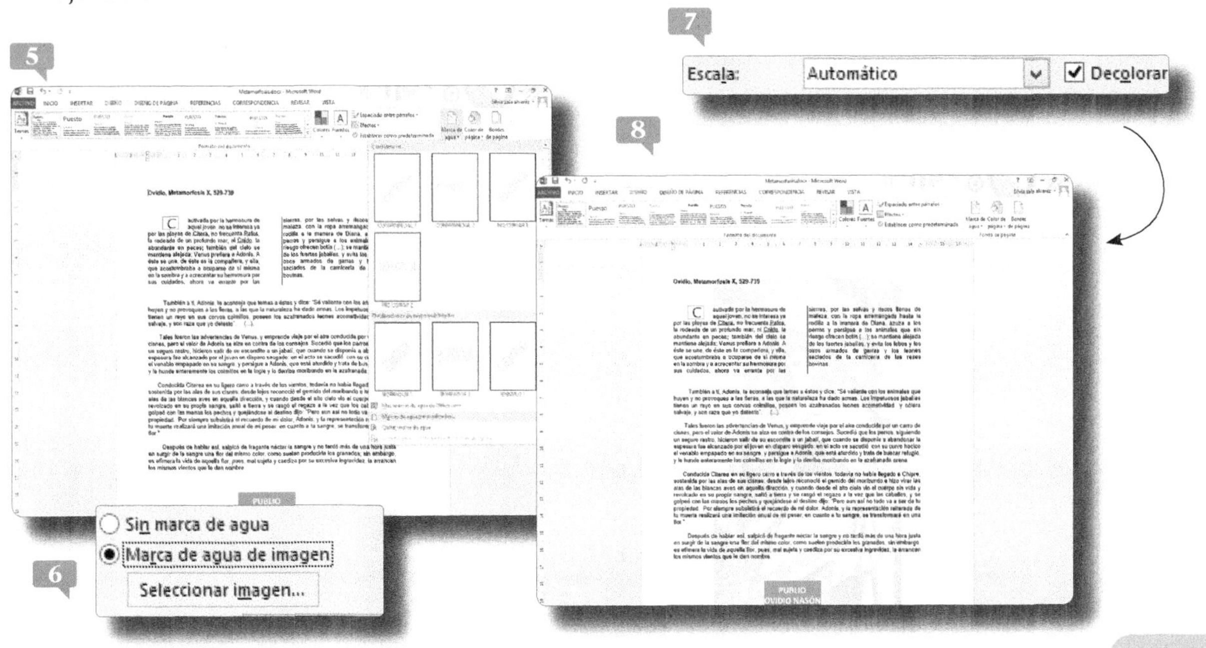

Utilizar marcos

IMPORTANTE

Los marcos suelen utilizarse para mostrar la tabla de contenido de un sitio web con varias páginas, facilitando así el acceso a la información. Cada marco es independiente del contenido de los demás.

LOS MARCOS SON SUBVENTANAS DE UNA PÁGINA de marcos que, a su vez, son páginas web divididas en varias áreas desplazables o marcos que pueden mostrar otras páginas web o hipervínculos en su interior.

1. En este ejercicio crearemos la página de marcos con sus marcos correspondientes para el documento **Ilíada.docx**. Cuando disponga de este documento en pantalla, haga clic en el botón de punta de flecha situado a la derecha de la **Barra de herramientas de acceso rápido** y pulse sobre la opción **Más comandos** del menú que se despliega. 1
2. Despliegue el campo **Comandos disponibles en**, seleccione la opción **Todos los comandos**, localice y seleccione el comando **Marcos** y pulse los botones **Agregar** y **Aceptar** para agregar el comando a la **Barra de herramientas de acceso rápido.** 2
3. Ahora, despliegue el comando **Marcos** de la **Barra de acceso rápido** y pulse sobre la opción **Nueva página de marcos.** 3
4. Se abre en pantalla una nueva página de marcos en modo de visualización **Diseño Web.** 4 Vamos a añadir a este documento su tabla de contenido en marco y después lo guardaremos como página web. Haga clic de nuevo en la herramienta **Marcos** y pulse sobre la opción **Tabla de contenido en marco.** 5
5. Aparece así a la izquierda de la página el marco creado, donde se muestran los elementos del documento a los que se les ha

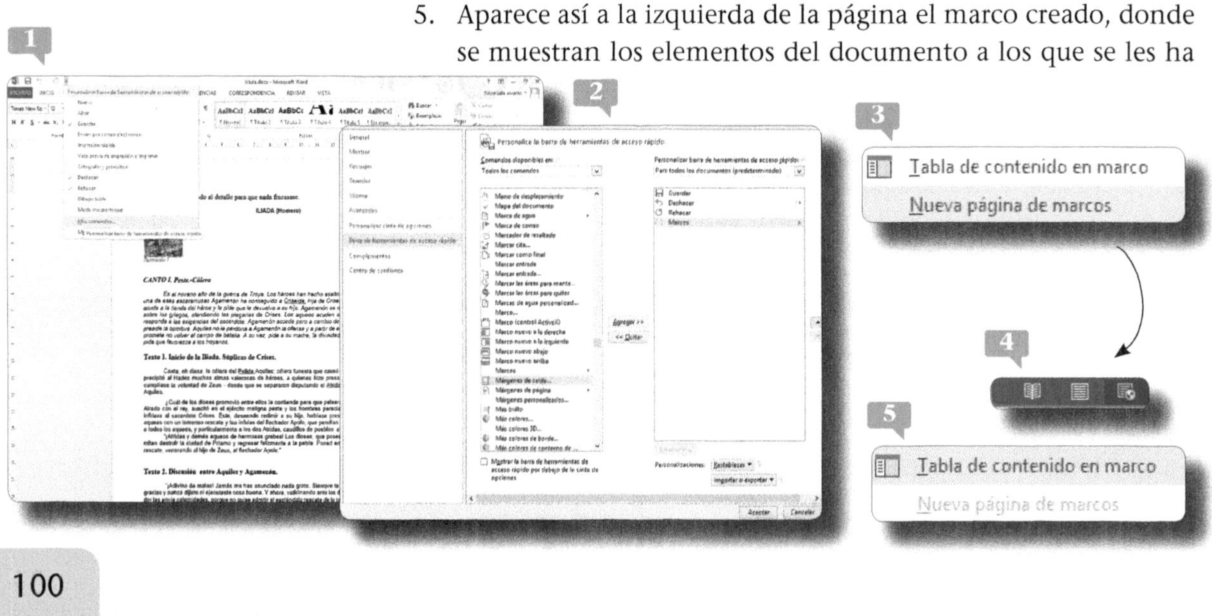

1

2

3

Tabla de contenido en marco

Nueva página de marcos

4

5

Tabla de contenido en marco

Nueva página de marcos

aplicado un estilo de título que los distingue del resto de texto. En la tabla de contenido en marco, pulse sobre el vínculo **Texto2. Discusión entre Aquiles y Agamenón** manteniendo a la vez pulsada la tecla **Control.**

6. Automáticamente nos hemos desplazado hasta el fragmento de texto con el título seleccionado. Veamos ahora las propiedades predeterminadas de un marco. Haga clic con el botón derecho del ratón en una zona libre del interior del marco que contiene la tabla de contenido y pulse sobre la opción **Propiedades del marco.**
7. Se abre el cuadro de diálogo **Propiedades del marco**. En la ficha **Marco** aparece el nombre que le ha concedido el programa de forma predeterminada y su tamaño. Pulse en la pestaña **Bordes**.
8. Vamos a cambiar el color del borde y haremos que se muestre siempre en el marco la barra de desplazamiento vertical. Elija el color que desee del campo **Color del borde**, despliegue el campo **Mostrar en el explorador las barras**, seleccione la opción **Siempre** y pulse el botón **Aceptar.**
9. Para terminar, guardaremos el documento activo como una página web. Haga clic en la pestaña **Archivo**, pulse sobre el comando **Guardar como**, asigne un nombre al archivo, elija como tipo la opción **Página web** y pulse el botón **Guardar**.

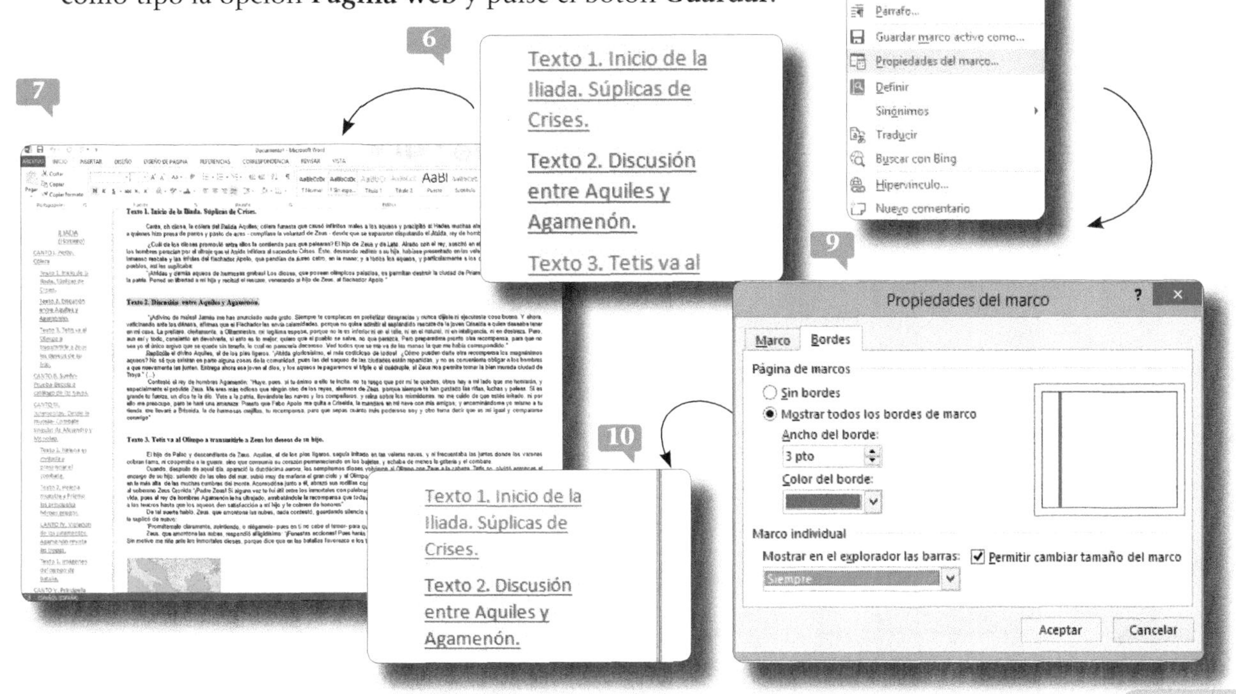

Aplicar temas

IMPORTANTE

Los temas modifican las listas, los colores de los hipervínculos, los colores de las tablas, los colores, gráficos o textos de fondo, los estilos de cuerpo, etc., con el fin de unificar el aspecto del documento. El tema que Word utiliza por defecto al crear un documento en blanco es el llamado **tema de Office**, que muestra un fondo en blanco y colores y efectos sutiles. Tenga en cuenta que todo el contenido de un documento (texto, tablas, gráficos SmartArt, etc.) está vinculado al tema, por lo que al cambiarlo, se modificará toda la apariencia de dicho contenido.

UN TEMA ES UN CONJUNTO DE ELEMENTOS de diseño, imágenes de fondo, combinaciones de colores, etc., que se aplican a los documentos con el objetivo de embellecerlos y conferirles un aspecto más profesional.

1. En esta ocasión, vamos a trabajar con el documento **Falsa Pista2**. Que como siempre se puede descargar de nuestra página web, este documento tiene elementos que hemos aprendido a crear en ejercicios anteriores, como un texto **WordArt** o un gráfico **SmartArt** al final de este documento. Esto nos ayudará a comprobar que el cambio de tema afecta también a esos elementos. Active la ficha **Diseño** pulsando en su pestaña.
2. Haga clic en el botón **Temas** del grupo de herramientas **Formato del documento** y, en la galería de temas predeterminados, pulse sobre el llamado **Estampado** para aplicarlo al documento.
3. Ahora cambiaremos los estilos de la página y guardaremos en la galería el tema resultante de la modificación para poder utilizarlo siempre que queramos. Haga clic en el comando **Colores** del grupo de herramientas **Formato del documento** y pulse sobre la combinación de colores denominada **Rojo**.

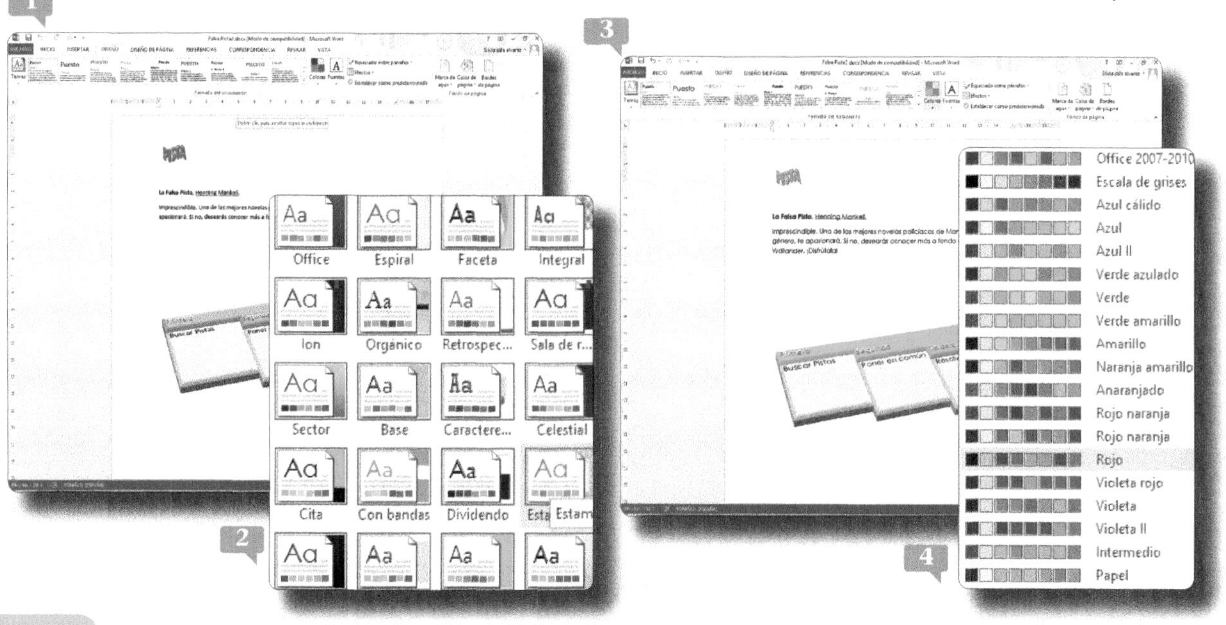

4. A continuación, haga clic sobre el comando **Fuentes** del mismo grupo de herramientas y, de la lista de fuentes predeterminadas que se muestra, elija con un clic la llamada **Georgia**, en la que tanto los títulos como el texto normal se crearán con la fuente Georgia. [5]
5. Una vez modificado el tema actual, haga clic en el botón **Temas** y pulse sobre la opción **Guardar tema actual**. [6]
6. Se abre el cuadro **Guardar tema actual**, mostrando las tres carpetas de documentos de tema que incluye Office por defecto. En el campo **Nombre de archivo**, escriba el término **Prueba** y pulse el botón **Guardar**. [7]
7. Para acabar, comprobaremos que el tema **Prueba** que acabamos de configurar se encuentra ya disponible en la galería de temas y puede aplicarse a cualquier otro documento. Abra el documento **Metamorfosis.docx**, active la ficha **Diseño**, pulse sobre el botón **Temas** [8] y, tras comprobar que el tema personalizado **Prueba** se encuentra ya en la galería, pulse sobre él para aplicarlo al documento. [9]
8. Si ahora accediéramos a los conjuntos de colores, de fuentes y de efectos de tema podríamos ver que son los que hemos establecido para el tema **Prueba**. Cierre el documento **Metamorfosis** sin guardar los cambios realizados.

IMPORTANTE

Desde el grupo de comandos **Formato del documento** podemos cambiar el conjunto de estilos por otro de los predeterminados, así como modificar los colores y las fuentes y establecer el estilo resultante como predeterminado para que todos los nuevos documentos de Word se basen en él.

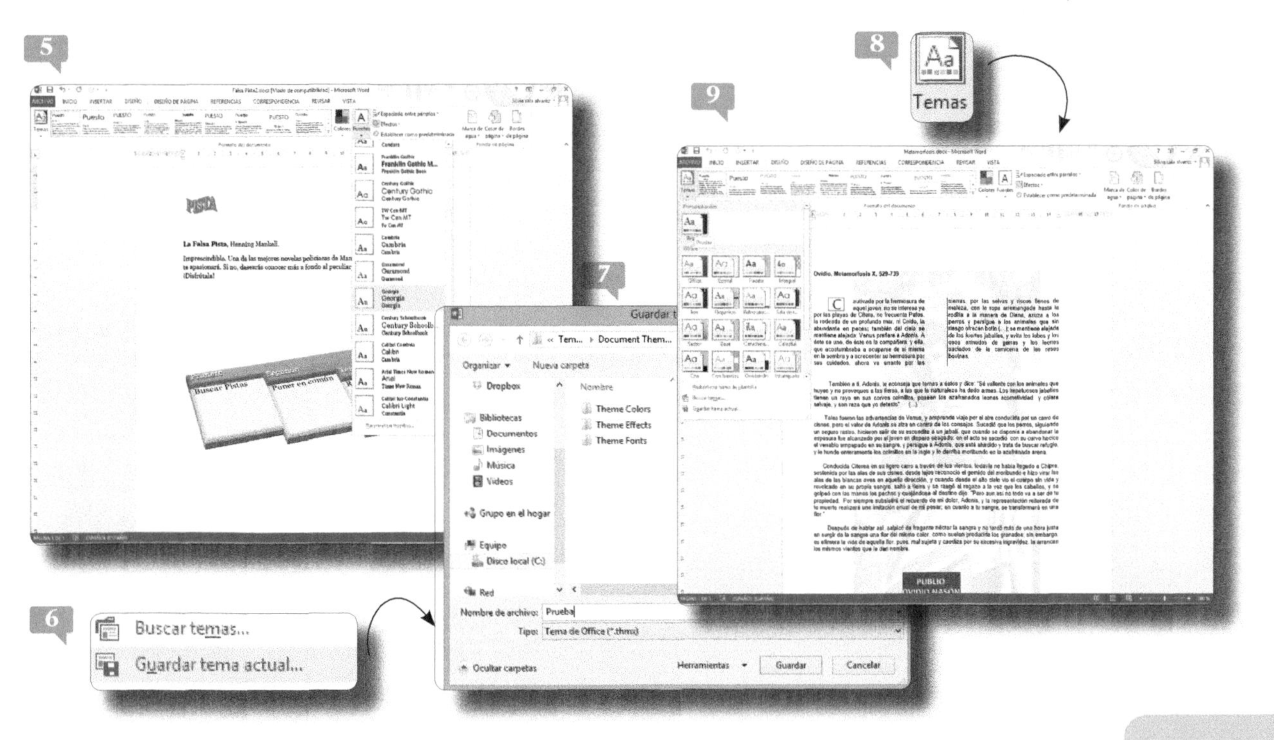

Configurar la cuadrícula

LAS LÍNEAS DE CUADRÍCULA SON UNAS FINAS LÍNEAS que se pueden mostrar en la vista Diseño de impresión para utilizarlas como pauta al escribir o al insertar objetos en un documento. Estas líneas no aparecen al imprimir el documento.

1. En este ejercicio aprenderemos a mostrar y ocultar la cuadrícula de un documento y a modificar sus propiedades. Para empezar, sitúese al inicio del documento **Pista**.
2. Vamos a ver cómo podemos mostrar las líneas de cuadrícula de dos maneras diferentes. Active la ficha **Vista** y, en el grupo de herramientas **Mostrar u ocultar**, haga clic en la opción **Líneas de la cuadrícula**. [1]
3. Aparece así en el fondo de la página la cuadrícula con sus características predeterminadas. Haga clic en el modo de visualización **Modo de lectura** del grupo de herramientas **Vistas**. [2]
4. Puede comprobar que la cuadrícula no se muestra en esta vista; únicamente podemos activarla en la vista **Diseño de impresión**. Despliegue el menú **Vista** y seleccione **Editar documento** para volver a la vista anterior. [3]
5. También desde la ficha **Diseño de página** podemos mostrar y

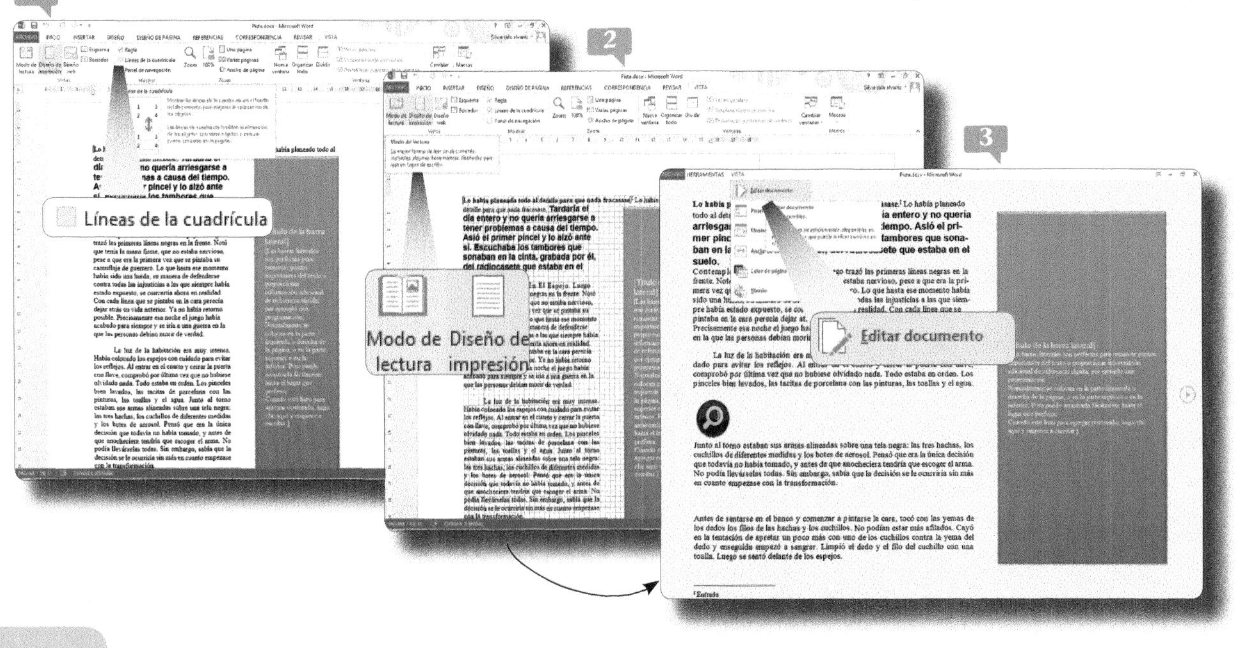

ocultar las líneas de división. Además, en esa ficha se encuentra el comando que nos permitirá modificar las propiedades de la cuadrícula. Active la mencionada ficha y, en el grupo de herramientas **Organizar**, despliegue el comando **Alinear.**

6. Haga clic en la opción **Configuración de la cuadrícula.**
7. Se abre de este modo el cuadro **Cuadrícula de dibujo**, desde el cual, como ve, también podemos mostrar u ocultar las líneas de cuadrícula en pantalla. En primer lugar vamos a cambiar el espaciado de las cuadrículas. Escriba el valor **1** tanto en el campo **Espaciado horizontal** como **Espaciado vertical.**
8. El botón **Establecer como predeterminado** nos permite guardar esta configuración de la cuadrícula para que siempre sea la misma. Por otra parte, para que las líneas de la cuadrícula se muestren en toda la extensión de la página, y no sólo a partir de los márgenes, deberíamos desactivar la opción **Utilizar márgenes**. Al hacerlo, se activarán las opciones **Origen horizontal** y **Origen vertical** para que podamos establecer manualmente el origen de la cuadrícula. En el campo **Vertical cada**, escriba el valor **2** y pulse el botón **Aceptar** para aplicar los cambios a la cuadrícula.
9. Puede ver que el aspecto de la cuadrícula se ha modificado sensiblemente. Para ocultar la cuadrícula, haga clic en el botón del grupo de herramientas **Organizar**, pulse sobre el comando **Alinear** y haga clic en la opción **Ver líneas de división.**

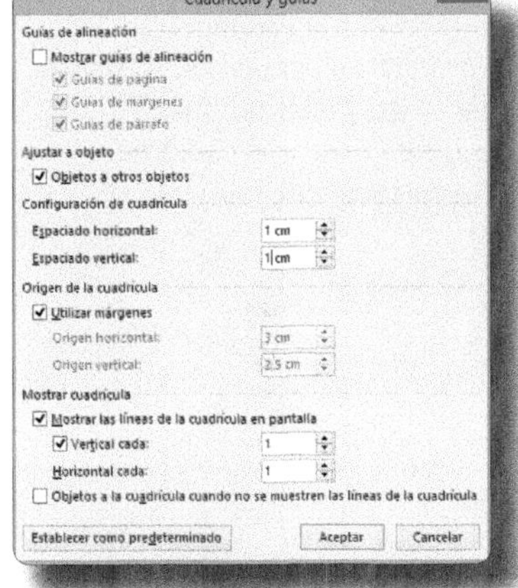

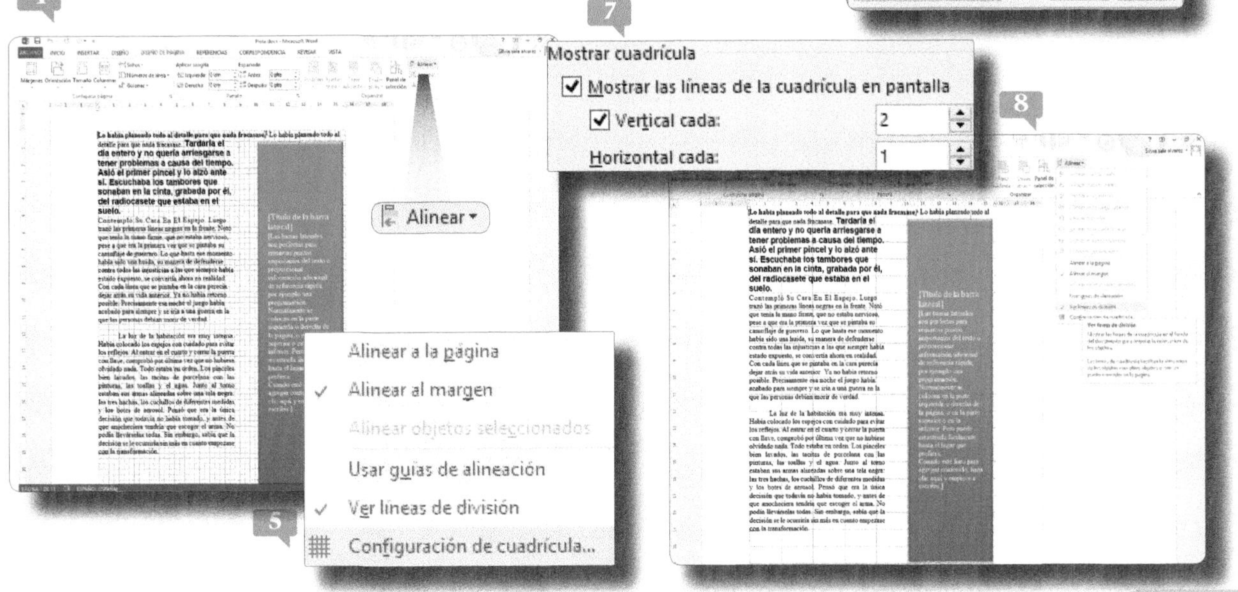

Revisar la ortografía y la gramática

IMPORTANTE

El nuevo panel **Ortografía y gramática** de Word 2016, incorpora además de las opciones **Omitir, Agregar** o **Cambiar,** típicas de la revisión ortográfica, en la parte inferior del panel, los sinónimos encontrados de la palabra que el programa considera correcta además de un botón de audio que posibilita la opción de escuchar la pronunciación correcta de la palabra. En esta parte del panel también es posible, cambiar el idioma de corrección.

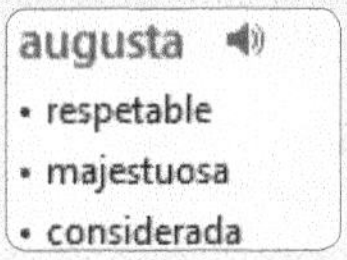

augusta
- respetable
- majestuosa
- considerada

LA REVISIÓN ORTOGRÁFICA Y GRAMATICAL de un documento se puede realizar de forma automática mientras se escribe, si así se establece en el cuadro de opciones de Word. Esta herramienta ha mejorado en esta nueva versión de Word, con el nuevo panel Ortografía y Gramática además de la revisión, Word nos ofrece sinónimos que utilizar en el caso de los errores ortográficos y aclaraciones para discernir cual es el problema en el caso de los errores gramaticales.

1. En este ejercicio aprenderemos a revisar la ortografía y la gramática del documento denominado **Eneida.docx**, que puede descargar desde nuestra página web. Cuando disponga de él, ábralo en Word 2016. 1
2. Pulse con el botón derecho del ratón sobre la palabra **heroe**, subrayada en color rojo, y en el menú contextual que aparece, pulse sobre la opción **héroe** para proceder a la corrección del término. 2
3. Continuemos la revisión con la ayuda de los comandos de la **Cinta de opciones**. Sitúese en la ficha **Revisar** y, en el grupo de herramientas **Revisión**, pulse sobre el comando **Ortografía y gramática**. 3

1

2

3

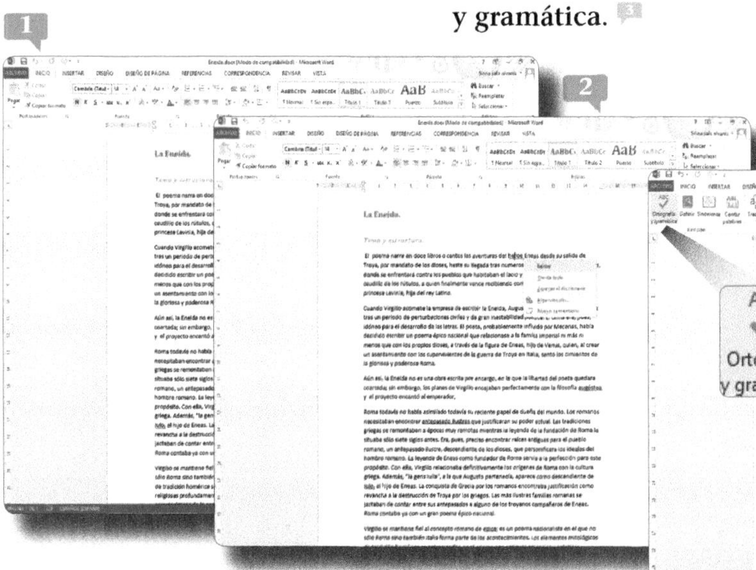

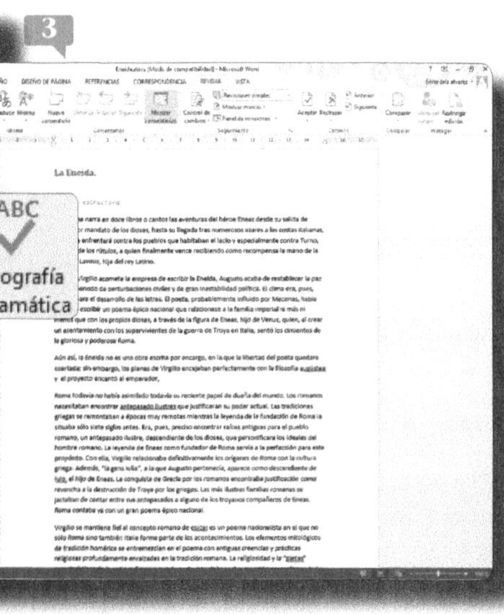

También podemos activar el comando **Ortografía y gramática** usando la tecla **F7** del teclado.

4. La revisión ortográfica y gramatical empieza por la palabra **augústea**. Lo primero que aparece en el nuevo panel **Ortografía** es la palabra que Word no ha encontrado en su diccionario, y un poco más abajo se muestra la opción de corrección posible. Como novedad también tiene la opción de escuchar la pronunciación de la palabra mediante el botón que tiene el icono de un altavoz. Para que el programa añada a su diccionario este término, pulse el botón **Agregar**.
5. Ahora el panel nos indica que el siguiente término que se muestra es un error de tipo **Gramatical**. Este tipo de errores se marcan en el documento con una línea ondulada de color azul. Como novedad el programa nos aclara cual puede ser el motivo de este error gramatical. En este caso, cambiaremos el término erróneo por la sugerencia que hace el programa. Pulse el botón **Cambiar**.
6. Ahora aparece en el cuadro de revisión un nombre propio, cuya corrección omitiremos todas las veces que se muestre en el documento. Pulse el botón **Omitir todo**.
7. Pulse el botón **Cambiar** para corregir la siguiente palabra sin acento por su forma correcta con acento.
8. Pulse el botón **Omitir todo** para que el programa no corrija el término escrito en latín **pietas**.
9. Hemos llegado al final de la corrección, tal y como indica el cuadro de advertencia. Pulse el botón **Aceptar**.
10. Sitúese al principio del documento y compruebe que, tras la revisión, no hay errores ortográficos ni gramaticales.

IMPORTANTE

Dentro del grupo de herramientas **Revisión** encontrará otros comandos muy útiles, el comando **Sinónimos** le conduce al **Panel Sinónimos** que le mostrará todos los sinónimos de la palabra seleccionada, además de su audio.

Sinónimos

7: Cambiar | Cambiar todo

8: Omitir | Omitir todo | Agregar

4: Ortografía — augústea — Omitir | Omitir todo | Agregar — augusta, Auguste, Augusta, augusto, augustas — Cambiar | Cambiar todo — augusta: • respetable • majestuosa • considerada

5: Gramática — antepasado ilustres — Omitir — antepasado ilustre, antepasados ilustres — Cambiar — Concordancia en el grupo nominal: Es necesario que haya coincidencia de género y número entre el sustantivo con el artículo o los adjetivos que lo acompañan.

6: Ortografía — lulo — Omitir | Omitir todo | Agregar — Julo, Piulo, Lulo, Bulo, Idlo — Cambiar | Cambiar todo

9: Microsoft Word — Revisión ortográfica y gramatical completada. Ya está listo. — Aceptar

Partir palabras

POR DEFECTO, MICROSOFT WORD NO SEPARA las palabras con guiones sino que, cuando no caben en una línea, automáticamente las sitúa en la línea siguiente. Pero hay ocasiones en las que la separación de palabras puede beneficiar el aspecto del documento. Normalmente, la separación con guiones se utiliza en los textos con alineación justificada ya que en ellos siempre hay muchos espacios en blanco que dan un aspecto un tanto desigual.

1. Empezaremos este ejercicio realizando una partición de palabras manual en todo el documento, para lo cual lo justificaremos. En el documento **Eneida.docx**, pulse la combinación de teclas **Ctrl.+E** para seleccionar todo el documento.
2. Sitúese en la ficha **Inicio** de la **Cinta de opciones** y haga clic en el comando **Justificar**, el que muestra varias líneas horizontales de igual tamaño en el grupo de herramientas **Párrafo.**
3. Active la ficha **Diseño de página**, despliegue el comando **Guiones** del grupo de herramientas **Configurar página** y, en el menú que aparece, haga clic sobre la opción **Manual.**
4. Aparece un cuadro en el que figura la primera palabra que el programa propone para realizar una división con guiones. Acepte la división propuesta por el programa pulsando el botón **Sí.**

IMPORTANTE

La división de palabras con guiones puede omitirse en uno o más párrafos siempre que se abra la pestaña **Líneas y saltos de página** del cuadro de diálogo **Párrafo** y se active la opción **No dividir con guiones**. Obviamente, para aplicar esta función primero es necesario seleccionar el texto en el que se omitirá la división. De este modo, cuando se realice una partición automática o manual, el texto seleccionado no será considerado para una posible partición.

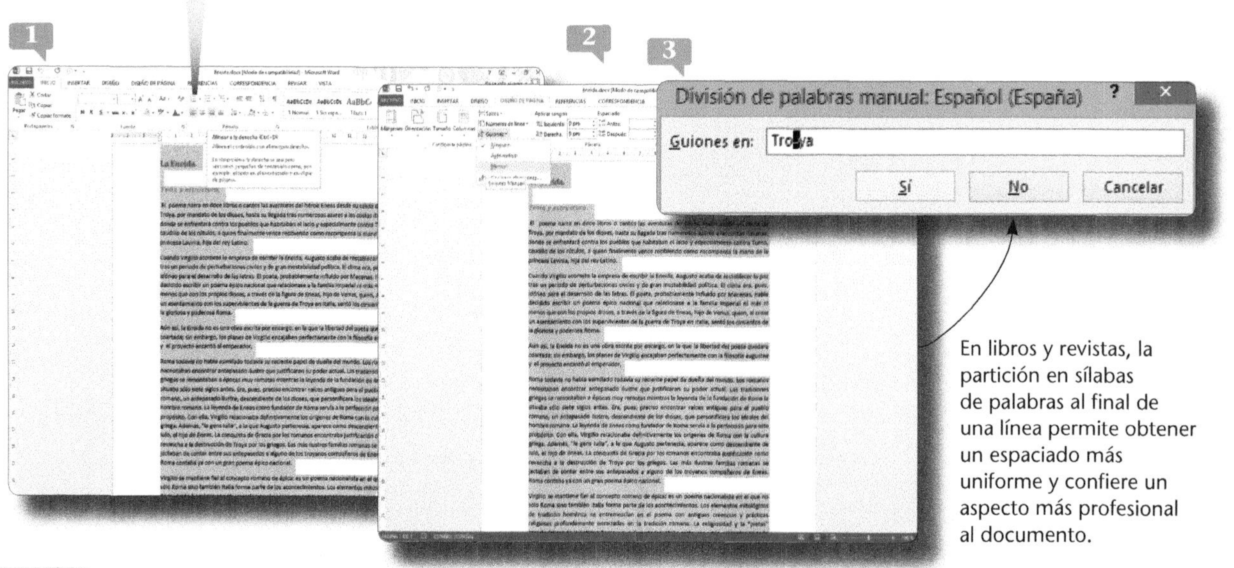

En libros y revistas, la partición en sílabas de palabras al final de una línea permite obtener un espaciado más uniforme y confiere un aspecto más profesional al documento.

5. La siguiente palabra presentada para ser dividida es **menos**. En este caso no aceptaremos la división propuesta por el programa y dejaremos esta palabra tal y como está. Pulse el botón **No**. [4]
6. Veamos el último ejercicio de división de palabras manual. En este caso, supondremos que preferimos dividir la palabra en otro punto. Para ello, deberá desplazar el cursor hasta el punto en que se desea aplicar la nueva división y luego confirmar el cambio. Pulse la **tecla de dirección hacia la derecha** dos veces consecutivas y luego haga clic sobre el botón **Sí**. [5]
7. Aunque podríamos seguir, dejaremos la división manual en este punto para seguir con la automática. Pulse sobre el botón **Cancelar**.
8. Activaremos ahora la división automática para comprobar cómo divide Word un texto con guiones. Despliegue de nuevo el comando **Guiones** y pulse sobre la opción **Automático**. [6]
9. Seguidamente, accederemos al cuadro de opciones de los guiones. Despliegue una vez más el comando **Guiones** y seleccione la opción **Opciones de guiones**. [7]
10. Inserte el valor **0,5** en el cuadro de la opción **Zona de división**, inserte el valor **3** en el cuadro de la opción **Limitar guiones consecutivos a** y pulse el botón **Aceptar**. [8]

IMPORTANTE

Para reducir el número de guiones lo más práctico es especificar un ancho mayor en la zona de división, mientras que para aumentar su número y así evitar espacios en blanco o el aspecto irregular del margen derecho, deberá disminuir la zona de división.

Zona de división:

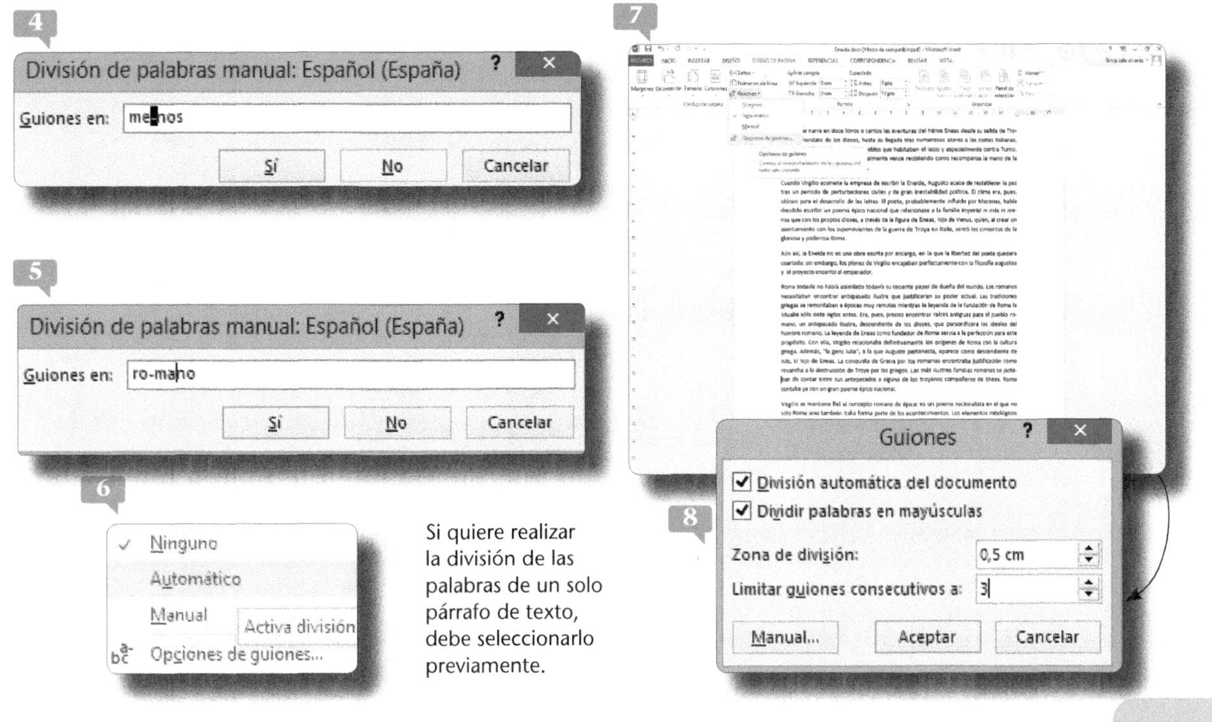

Si quiere realizar la división de las palabras de un solo párrafo de texto, debe seleccionarlo previamente.

Trabajar con la autocorrección I

LA FICHA AUTOCORRECCIÓN DEL CUADRO del mismo nombre se refiere básicamente a todas aquellas correcciones de tipo ortográfico, gramatical o léxico y permite configurar si el programa debe corregir la escritura de dos mayúsculas seguidas, la inserción de una letra minúscula después de un punto, etc.

1. En esta lección comprobaremos los efectos de las opciones de la función **Autocorrección** en el documento **Eneida**. Escriba, en minúsculas, la palabra **martes** seguida de un punto. 1
2. Automáticamente, el programa ha cambiado la m minúscula por una m mayúscula obedeciendo a dos de las reglas de la autocorrección. 2 La primera regla es que al iniciar una frase, la primera letra debe estar en mayúsculas y la segunda, que los días de la semana siempre deben mostrar también su inicial en mayúsculas (opción esta última adoptada por Word del inglés). A continuación, pulse la **barra espaciadora**, inserte de nuevo la palabra **MArtes** pero con las dos primeras letras en mayúsculas y pulse de nuevo la **barra espaciadora**. 3
3. Como ve, el programa ha detectado la existencia de dos mayúsculas seguidas y automáticamente ha corregido el error. 4 Veamos ahora cómo añadir nuevas palabras en el cuadro de autocorrección. Pulse sobre la pestaña **Archivo** y haga clic sobre el comando **Opciones**. 5

IMPORTANTE

El cuadro de diálogo **Autocorrección** se activa desde la categoría **Revisión** del cuadro de opciones de Word y en él aparecen cinco fichas con distintos aspectos de las correcciones que el programa lleva a cabo de manera automática. La opción **Mostrar los botones de las opciones de Autocorrección** es la que permite la aparición de la etiqueta inteligente **Opciones de Autocorrección**.

1 martes

2 Martes.

3 Martes. MArtes

4 Martes. Martes

5 Información

Opciones

La ficha **Autocorrección** del cuadro del mismo nombre nos permite crear excepciones a las normas establecidas en lo que a letra inicial, mayúscula inicial y otras correcciones se refiere. Así pues, gracias a las excepciones podemos conseguir que ciertas palabras acepten dos mayúsculas seguidas, que otras no se escriban tal y como está establecido por el diccionario del programa, o bien que las palabras situadas detrás de una abreviación específica no empiecen en mayúsculas.

4. Haga clic en la categoría **Revisión** y pulse el botón **Opciones de Autocorrección.**
5. Desde el apartado **Reemplazar texto mientras escribe** del cuadro **Autocorrección** podemos conseguir que cada vez que escribamos una palabra de manera incorrecta el programa la sustituya por la forma correcta. En el cuadro **Reemplazar** de este apartado escriba la palabra incorrecta **pomea.**
6. A continuación, escriba la forma correcta **poema** en el cuadro de texto **Con** y pulse el botón **Agregar** para confirmar la nueva entrada.
7. En estos momentos el botón **Eliminar** se ha activado por lo que, en caso de querer suprimir alguna de las entradas de autocorrección, tan sólo debería seleccionarla y luego pulsar dicho botón. En este caso, aceptaremos el cuadro para verificar si el programa ha asimilado la nueva entrada de autocorrección. Pulse el botón **Aceptar** de los cuadros **Autocorrección** y **Opciones de Word.**
8. De nuevo en el documento, inserte en minúsculas la forma incorrecta **pomea** y pulse la **barra espaciadora.**

Efectivamente, el programa ha reemplazado la palabra por la forma correcta **poema.** En el siguiente ejercicio seguiremos trabajando con las opciones de autocorrección que Word 2016 pone a nuestra disposición.

IMPORTANTE

En el cuadro **Autocorrección,** al insertar la primera letra de la palabra en el campo **Reemplazar,** el listado situado en la parte inferior del cuadro **Reemplazar texto mientras escribe** muestra las entradas que ya tiene registradas y que empiezan por esa misma letra.

Reemplazar:
pomea
po rel
po rél
po rella

6

7

Autocorrección: Español (España)

Autoformato mientras escribe | Autoformato | Acciones
Autocorrección | Autocorrección matemática

- [x] Mostrar los botones de las opciones de Autocorrección
- [x] Corregir DOs MAyúsculas SEguidas — Excepciones...
- [x] Poner en mayúscula la primera letra de una oración
- [x] Poner en mayúscula la primera letra de celdas de tablas
- [x] Poner en mayúscula los nombres de días
- [x] Corregir el uso accidental de bLOQ mAYÚS
- [x] Reemplazar texto mientras escribe

Reemplazar:	Con: Texto sin formato / Texto con formato
pomea	
po rel	por el
po rél	por él
po rella	por ella
po rellas	por ellas
po rellos	por ellos
po rla	por la

Agregar | Eliminar

- [x] Usar automáticamente las sugerencias del corrector ortográfico

Aceptar | Cancelar

8

Reemplazar:	Con: Texto sin formato
pomea	poema
po rel	por el
po rél	por él
po rella	por ella
po rellas	por ellas
po rellos	por ellos
po rla	por la

9

pomea

10

Poema

Trabajar con la autocorrección II

IMPORTANTE

Gracias a las excepciones podemos conseguir que ciertas palabras acepten dos mayúsculas seguidas, que otras no se escriban tal y como está establecido por el diccionario del programa, o bien que las palabras situadas detrás de una abreviación específica no empiecen en mayúsculas.

LA FICHA AUTOCORRECCIÓN DEL CUADRO DE DIÁLOGO del mismo nombre nos permite crear excepciones a las normas establecidas en lo que a letra inicial, mayúscula inicial y otras correcciones se refiere.

1. En este ejercicio seguiremos trabajando con las opciones de autocorrección de Word. En concreto, aprenderemos a crear excepciones a las reglas del programa. Para empezar, haga clic la pestaña **Archivo**, pulse sobre el comando **Opciones**, active la categoría **Revisión** en el cuadro de diálogo **Opciones de Word** y pulse sobre el botón **Opciones de autocorrección.** [1]
2. En la ficha **Autocorrección**, pulse sobre el botón **Excepciones.** [2]
3. La primera de las tres fichas del cuadro de diálogo **Excepciones de Autocorrección**, **Letra inicial**, permite insertar una abreviación o cualquier otra palabra seguida de un punto después de la cual no es necesario que se escriban mayúsculas. En este caso, agregaremos la abreviatura de la palabra **capítulo.** Escriba la abreviación **cap.** y pulse el botón **Agregar.** [3]
4. A continuación, pulse sobre la pestaña **MAyúscula Inicial** para activar esa ficha. [4]

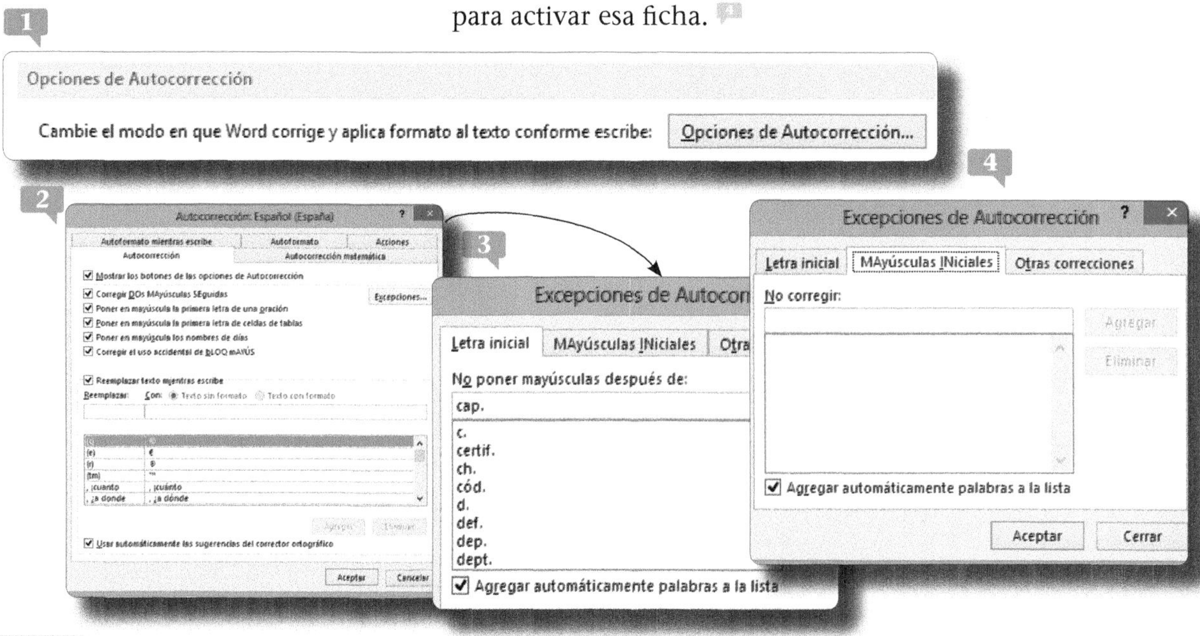

5. En esta ficha se insertan aquellas palabras que pueden contener, a diferencia del resto, más de una letra en mayúsculas. Haga clic en el campo **No corregir**, escriba la palabra **CAso** con las dos primeras letras en mayúsculas y pulse el botón **Agregar**.
6. Active ahora la ficha **Otras correcciones**.
7. La última de las fichas del cuadro de diálogo **Excepciones de Autocorrección** se utiliza para insertar aquellas palabras que no desea sean corregidas. En el cuadro **No corregir** deberá insertarse la palabra mal escrita. Haga clic dentro de este campo, escriba en minúsculas la palabra **lapiz** sin acento, pulse el botón **Agregar** y seguidamente el botón **Aceptar**.
8. Termine la operación pulsando sobre el botón **Aceptar** del cuadro de diálogo **Autocorrección** y cierre también el cuadro **Opciones de Word** pulsando el botón **Aceptar**.
9. A continuación, comprobaremos si el programa ha asimilado las excepciones que acabamos de introducir. Escriba la abreviatura **cap.** pulse la **barra espaciadora**, ahora escriba cualquier palabra por ejemplo, **los**, y pulse la barra espaciadora. Como ve el programa no ha corregido al palabra **los** cambiando su inicial a mayúsculas.
10. Seguidamente, inserte la palabra **CAso** con las dos primeras letras en mayúsculas y pulse la **barra espaciadora**.
11. Por último, inserte en minúsculas la palabra **lapiz**, sin acento, y pulse la tecla **Retorno**.

5
No corregir:
CAso
Agregar
Eliminar

6
Excepciones de Autocorrección
Letra inicial | MAyúsculas INiciales | Otras correcciones
No corregir:
envia
lapiz
morte
passar
pensava
Agregar
Eliminar
Agregar automáticamente palabras a la lista
Aceptar | Cerrar

7
Poema cap. los

8
Poema cap. los CAso
Poema cap. los CAso

9
Poema cap. los CAso lapiz

Usar el Clasificador de diapositivas

IMPORTANTE

Gracias al **Clasificador de diapositivas** se pueden llevar a cabo cambios de última hora, como agregar, mover o eliminar diapositivas, y también obtener vistas previas de las animaciones y las transiciones de diapositivas creadas en la presentación.

LA VISTA CLASIFICADOR DE DIAPOSITIVAS PERMITE ver en miniatura en el área de trabajo todas las diapositivas que forman una presentación. Esta vista resulta especialmente útil para ordenar las diapositivas, moverlas y ocultarlas.

1. En este ejercicio aprenderemos a utilizar la vista **Clasificador de diapositivas**. Seguiremos trabajando con la presentación **Estaciones**. Para pasar a esta vista podemos utilizar la correspondiente herramienta de la ficha **Vista** o bien el icono de acceso directo a dicha vista de la **Barra de estado**. En este caso, haga clic en el segundo botón de esta barra ubicada al pie. [1]
2. Aparecen en pantalla las miniaturas todas las diapositivas que componen esta presentación. Como el número de elementos es reducido, podemos permitirnos aumentarlos de tamaño. Haga clic sobre el valor porcentual que aparece en el control de zoom, a la derecha de la **Barra de estado**. [2]
3. En el cuadro **Zoom**, introduzca el valor **150** en el campo **Porcentaje** y pulse el botón **Aceptar**. [3]
4. Ahora imagine que no desea mostrar en la presentación la primera diapositiva, que actúa de portada. En este caso, lo que

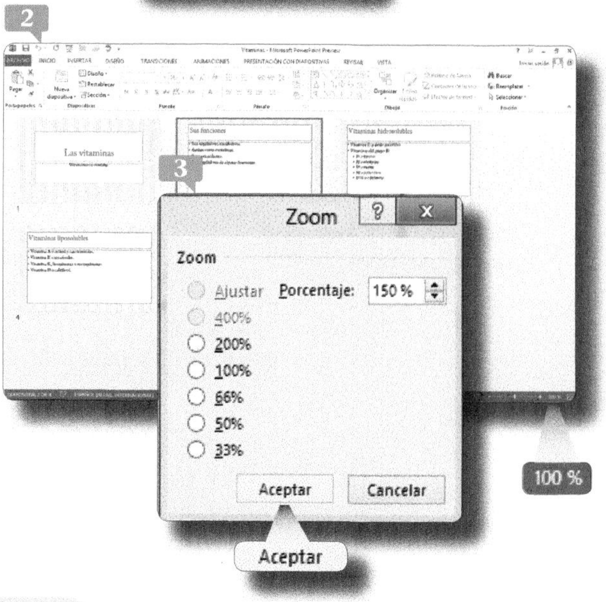

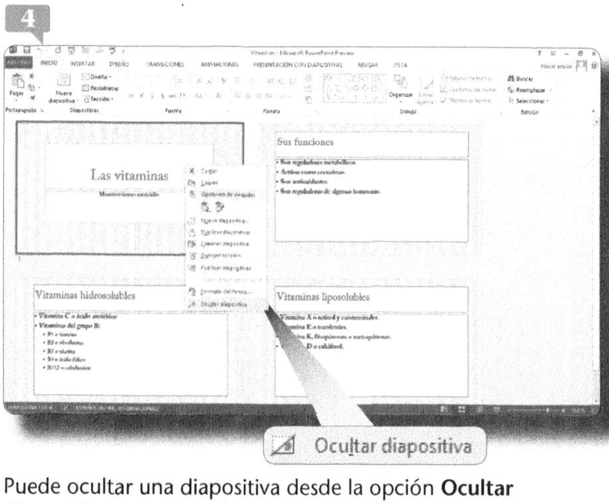

Zoom

Ajustar Porcentaje: 150 %

400%

200%

100%

66%

50%

33%

Aceptar Cancelar

100 %

Ocultar diapositiva

Puede ocultar una diapositiva desde la opción **Ocultar diapositiva** de su menú contextual o desde la herramienta del mismo nombre de la ficha **Presentación con diapositivas**.

puede hacer es ocultarla. Haga clic con el botón derecho del ratón sobre la primera diapositiva y elija la opción **Ocultar diapositiva.**

5. Observe que el número que identifica a la primera diapositiva aparece tachado, lo que indica que cuando se lleve a cabo la proyección de la presentación, la primera diapositiva se omitirá. Haga clic en la pestaña **Presentación con diapositivas** de la **Cinta de opciones**.
6. Como puede ver, la opción **Ocultar diapositiva** del grupo de herramientas **Configurar** se encuentra activada. Para que la diapositiva seleccionada se muestre en la presentación, desactive la opción **Ocultar diapositiva** pulsando sobre su correspondiente botón.
7. Arrastre el controlador deslizante de zoom y llévelo hasta la marca central, en la **Barra de tareas**, para volver a reducir las diapositivas.
8. Pulse sobre la diapositiva **3** y arrástrela, sin soltar el botón del ratón, hasta después de la diapositiva **4**.
9. Las diapositivas se reorganizan automáticamente. Pulse la tecla **Mayúsculas** y haga un clic sobre la diapositiva **2**.
10. Se seleccionan todas las diapositivas entre anteriormente seleccionada y aquella sobre la que ha pulsado.
11. Pulse sobre la primera, presione la tecla **Control** y, sin soltarla, haga clic en la última.
12. Podría ahora copiarlas, eliminarlas, duplicarlas o incluso publicarlas. Haga clic en el icono **Vista Normal** del grupo de iconos de acceso directo a vistas de la **Barra de estado**.

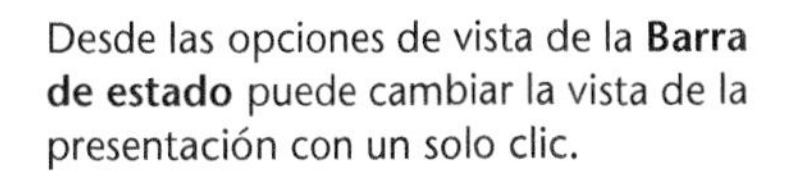

Desde las opciones de vista de la **Barra de estado** puede cambiar la vista de la presentación con un solo clic.

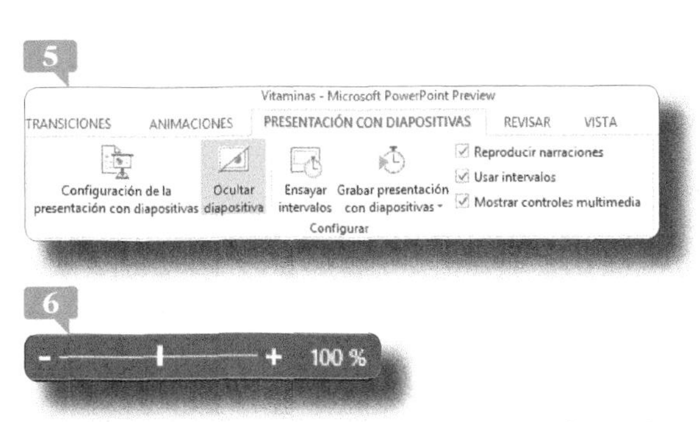

Para aumentar de tamaño las diapositivas, también puede arrastrar hacia la derecha el control deslizante del zoom, situado a la derecha de la **Barra de estado**, o pulsar el signo + que se encuentra a la derecha de dicho control.

Insertar texto

EN POWERPOINT SE ENTIENDE POR TEXTO todos aquellos elementos que contienen letras, tanto si son títulos, como subtítulos, viñetas o el texto principal. Al insertar una diapositiva nueva, la plantilla utilizada define la situación del texto en este elemento mediante los denominados marcadores de posición.

1. En este ejercicio le mostraremos cómo introducir texto en una diapositiva, utilizando en este caso los marcadores de posición. Antes de comenzar, abra la presentación **Los nutrientes** haga clic en la pestaña **Diseño** de la **Cinta de opciones**.
2. Seleccionaremos uno de los diseños que se encuentran en la galería de temas. Haga clic en el botón **Más** [1] del grupo de herramientas **Temas** (muestra una punta de flecha y una línea horizontal encima), y pulse sobre el penúltimo tema del apartado **Office** para aplicarlo a la totalidad de diapositivas que componen la presentación. [2]
3. La plantilla de diseño de la primera diapositiva de una presentación muestra siempre una estructura sencilla, destinada básicamente a mostrar el título y un subtítulo. Para albergar estos elementos la diapositiva cuenta con dos marcadores de posición para texto. Haga un clic sobre el título para visualizar el marcador de posición. [3]

IMPORTANTE

Como ya sabe, las fichas de herramientas contextuales, como la ficha **Herramientas de dibujo**, solo se muestran en la **Cinta de opciones** cuando se encuentra seleccionado en el **Área de trabajo** el elemento al que hacen referencia.

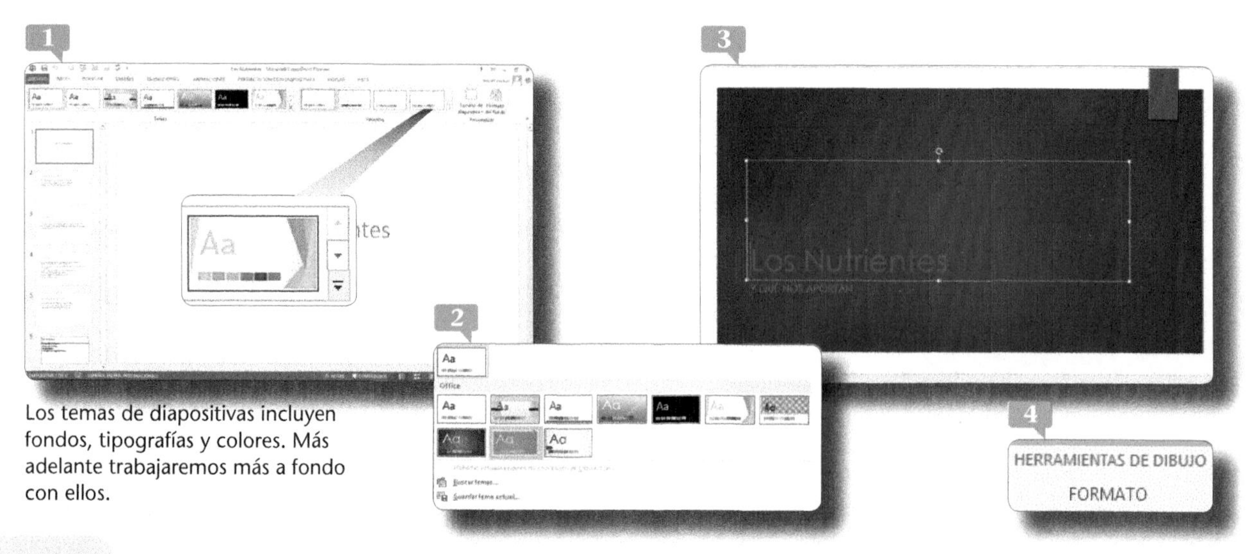

Los temas de diapositivas incluyen fondos, tipografías y colores. Más adelante trabajaremos más a fondo con ellos.

052

4. Se ha activado el cursor de edición dentro del marcador. Además, en la **Cinta de opciones** ha aparecido una nueva ficha, **Herramientas de dibujo** y su subficha **Formato**, 4 que contiene las herramientas contextuales propias del elemento seleccionado. El formato del texto, en cuanto al tipo de letra, tamaño y color es determinado por el tema. Seleccione con un arrastre todo el título y sustitúyalo por el texto **Nutrientes básicos**.
5. Observe que simultáneamente se actualiza la vista previa en el **Panel de diapositivas**, a la izquierda de la diapositiva activa. 5 Haga clic dentro del marcador de posición reservado para el subtítulo.
6. En este caso, el tamaño de la letra utilizado por defecto es menor que el que se ha aplicado al título. Para deseleccionar el marcador de posición, pulse fuera de él, en cualquier zona libre de la diapositiva.
7. Inserte una nueva diapositiva con el diseño preestablecido 6 que ocupe el segundo lugar de la presentación. 7
8. Pulse dentro del primer marcador de texto y escriba directamente las palabras **Los nutrientes básicos**.
9. Pulse en el segundo marcador y escriba: **Hidratos de carbono** y pulse **Retorno**.
10. Se añadirá una viñeta para cada nuevo elemento que agregue a la lista creada. 8 Para terminar este sencillo ejercicio, haga clic en el icono **Guardar** que se encuentra en la **Barra de herramientas de acceso rápido**.

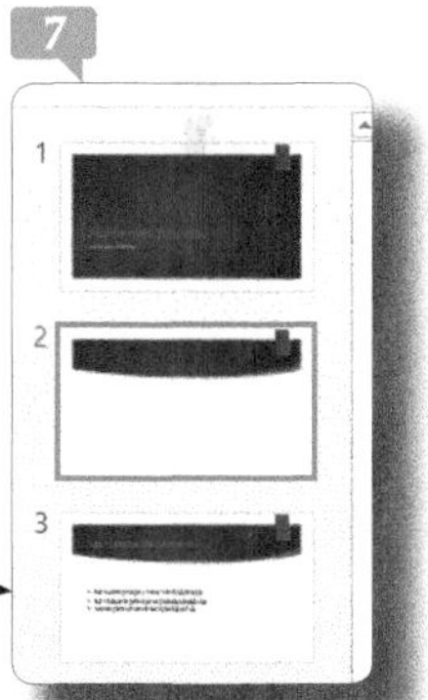

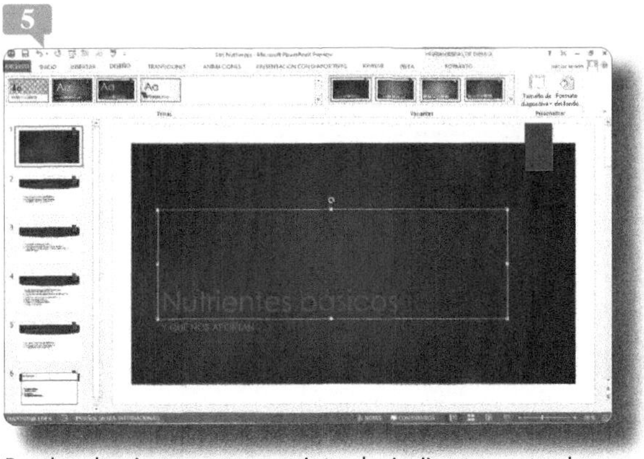

7

6

Haga clic para agregar título

Hago clic para agre

Pulse y comience a escribir directamente.

8

Los nutrientes básicos

Hidratos de carbono

5

Nutrientes básicos

Puede seleccionar un texto e introducir directamente el que lo debe sustituir.

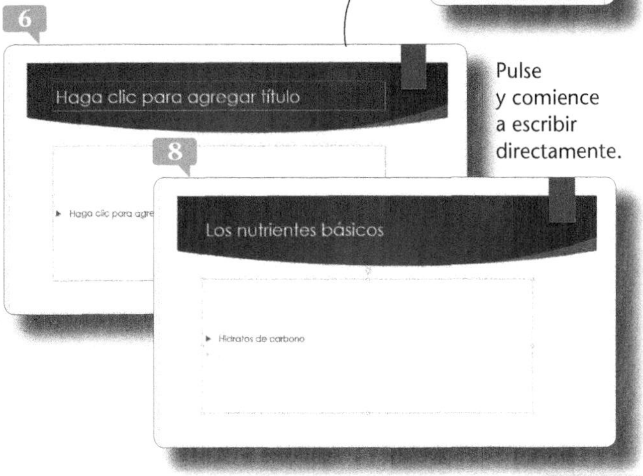

Utilizar los cuadros de texto

IMPORTANTE

La principal diferencia de un cuadro de texto y un marcador de posición es que los primeros los sitúa el usuario dónde lo necesita, mientras que los segundos se incluyen por defecto en determinados diseños de diapositivas.

ADEMÁS DE LOS MARCADORES DE POSICIÓN, existen en PowerPoint otros elementos que se utilizan con el mismo fin: agregar texto a las diapositivas. Estos elementos se denominan cuadros de texto.

1. En este ejercicio añadiremos un pequeño texto en la esquina de una de las diapositivas que componen nuestra presentación. Para empezar, haga clic con el botón secundario del ratón en la diapositiva **7** en el **Panel de diapositivas**.
2. Seleccione la primera opción de pegado para crear una copia el tema actual [1] y elimine luego la actual diapositiva **7**.
3. Active la pestaña **Insertar** de la **Cinta de opciones** y pulse el botón **Cuadro de texto**, del grupo de herramientas **Texto.** [2]
4. Para dibujar un cuadro de texto con unas dimensiones personalizadas debemos utilizar la técnica de arrastre, es decir, pulsar el botón del ratón y arrastrar en diagonal hasta conseguir el tamaño deseado. En este caso, simplemente haga un clic en el margen inferior derecho de la diapositiva. [3]
5. El cuadro de texto muestra en sus lados puntos de anclaje que nos permiten, en cualquier momento, ampliarlo o reducirlo. Observe también que en su interior aparece el cursor de edi-

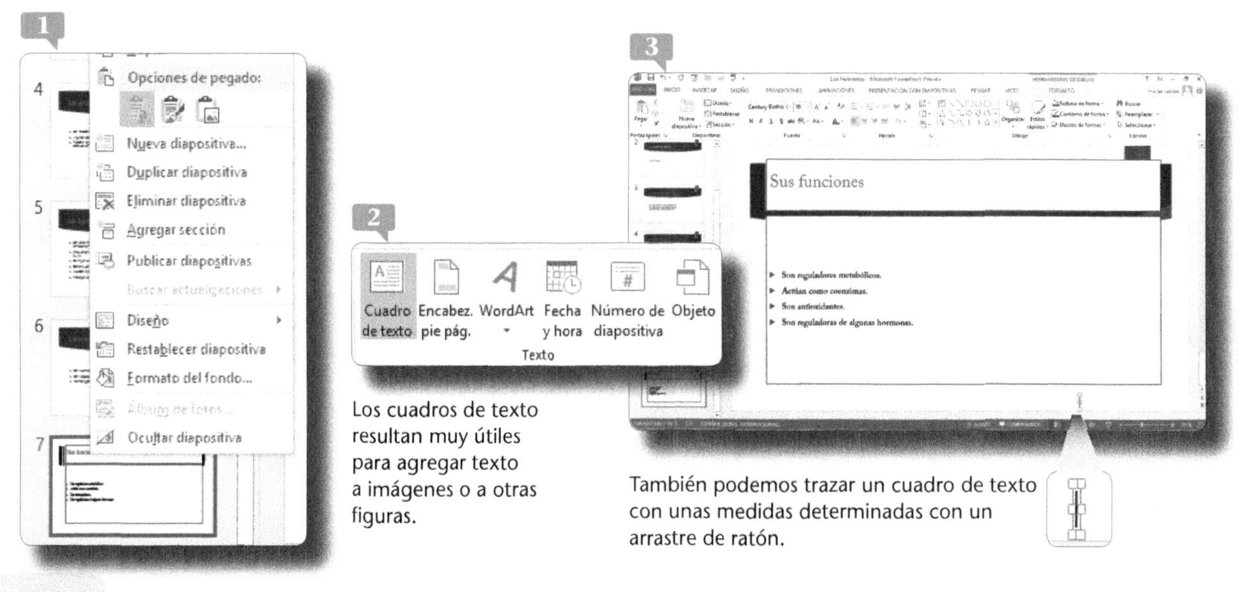

Los cuadros de texto resultan muy útiles para agregar texto a imágenes o a otras figuras.

También podemos trazar un cuadro de texto con unas medidas determinadas con un arrastre de ratón.

ción. En este punto ya podemos empezar a escribir para comprobar que el tamaño del cuadro se va ajustando al texto que introduzcamos. Escriba la palabra **Inicio**.

6. Verá que el tamaño de la caja de texto se adapta en este caso al contenido, pero no se ve el texto. A continuación, aplicaremos un borde al cuadro de texto y un color a su. Haga clic en la pestaña **Formato**, incluida en la ficha contextual **Herramientas de dibujo**.
7. Despliegue la galería de **Estilos de la forma** pulsando en su botón **Más** y escoja alguna opción que sea de su agrado.
8. El estilo se aplica a la forma seleccionada, en este caso el cuadro de texto. A continuación, aumentaremos ligeramente la altura del cuadro de texto. En el campo **Alto** del grupo de herramientas **Tamaño** escriba el valor **1,8** utilizando la coma del teclado alfanumérico como separador de decimales.
9. Para eliminar la selección del cuadro de texto y comprobar el efecto que produce en la diapositiva el nuevo texto, haga clic fuera del mismo en un espacio libre de la diapositiva.
10. En los próximos ejercicios aprenderemos a aplicar efectos y otros estilos a los cuadros de texto. Para terminar guardaremos los cambios realizados en esta presentación. Haga clic en el botón **Guardar** de la **Barra de herramientas de acceso rápido**.

IMPORTANTE

El botón **Más** del grupo de herramientas **Tamaño** abre el panel de tareas **Tamaño y posición**, en el que podemos modificar las dimensiones y la posición del cuadro de texto.

Tamaño

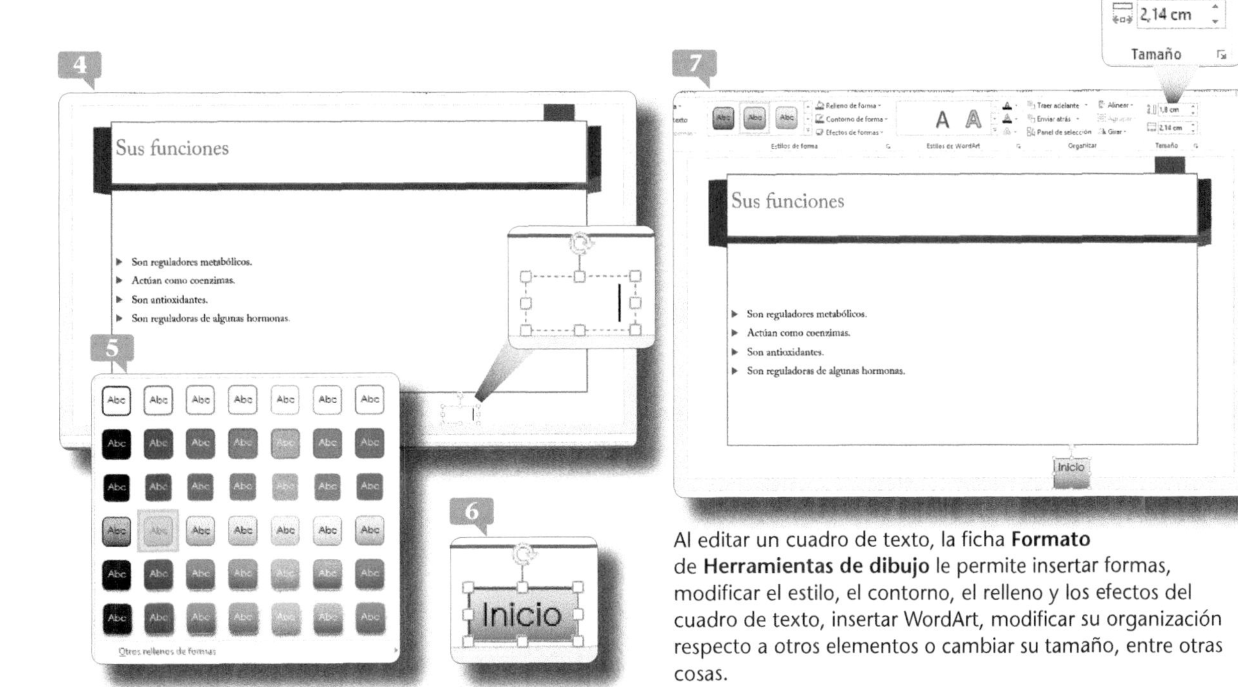

Al editar un cuadro de texto, la ficha **Formato** de **Herramientas de dibujo** le permite insertar formas, modificar el estilo, el contorno, el relleno y los efectos del cuadro de texto, insertar WordArt, modificar su organización respecto a otros elementos o cambiar su tamaño, entre otras cosas.

Aplicar formato a los cuadros de texto

EL CUADRO DE TEXTO PUEDE MOSTRAR un color de fondo distinto al de la diapositiva, su borde puede variar de grosor, así como de color, entre otras características que ayudan al usuario a personalizar sus presentaciones.

1. En este ejercicio aprenderemos a modificar el formato de los cuadros de texto. Para empezar, haga clic dentro del cuadro de texto que contiene el término **Inicio**, en la presentación **Los nutrientes**, para seleccionarlo.
2. La primera acción que llevaremos a cabo es la modificación del grosor de la línea del borde que delimita el texto. Active la subficha **Formato** de la ficha contextual **Herramientas de dibujo** pulsando sobre su pestaña. 1
3. Haga clic sobre la herramienta **Contorno de forma** del grupo de herramientas **Estilos de forma**, pulse sobre la palabra **Grosor** en el menú de opciones que aparece bajo la paleta de colores y, de la lista de estilos de línea que se despliega, seleccione el estilo que marca **3 pto.** 2
4. A continuación, modificaremos el color de la línea que delimita el cuadro de texto. Pulse nuevamente sobre el botón **Contorno de forma** y seleccione una de las muestras de color del apartado **Colores del tema.** 3
5. Seguidamente cambiaremos la posición del cuadro en la

IMPORTANTE

Muchos de los antiguos cuadros de diálogo de PowerPoint han sido sustituidos por paneles de edición, como los paneles de trabajo **Dar formato a forma** o **Dar formato a fondo.**

Ya sabe que la ficha contextual **Herramientas de dibujo** aparece al seleccionar, en este caso, el cuadro de texto.

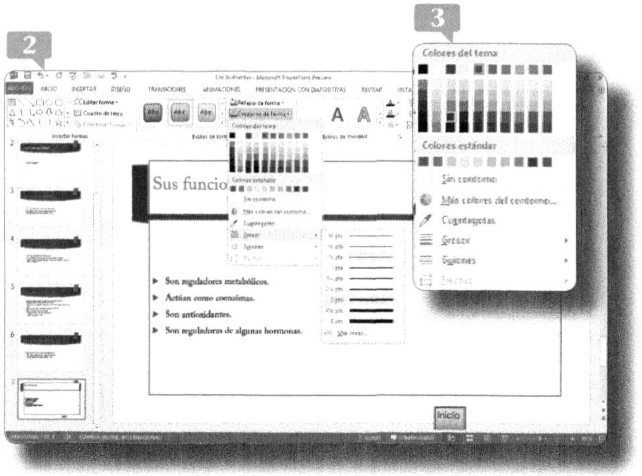

diapositiva accediendo para ello al panel de tareas **Formato de forma**. Haga clic en el botón del grupo de herramientas **Tamaño** y pulse sobre el iniciador botón **Más** del grupo de herramientas del mismo nombre. [4]

6. El panel **Formato de forma**, que se ha abierto a la derecha del **Área de trabajo** nos permite cambiar las dimensiones del cuadro, aplicarle un ángulo de rotación, cambiar su escala, etc. Haga clic en la categoría **Posición** para desplegarla.
7. Haga clic en el cuadro de texto de la opción **Posición vertical**, escriba el valor **17** y en el campo **Posición Horizontal** introduzca el valor **29**. [5]
8. Ahora aplicaremos un efecto de relieve al objeto. En el mismo panel **Formato de forma**, haga clic en segundo icono de la cabecera, llamado **Efectos**, [6] para mostrar sus comandos.
9. Despliegue con un clic el apartado **Formato 3D**.
10. Pulse en el botón de punta de flecha de la opción **Bisel superior** [7] en el menú de efectos que se ha desplegado y elija una de las muestras que se muestran así. [8]
11. Haga clic fuera del cuadro de texto para deseleccionarlo y comprobar su aspecto. [9]
12. Observe que el panel **Dar formato** a forma ha sido sustituido por el panel **Dar formato a fondo**, que le permite editar el fondo de la diapositiva. Para terminar, guarde los cambios realizados en el archivo.

IMPORTANTE

Gracias a la **Vista previa activa** puede ver el efecto que conseguirá al aplicar uno de los estilos disponibles con solo situar el puntero del ratón sobre él.

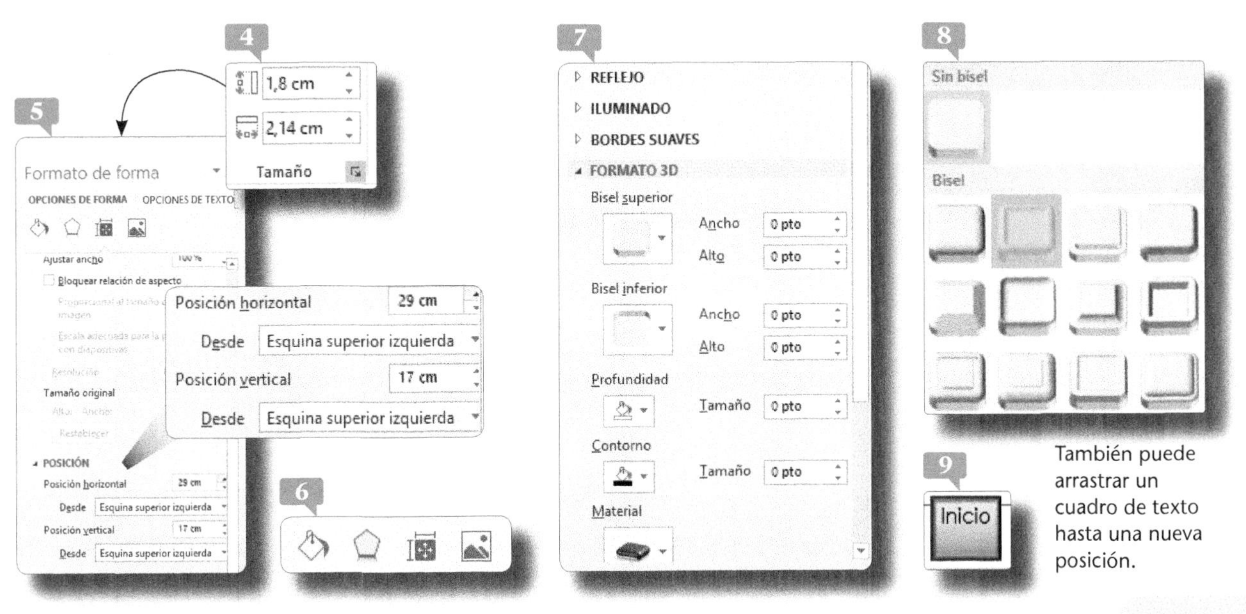

También puede arrastrar un cuadro de texto hasta una nueva posición.

Insertar texto desde otro archivo

EN LAS DIAPOSITIVAS QUE FORMAN las presentaciones de PowerPoint pueden insertarse todo tipo de elementos, desde texto hasta imágenes, pasando por diagramas o gráficos. Entre estos elementos, se encuentra también el texto de otro tipo de archivos, por ejemplo, de documentos creados con Microsoft Word.

1. En este ejercicio le mostraremos cómo puede insertar en una diapositiva de PowerPoint texto procedente de un documento creado en Microsoft Word. Para ello, utilizaremos el documento **Los Minerales.docx** que puede descargarse desde nuestra página web antes de comenzar.
2. En el **Panel de diapositivas**, pulse sobre la diapositiva número **7** para seleccionarla e inserte una diapositiva con el diseño **Dos objetos** [1] que ocupe su lugar. [2]
3. A continuación, abra el documento de Word **Los minerales** y copie el fragmento que empieza con las palabras **Son esenciales** y termine en la palabra **Azufre** de la lista que le sigue.
4. Haga clic sobre el botón **Copiar** del grupo de herramientas **Portapapeles.** [3]
5. De nuevo en la aplicación PowerPoint, pulse dentro del mar-

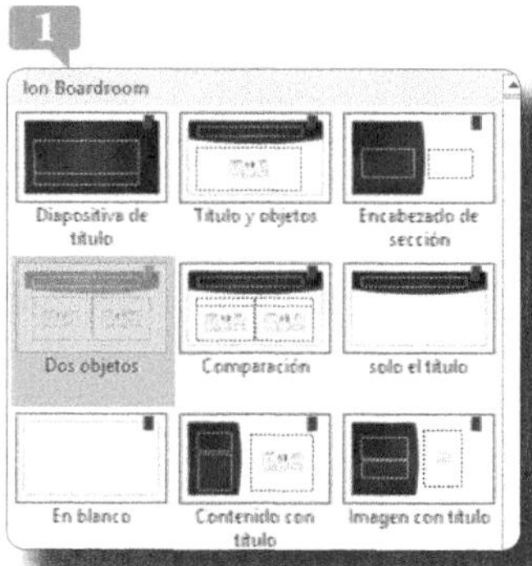

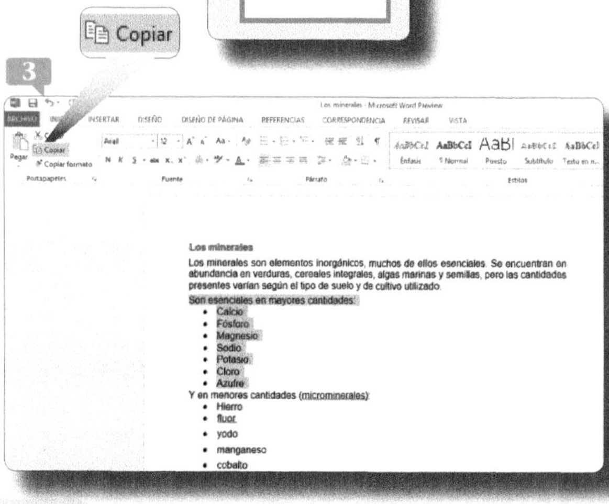

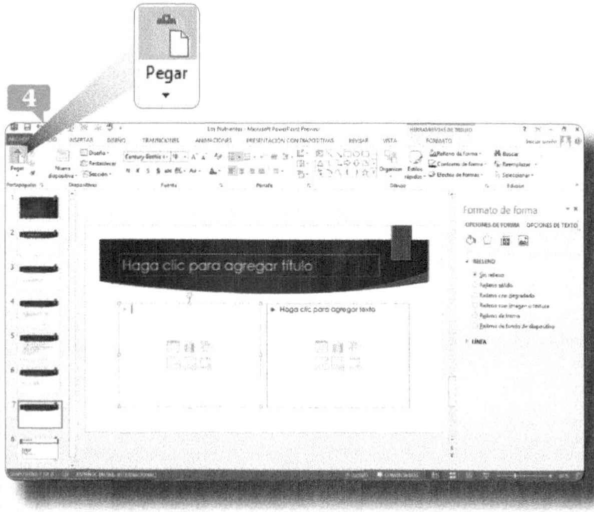

La compatibilidad entre todos los programas de la suite Microsoft Office 2013 permite mezclar sus elementos.

cador de posición del lado inferior izquierdo de la diapositiva y pulse sobre el icono de la herramienta **Pegar** del grupo de herramientas **Portapapeles.**

6. El texto copiado en Word se ha insertado en la diapositiva seleccionada. Ahora veremos la manera de insertar todo un documento de Word en una diapositiva de PowerPoint. Pulse en el marcador de posición que está a la derecha del activo.
7. Pulse sobre la herramienta **Objeto** del grupo de herramientas **Texto** en la ficha **Insertar**
8. En el cuadro **Insertar objeto**, pulse sobre el botón de opción **Crear desde archivo** y haga clic en el botón **Examinar.**
9. En el cuadro **Examinar**, localice y seleccione el documento de Word **Los minerales**, pulse sobre el botón **Aceptar** y, para insertar el documento en la diapositiva, pulse de nuevo en **Aceptar.**
10. Como puede ver, en este caso el documento se inserta a modo de objeto independiente. Sepa que se puede activar y editar desde el programa en que se creó pero no desde la misma diapositiva, ya que PowerPoint lo considera un objeto y no un texto. Seleccione el objeto de Word insertado en su diapositiva y, para seleccionarlo y para eliminar el objeto, pulse la tecla **Suprimir.**
11. Para acabar con este ejercicio, guarde los cambios realizados haciendo clic en el icono **Guardar** de la **Barra de herramientas de acceso rápido.**

IMPORTANTE

Al insertar el contenido de un archivo como objeto, puede decidir si este se incrusta o si se mantiene vinculado al original. Si escoge la segunda opción, los cambios realizados en el archivo original se reflejarán en el objeto creado en PowerPoint.

☐ Vínculo

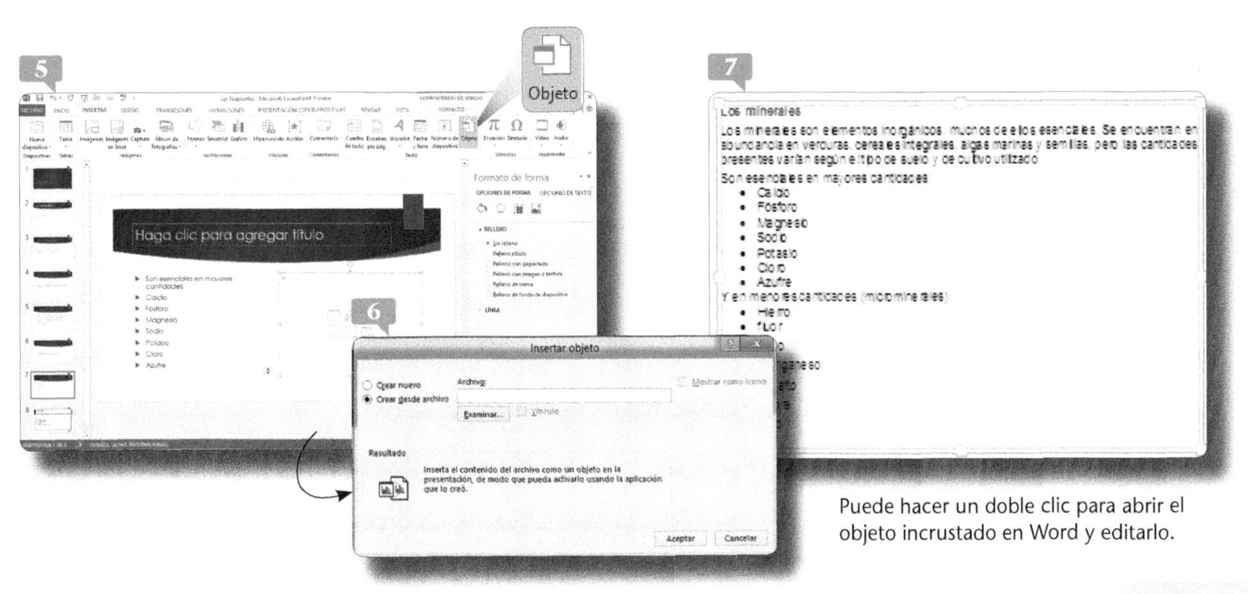

Puede hacer un doble clic para abrir el objeto incrustado en Word y editarlo.

Activar y desactivar el autoajuste de texto

LA FUNCIÓN AUTOAJUSTE SE ENCUENTRA ACTIVADA por defecto al abrir por primera vez PowerPoint pero el usuario puede desactivarla en cualquier momento. Es importante tener en cuenta que la función de Autoajuste solo se aplica a marcadores de posición, y no a cuadros de texto.

1. En este ejercicio, le mostraremos cómo puede activar o desactivar la función de autoajuste, que forma parte de las opciones de autocorrección. Además, verá su funcionamiento dentro de un marcador de posición para título. Una vez más, utilizaremos la presentación **Los nutrientes**, que se mantiene abierta en pantalla. Active la segunda diapositiva, coloque el cursor de edición al final del título, pulse **Retorno** y escriba las palabras **de los alimentos**.
2. Aparece la etiqueta **Opciones de autoajuste** en un lateral del marcador de posición. [1] Coloque el puntero del ratón sobre ella y haga clic sobre su botón de flecha.
3. La opción **Controlar opciones de autocorrección** incluida entre las opciones de autoajuste abre el cuadro **Autocorrección**, donde es posible modificar las opciones de autocorrección de PowerPoint. Pulse en el botón de opción **Ajustar texto a este marcador.** [2]
4. De este modo, el título se reduce de tamaño para ajustarse al marcador. [3] Seguidamente, accederemos al cuadro **Opciones**

IMPORTANTE

PowerPoint dispone de una función llamada **Autoajuste** mediante la cual el programa se ocupa de ajustar el texto dentro de un marcador de posición disminuyendo su tamaño si es necesario. Dicha modificación de tamaño se realiza automáticamente mientras el usuario introduce el texto dentro del marcador.

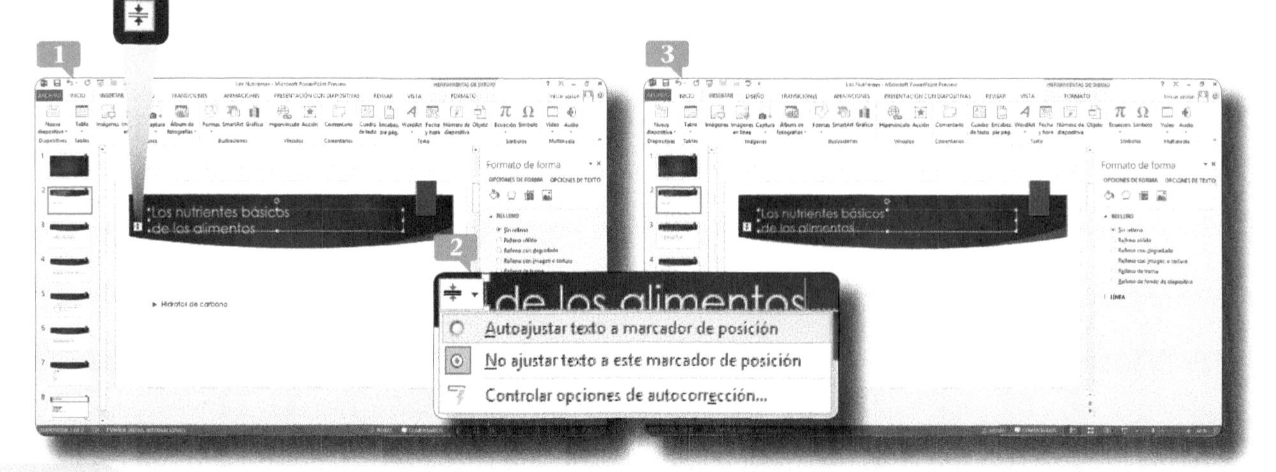

de PowerPoint para descubrir cómo podemos modificar las opciones de autoajuste. Pulse sobre la pestaña **Archivo** para acceder a la ficha del mismo nombre y haga clic en el comando **Opciones.**

5. En el cuadro **Opciones de PowerPoint**, pulse sobre la categoría **Revisión** y haga clic en el botón **Opciones de Autocorrección.**
6. En el cuadro **Autocorrección**, pulse sobre la pestaña **Autoformato mientras escribe.**
7. Como puede comprobar, las tres opciones del apartado **Aplicar mientras escribe** se encuentran activadas. La primera opción hace referencia a las listas, de las cuales hablaremos más adelante, la siguiente se refiere al autoajuste en los marcadores de posición de título y la tercera al autoajuste de los marcadores de posición de texto normal. Si desactiva las opciones referentes al autoajuste de texto, no aparecerán las opciones de autoajuste en la etiqueta inteligente cuando inserte un texto que no cabe en un marcador. En esta ocasión, mantendremos la configuración predeterminada. Pulse el botón **Aceptar** del cuadro **Autocorrección** y pulse también en **Aceptar** del cuadro **Opciones de PowerPoint.**
8. Para acabar este sencillo ejercicio en el que hemos comprobado la utilidad de las opciones de autoajuste de texto, eliminaremos el autoajuste del título editado. Despliegue de nuevo la etiqueta de **Autocorrección**, active la opción **No ajustar texto a este marcador de posición** y guarde los cambios realizados en la presentación.

IMPORTANTE

De manera predeterminada, cuando el texto no cabe en un marcador de posición, PowerPoint intenta ajustarlo reduciendo automáticamente su tamaño. Usted puede decidir modificar la acción ejecutada por defecto en cualquier momento.

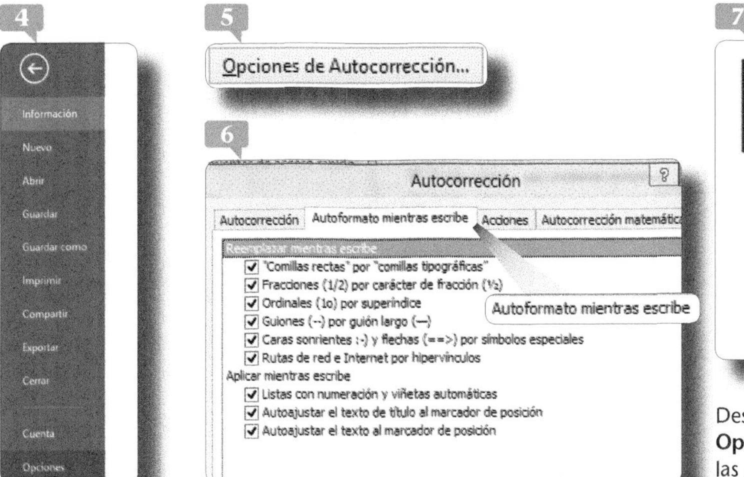

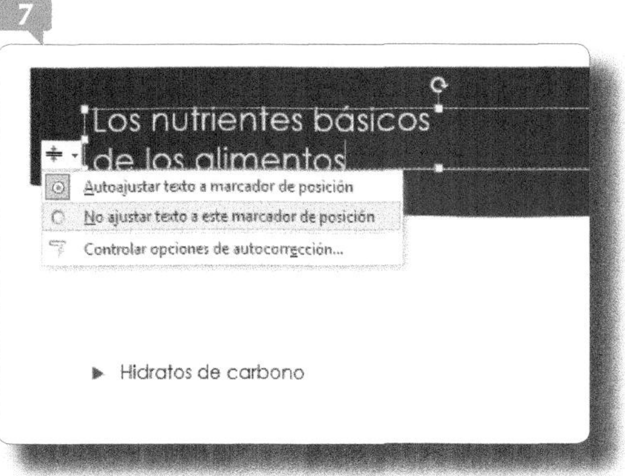

Desde la ficha **Archivo** podrá acceder al cuadro **Opciones de PowerPoint**, donde podrá configurar las distintas herramientas del programa.

Cambiar las propiedades de fuente

IMPORTANTE

La **Barra de herramientas mini** aparece al seleccionar un texto mediante la técnica de arrastre o al mostrar el menú contextual de un texto. Esta barra incluye algunas de las herramientas de edición que encontramos también en los grupos **Fuente** y **Párrafo** de la ficha **Inicio**.

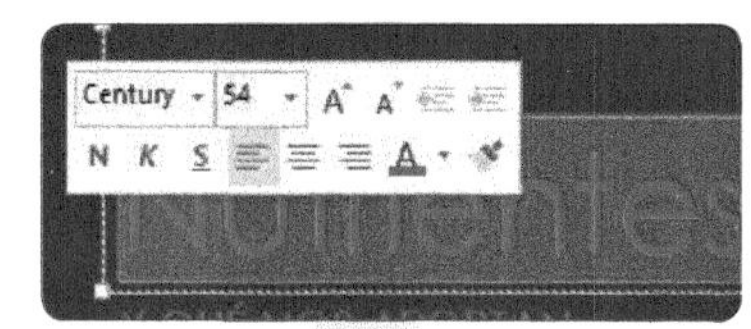

DESDE EL GRUPO DE HERRAMIENTAS FUENTE de la ficha Inicio, desde la barra de herramientas mini y desde el cuadro de diálogo Fuente, el usuario puede aplicar una gran variedad de características al texto introducido en una diapositiva.

1. En este ejercicio le mostraremos cómo modificar el formato del texto en una presentación de PowerPoint. Para empezar, haga clic sobre la diapositiva **1** en el **Panel de diapositivas**.
2. Los textos de ésta diapositiva, igual que todos los títulos, debería ser blanco, pero como originalmente tenían un color aplicado, se ha usado un color destacado del tema. Vamos a cambiar las propiedades del texto que actúa como título de la presentación. Seleccione el título **Nutrientes básicos**.
3. En primer lugar, vamos a cambiar la fuente. En la **Barra de herramientas mini**, 1 haga clic sobre el botón de punta de flecha de la herramienta **Color de fuente**, que muestra una A subrayada, en este caso en roja.
4. Se abre la paleta con las opciones de color de PowerPoint. Haga sobre la muestra de color que desee, preferiblemente muy clara.

1

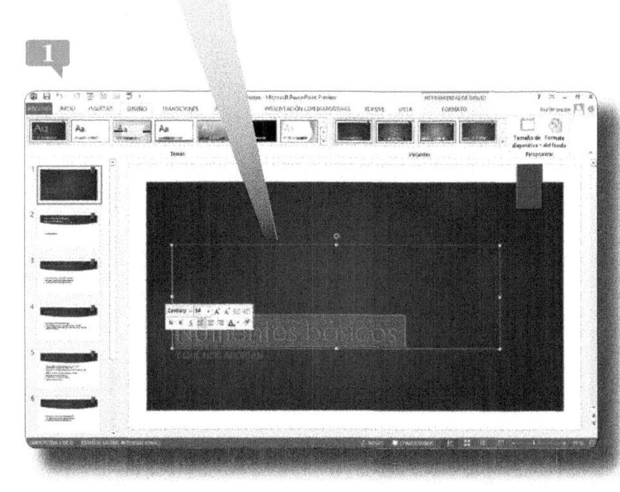

Como ya sabrá, puede seleccionar un texto mediante la técnica de arrastre, utilizando la combinación del ratón con la tecla **Mayúsculas** del teclado o haciendo un doble clic sobre el texto en cuestión.

2

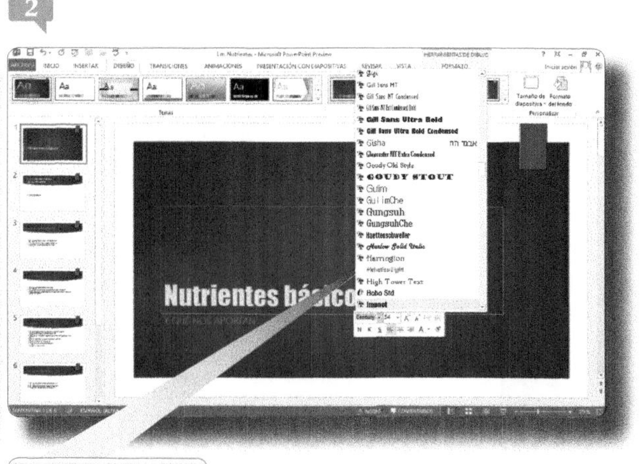

También puede localizar rápidamente una fuente pulsando la letra por la que empieza con el campo **Fuente** desplegado.

5. Vuelva a mostrar la barra y haga clic sobre el botón de flecha que aparece en el primer campo, **Tipo de fuente**, de esta barra.
6. Se despliega la lista de fuentes disponibles, aunque, lógicamente, no pueden visualizarse todas. Tenga en cuenta que este listado muestra las fuentes instaladas en el equipo, por lo que puede variar de un equipo a otro. Elija el tipo de letra **Impact** para que se aplique al texto seleccionado.
7. Para modificar el tamaño puede utilizar el cuadro que se encuentra a la derecha de la lista de fuentes que acabamos de desplegar. Sin embargo, en esta ocasión, abriremos el cuadro **Fuente**. Active la ficha **Inicio** de la **Cinta de opciones** y haga clic en el iniciador de cuadro de diálogo del grupo de herramientas **Fuente**.
8. Se abre el cuadro de diálogo **Fuente**. La primera sección de este cuadro contiene los tipos de fuentes para el texto. La sección **Estilo de fuente** permite aplicar **Negritas** o **Cursiva**, o ambas. La tercera de las secciones se refiere al tamaño, que es la característica que nos interesa modificar ahora.
9. Haga clic sobre el valor mostrado en el cuadro de tamaños, escriba el valor **60**.
10. Para aplicar el cambio y salir de este cuadro, pulse el botón **Aceptar**.
11. Pulse fuera del marcador de posición para deseleccionar el texto y comprobar los resultados y guarde los cambios.

IMPORTANTE

En el cuadro de diálogo **Fuente**, el apartado **Todo el texto** permite modificar el color de la fuente, el estilo de subrayado y el color de este último. Luego, el campo **Efecto** puede habilitar otras propiedades como **Subrayado, Tachado, Versalitas, Mayúsculas**, etc.

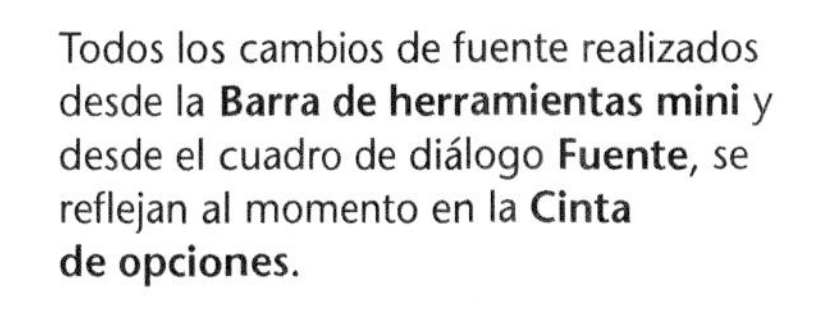
Todos los cambios de fuente realizados desde la **Barra de herramientas mini** y desde el cuadro de diálogo **Fuente**, se reflejan al momento en la **Cinta de opciones**.

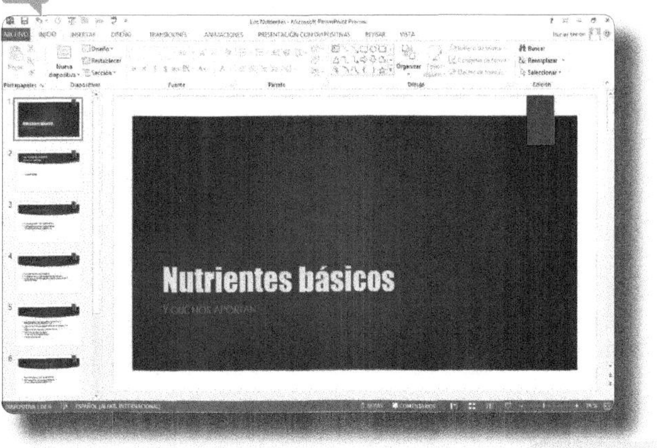

Cambiar el estilo de la fuente

IMPORTANTE

En el caso de que se seleccione el texto mediante el arrastre, también es posible efectuar los cambios de formato desde la **Barra de herramientas mini**.

SE CONOCE COMO ESTILO DEL TEXTO el formato en negrita, cursiva o subrayado que se puede aplicar a un texto. Todos estos estilos pueden seleccionarse directamente en el grupo de herramientas Fuente de la ficha Inicio, en la Barra de herramientas mini o en el cuadro de diálogo Fuente.

1. En este sencillo ejercicio le mostraremos en qué consisten los estilos de texto y cómo pueden aplicarse al texto de las diapositivas. Para empezar, seleccione todo el subtítulo de la primera diapositiva.
2. En el grupo **Fuente** de la ficha **Inicio** de la cinta, active los atributos **Cursiva**, que muestra una **K**, y **Sombra**, que muestra una **S** con sombra, con un clic en cada uno 1 y compruebe el efecto obtenido. 2
3. A continuación, sin deseleccionar el texto, pulse sobre el iniciador de cuadro de diálogo del grupo **Fuente** 3 para abrir el cuadro de diálogo **Fuente.** 4
4. Observe que en la sección **Estilo de la fuente** se encuentran en estos momentos seleccionado el estilo **Cursiva**. En esta sección dispone de cuatro opciones: **Normal**, que corresponde al estado del texto sin ningún estilo aplicado, **Negrita**, **Cursiva**

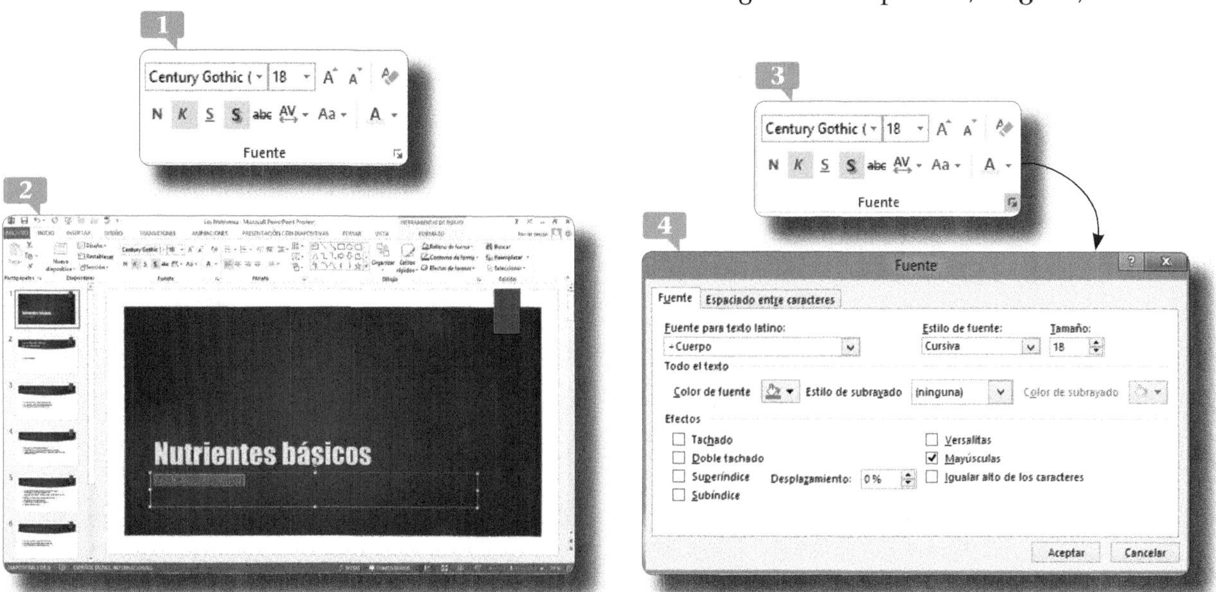

y **Negrita Cursiva**. Esta última opción aplica a la vez los dos estilos. Haga clic en el botón de punta de flecha del campo **Estilo de fuente** y pulse sobre la opción **Negrita Cursiva**.

5. A continuación, cambiaremos desde este cuadro el estilo de subrayado que posteriormente eliminaremos usando una combinación de teclas. Haga clic en el botón de punta de flecha del campo **Estilo de subrayado** y pulse sobre el tercer estilo de subrayado, **Línea gruesa**.
6. Haga clic en el botón **Color de subrayado** y, en la paleta de colores que se despliega, pulse sobre una de las muestras del apartado **Colores de tema**.
7. Aplique estas modificaciones de estilo pulsando el botón **Aceptar**.
8. En el grupo de herramientas **Fuente** puede comprobar que los iconos de los estilos **Negrita** y **Cursiva** aparecen resaltados, pero no así el icono del estilo **Subrayado**, ya que el que hemos aplicado no es el predeterminado, sino uno personalizado. Sepa que también es posible aplicar y eliminar estos estilos usando atajos de teclado. Para el estilo **Negrita** debemos usar la combinación de teclas **Ctrl.+N**, para el estilo **Cursiva**, la combinación **Ctrl.+K** y para el estilo **Subrayado**, la combinación **Ctrl.+S**. Pulse la combinación de teclas **Ctrl.+S dos veces** para eliminar el estilo **Subrayado** del texto seleccionado.
9. Deseleccione el texto y guarde los cambios realizados.

La opción **Negrita Cursiva** aplica ambos atributos simultáneamente.

En el tema activo los subtítulos tienen el efecto **Mayúsculas**.

Cambiar el interlineado y alinear texto

IMPORTANTE

Un factor que se debe tener en cuenta al cambiar el interlineado de un texto es la función **Autoajuste de texto**, puesto que si dicha función se encuentra activada el texto podría cambiar de tamaño para ajustarse a los valores aplicados.

EL INTERLINEADO, QUE ES EL ESPACIO que existe entre línea y línea en un párrafo, y el tipo de alineación, que puede ser izquierda, derecha, centrada o justificada, pueden ser modificados desde el grupo Párrafo de la Cinta de opciones o desde la Barra de herramientas mini.

1. Para comenzar este ejercicio, seleccione la diapositiva 4 y pulse sobre el último punto del segundo marcador, que tiene dos líneas, para situar el cursor de edición en este punto.
2. Las herramientas para modificar el interlineado se encuentran en el grupo de herramientas **Párrafo.** Haga clic en el botón **Interlineado** y, en el menú desplegable, haga clic sobre el comando **Opciones de Interlineado.** 1
3. El apartado **Espaciado** del cuadro de diálogo **Párrafo** se divide en tres secciones: **Interlineado**, **Antes de** y **Después de**, mediante las cuales se puede modificar no solo el espacio entre líneas dentro del párrafo sino también el espacio que queda antes y después de dicho párrafo. En este ejercicio, solo cambiaremos el interlineado, aunque el método para hacerlo es el mismo en los tres casos. Haga clic en el botón de punta de flecha de la opción **Interlineado**, seleccione la opción **1,5 líneas** 2 y pulse el botón **Aceptar**.

Tanto la alineación como el interlineado pueden indicarse antes de escribir el texto o bien una vez introducido, y pueden modificarse todas las veces que sea necesario.

1

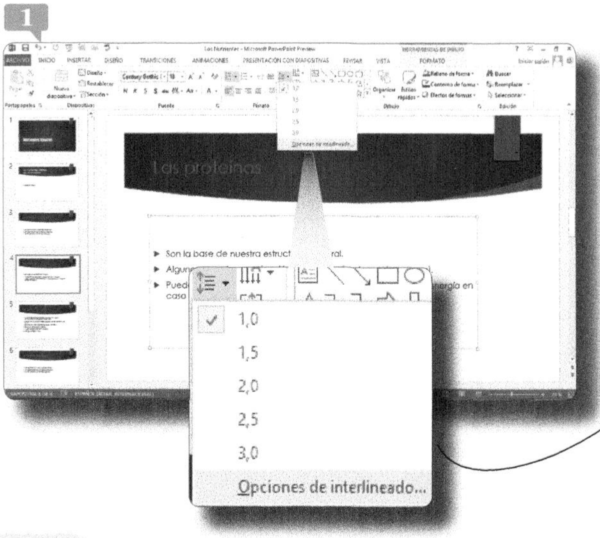

1,0
1,5
2,0
2,5
3,0
Opciones de interlineado...

2

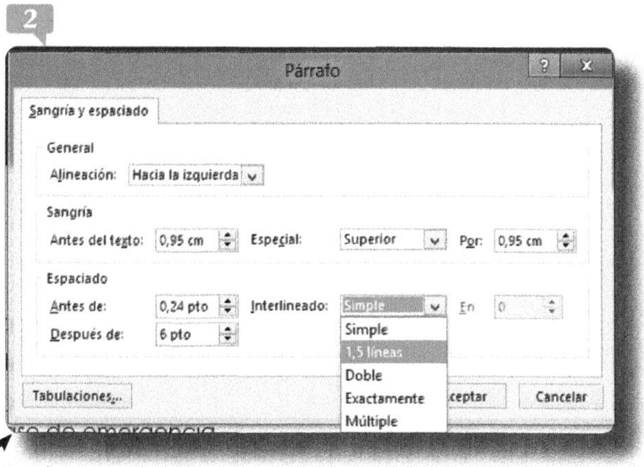

Párrafo
Sangría y espaciado
General
Alineación: Hacia la izquierda
Sangría
Antes del texto: 0,95 cm
Especial: Superior
Por: 0,95 cm
Espaciado
Antes de: 0,24 pto
Interlineado: Simple
En: 0
Después de: 6 pto
Simple
1,5 líneas
Doble
Exactamente
Múltiple
Tabulaciones...
Aceptar
Cancelar

Desde el cuadro **Párrafo** podrá modificar el interlineado del texto seleccionado, además de modificar la alineación y aplicar sangrías y tabulaciones.

4. El cambio se ha aplicado correctamente. Ahora cambiaremos el interlineado desde la **Cinta de opciones**. Haga clic en el icono de la herramienta **Interlineado** del grupo de herramientas **Párrafo** y pulse sobre el interlineado **2,0** para aplicarlo.
5. Por último, accederemos nuevamente al cuadro **Párrafo**. Haga clic con el botón derecho del ratón sobre el párrafo y, del menú contextual, elija la opción **Párrafo**.
6. En el cuadro **Párrafo**, haga clic en el botón de punta de flecha del campo **Interlineado** y seleccione la opción **Simple**.
7. En campo **Alineación** se encuentra activada la opción **Hacia la izquierda**. Despliegue su menú y escoja la opción **Centrado**. Luego pulse el botón **Aceptar**.
8. Los cambios se aplican en la última línea y en la **Cinta de opciones** se ve activa la herramienta **Centrar**. Pulse sobre el botón **Alinear a la derecha**, que se encuentra precisamente a su derecha.
9. Ahora no podemos comprobar el aspecto de un texto justificado porque la segunda línea es demasiado corta pero antes de terminar dejaremos el texto alineado como aparecía por defecto, es decir, a la izquierda. Seleccione las dos líneas del último punto y, de la **Barra de herramientas mini**, escoja la primera opción de alineación.

IMPORTANTE

Para cambiar la alineación de un texto en una diapositiva no es imprescindible que se encuentre seleccionado; basta con situar el cursor de edición al inicio del párrafo que se desee alinear y pulsar sobre el botón correspondiente. En la alineación **Justificada**, el programa modifica la separación entre palabras para que siempre lleguen al final de cada línea y los márgenes derecho e izquierdo se igualen.

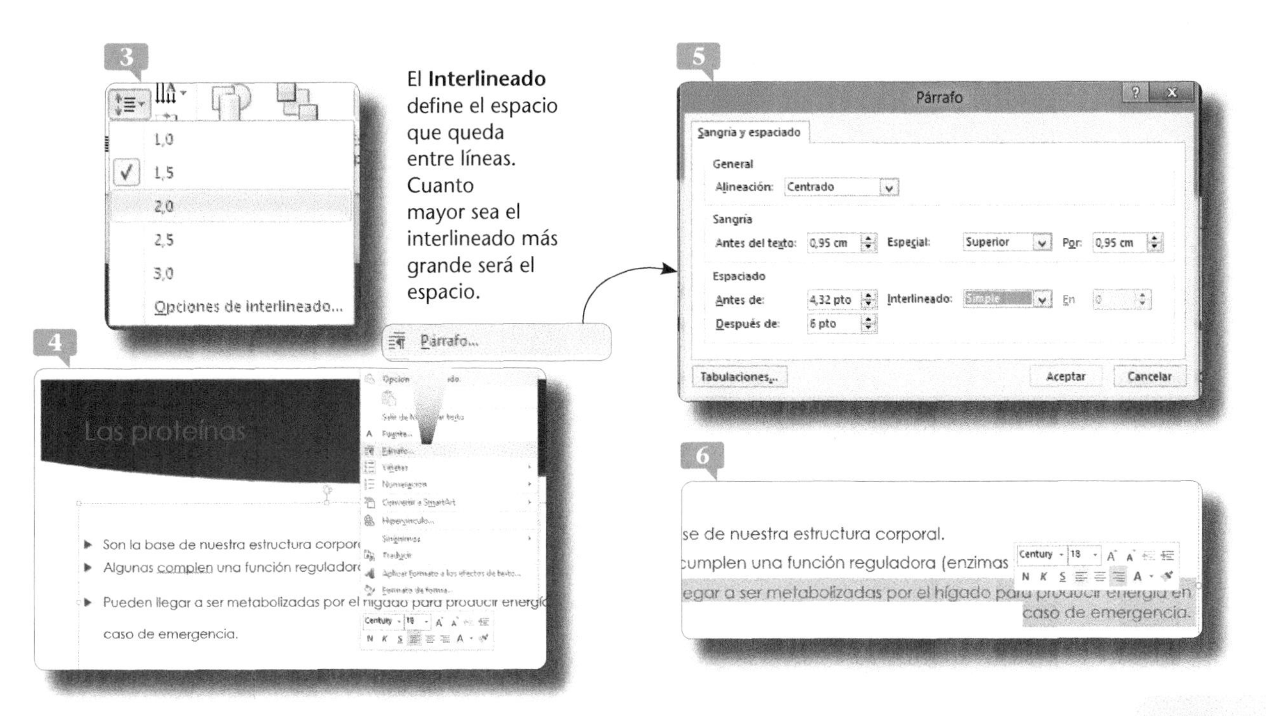

El **Interlineado** define el espacio que queda entre líneas. Cuanto mayor sea el interlineado más grande será el espacio.

Insertar numeración y viñetas

IMPORTANTE

Se denomina viñeta a cada uno de los puntos esquemáticos de una enumeración, los cuales suelen ir precedidos por guiones, puntos o cualquier otra marca. Dichas viñetas también se pueden numerar.

EN LAS PLANTILLAS DE DISEÑO DE PowerPoint los contenidos se encuentra organizados en forma de numeraciones o de viñetas. Sin embargo, el usuario puede decidir en cualquier momento y en cualquier diapositiva en blanco insertar listas numeradas o encabezadas por todo tipo de viñetas.

1. En este ejercicio trabajaremos con la diapositiva 7 de la presentación **Los nutrientes**, que contiene una lista de viñetas en blanco basada en una plantilla de diseño, para demostrarle cómo puede crear en cualquier momento una lista numerada de elementos, así que selecciónela en el **Panel de diapositivas**.
2. Ahora sitúe el puntero del ratón dentro del marcador de posición de contenido del lado derecho y escriba las palabras **Alimentos ricos en minerales** y a continuación pulse la tecla **Retorno**. 1
3. En la siguiente viñeta, escriba la palabra **Algas** y pulse la tecla **Retorno**. Complete luego la lista con los elementos **Semillas**, **Verduras** y **Legumbres**, pulsando la tecla **Retorno** después de cada uno de ellos.
4. En el grupo de herramientas **Párrafo** se muestra activo el botón **Viñetas**, que muestra tres líneas horizontales encabezadas por un pequeño recuadro. 2 Puede cambiar las viñetas por números mediante el botón que se encuentra a la derecha del icono **Viñetas**. Seleccione con un arrastre de ratón las cuatro

Cada vez que pulsa la tecla **Retorno** se introduce un nuevo punto, así que las listas, ya sean de viñetas o numeradas, pueden contener tantos puntos como necesite, mientras quepan en su diapositiva.

1

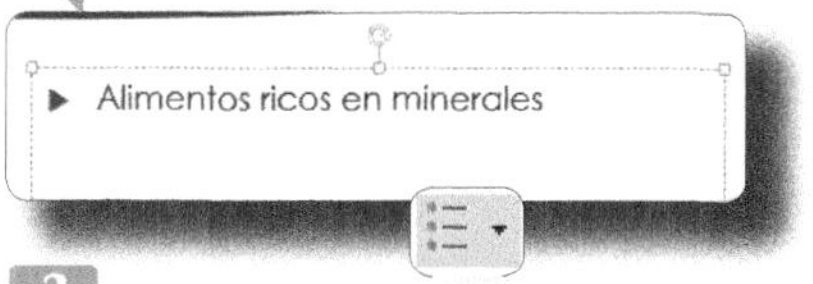

Alimentos ricos en minerales

2

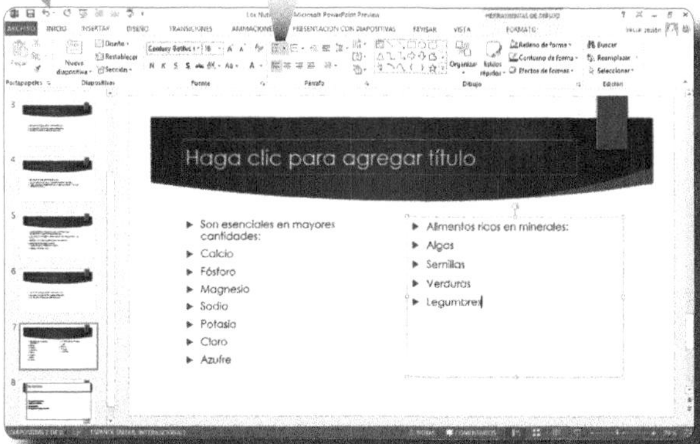

Haga clic para agregar título

Son esenciales en mayores cantidades:
Calcio
Fósforo
Magnesio
Sodio
Potasio
Cloro
Azufre

Alimentos ricos en minerales:
Algas
Semillas
Verduras
Legumbres

3

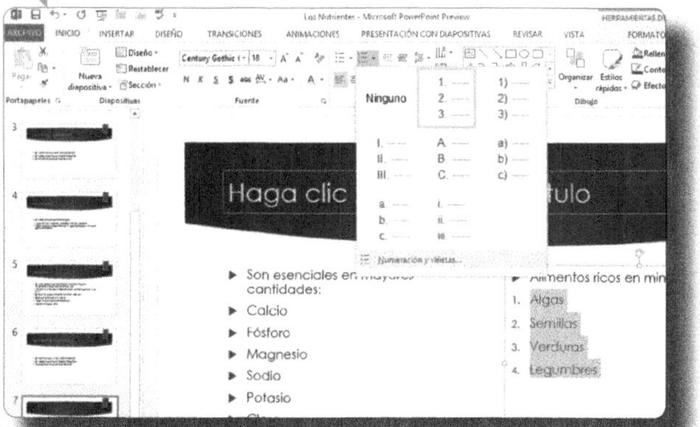

Ninguno

Haga clic

Son esenciales en mayores cantidades:
Calcio
Fósforo
Magnesio
Sodio
Potasio

1. Algas
2. Semillas
3. Verduras
4. Legumbres

líneas de texto comprendidas entre la palabra **Algas** y la palabra **Legumbres**.

5. Para cambiar las viñetas por números, haga clic en el botón **Numeración** del grupo de herramientas **Párrafo**, representado por tres líneas horizontales encabezadas por los números 1, 2 y 3.
6. Ya tiene su lista numerada. Tanto las viñetas como las numeraciones pueden personalizarse, como veremos a continuación, desde el cuadro **Numeración y viñetas**. Haga clic en el botón de punta de flecha de la herramienta **Numeración**, en el grupo de herramientas **Párrafo**, y seleccione la opción **Numeración y viñetas**.
7. Podría escoger cualquiera de las muestras y modificar el tamaño relativo de la fuente respecto al texto, el número en el que comienza la lista o el color. Despliegue la paleta de color y escoja un tono. Luego pulse el botón **Aceptar** y observe el cambio.
8. Despliegue el menú contextual de la selección, escoja la opción **Viñetas** y de su submenú, **Numeración y viñetas...**
9. En el cuadro de diálogo, haga clic en el botón **Personalizar**.
10. En el cuadro de diálogo **Símbolo** despliegue el campo **Fuente**, seleccione la fuente **Wingdings**, seleccione con un clic algún símbolo y pulse sobre el botón **Aceptar**.
11. Cambie a su gusto el color (que de momento es el que escogió para la numeración) y las dimensiones del símbolo y, cuando termine, pulse el botón **Aceptar** del cuadro **Numeración y viñetas** para ver el resultado.

IMPORTANTE

La característica de numeraciones y viñetas no es exclusiva de PowerPoint, sino que puede encontrarse en otros programas de la suite de Office, como es el caso del procesador de textos Microsoft Word.

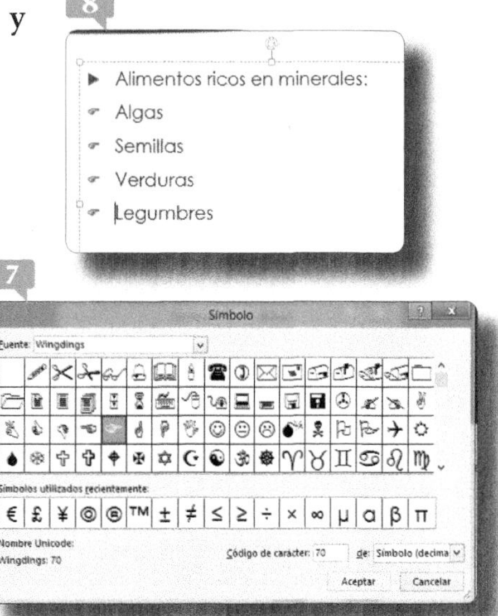

Crear viñetas de imagen

DESDE EL CUADRO NUMERACIÓN Y VIÑETAS es posible crear viñetas personalizadas con símbolos especiales o incluso con imágenes prediseñadas o con imágenes almacenadas en el equipo con un mínimo esfuerzo.

1. En este ejercicio aprenderemos a crear una viñeta personalizada utilizando una imagen. Para ello puede descargar de nuestra página web el archivo denominado **Planta.png** o bien utilizar cualquier otra. Hágalo ahora.
2. En la diapositiva **7** de la presentación **Los nutrientes** con la que venimos trabajando, seleccione desde la palabra **Calcio** hasta la palabra **Azufre**.
3. Para acceder al cuadro de diálogo **Numeración y viñetas**, haga clic en el botón de punta de flecha de la herramienta **Viñetas**, en la ficha **Inicio**, y pulse en la opción **Numeración y viñetas**. [1]
4. Como puede ver, en este cuadro aparece seleccionada la viñeta actual. Pulse sobre el botón **Imagen**. [2]
5. Se abre de este modo el cuadro **Insertar imágenes**, mostrando las imágenes predeterminadas que Office ofrece para crear

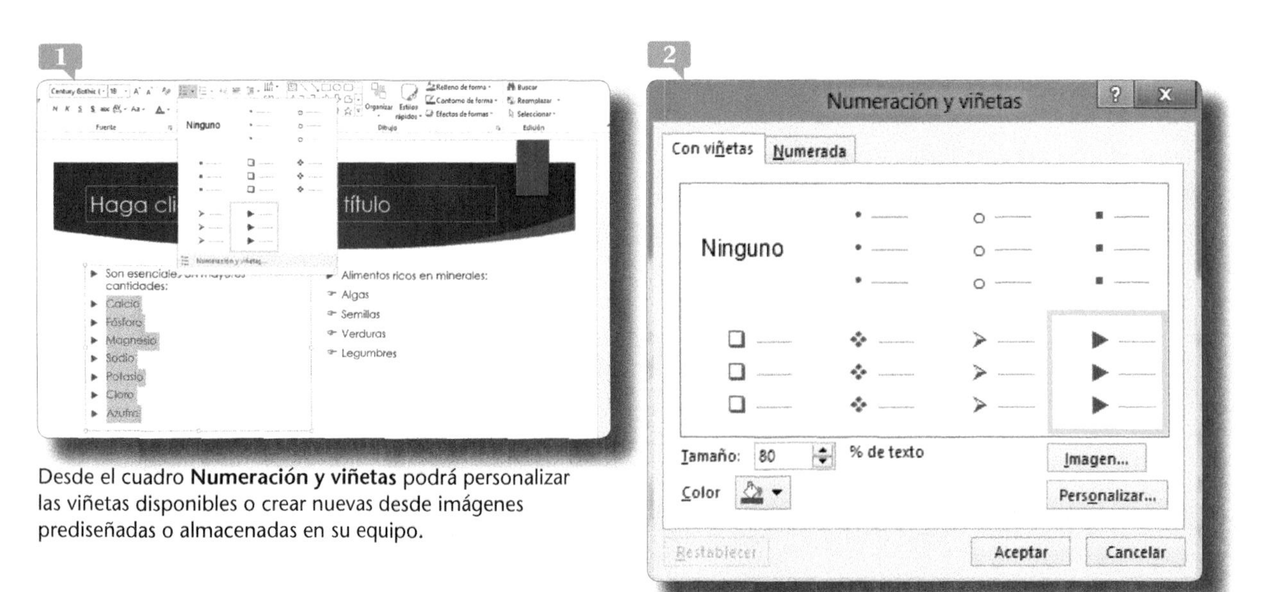

Desde el cuadro **Numeración y viñetas** podrá personalizar las viñetas disponibles o crear nuevas desde imágenes prediseñadas o almacenadas en su equipo.

061

listas con viñetas. En este cuadro cuenta con un campo para buscar imágenes en Office.com y otro para realizar búsquedas de imágenes en la web a través de Bing. Pulse sobre el botón **Examinar**.

6. El cuadro **Agregar clips a la galería** muestra por defecto el contenido de la carpeta **Imágenes**. Seleccione con un clic la imagen que vaya a utilizar y pulse el botón **Insertar**.
7. Automáticamente se cierran ambos cuadros de diálogo y la imagen se inserta como viñeta en el texto que había seleccionado previamente. Antes de acabar este ejercicio, modificaremos el tamaño de la viñeta. Pulse de nuevo en el botón de punta de flecha del icono **Viñetas** y haga clic en la opción **Numeración y viñetas** para volver a abrir el cuadro de diálogo del mismo nombre.
8. Observe que el color de una viñeta de imagen no se puede modificar (es bastante lógico que sea así). Haga clic dentro del campo **Tamaño**, introduzca el valor **130** para que el tamaño de la viñeta sea igual que el del texto al que acompaña y pulse el botón **Aceptar**.
9. Haga clic en cualquier zona libre de la diapositiva para salir del marcador de posición y ver el resultado.
10. Para acabar este ejercicio, guarde los cambios pulsando el icono **Guardar** de la **Barra de herramientas de acceso rápido**.

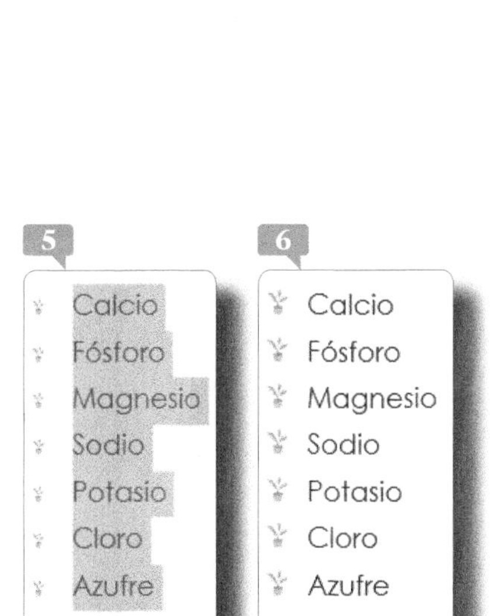

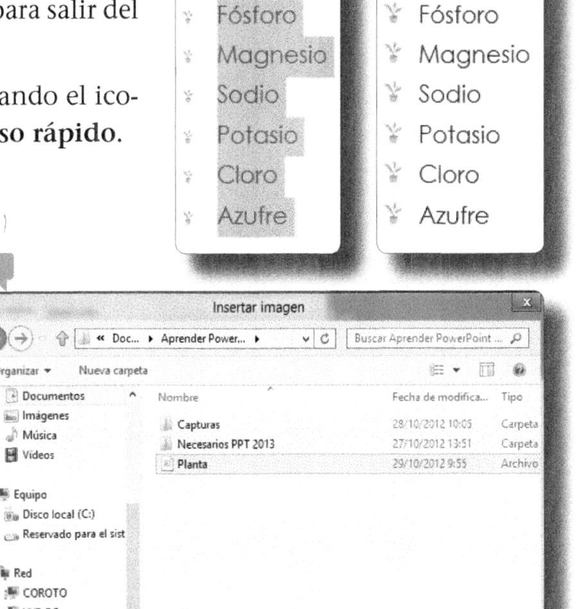

El cuadro Insertar imágenes permite realizar búsquedas de archivos guardados en el equipo, de imágenes prediseñadas disponibles en Office.com o de imágenes de la web a través del buscador de Bing.

Aplicar tabulaciones y sangrías

TANTO LAS TABULACIONES COMO LAS SANGRÍAS ayudan a alinear el texto dentro de las diapositivas; ambas están preestablecidas en las distintas plantillas de diseño de PowerPoint.

1. Descargue de nuestra web el archivo **Somos lo que comemos.docx** y ábralo en Word. Seleccione su texto y cópielo.
2. Sitúese en la diapositiva **2** de la presentación, seleccione el texto **Hidratos de carbono** y pegue en su lugar el texto copiado. Luego elimine la viñeta pulsando el botón **Viñetas**.
3. Pulse la pestaña **Vista** de la **Cinta de opciones**, pulse en el botón del grupo de herramientas **Mostrar** y marque la casilla de verificación **Regla**.
4. Para poder comprobar si existe alguna tabulación aplicada al texto, primero debemos activarlo. Haga clic en la primera línea del párrafo que ha pegado.
5. Pulse la tecla **Tabulador** de su teclado para comprobar cuál es la tabulación predeterminada en PowerPoint para ésta.
6. Cada una de las líneas que se muestran en la parte inferior de la regla representan una tabulación, pero podemos cambiar las tabulaciones y las sangrías mediante arrastre. Haga clic en la primera marca de la regla horizontal, donde se sitúa la tabulación predeterminada, y, sin soltar el botón del ratón, arrastre hacia la izquierda hasta situarse sobre el cm **2**.

La regla se activa desde la herramienta Regla del grupo **Mostrar**.

1
Regla
Líneas de la cuadrícula
Guías
Mostrar

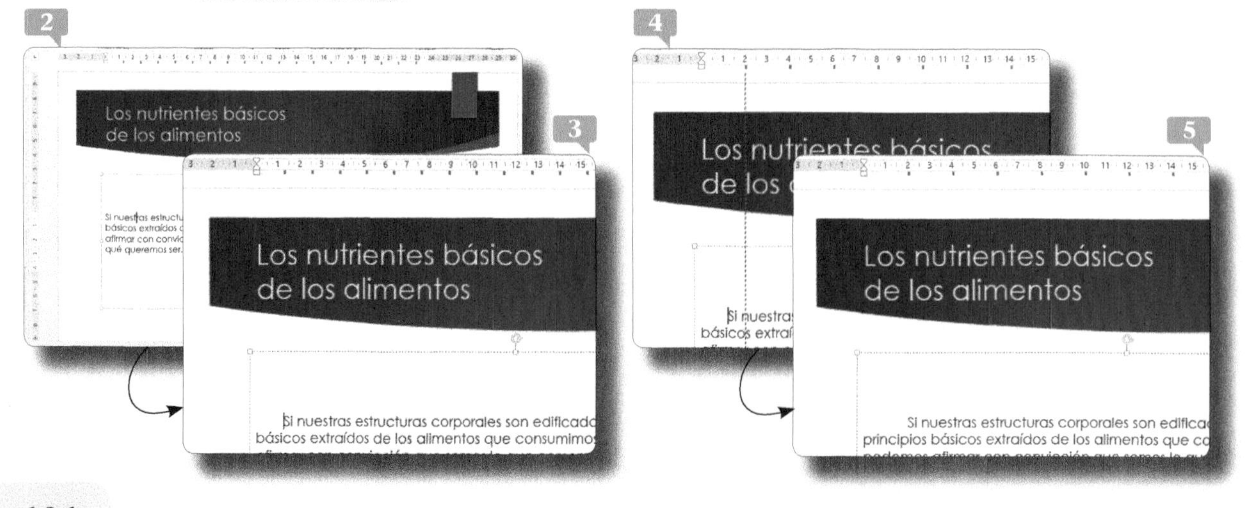

7. La distancia entre todas las tabulaciones aumenta de forma proporcional y el espacio que encabeza la primera fila también aumenta. Ahora, en el **Panel de diapositivas**, pulse sobre la diapositiva **3** y haga clic delante de la primera palabra del segundo marcador de posición para insertar el cursor de edición.
8. A diferencia del texto de la diapositiva anterior, la lista de viñetas marca una sangría, que corresponde al texto y que queda reflejada mediante un nuevo marcador de la regla horizontal. Haga clic en el iniciador de cuadro de diálogo del grupo de herramientas **Párrafo**.
9. En el cuadro **Párrafo** puede ver el valor de la sangría actual. Sepa que si cambiamos este valor sin seleccionar todas las líneas de la lista, la sangría solo se modificará en el primer elemento. Pulse el botón **Aceptar** del cuadro **Párrafo**.
10. Para aumentar o disminuir el espacio existente entre la viñeta y el texto podemos variar el valor de la sangría o utilizar la técnica del arrastre. Con el cursor situado delante del primer elemento de la lista pulse la tecla **Mayúsculas** y, sin soltarla, haga clic al final del último de ellos para seleccionarlos todos.
11. Pulse sobre la pequeña marca en forma de triángulo de color gris que se encuentra en la parte inferior de la regla horizontal y, sin soltar el botón del ratón, arrástrela hacia la derecha, hasta que quede en el punto **2**.
12. Al soltar el botón del ratón, todo el texto seleccionado se desplaza hasta la posición indicada. Haga clic en cualquier zona libre de la diapositiva para salir del marcador de posición y guarde los cambios realizados.

IMPORTANTE

En la regla se delimita el espacio que ocupa el texto en la diapositiva. Tanto las tabulaciones como las sangrías se indican en la regla horizontal. Es posible aplicar una sangría a todo el párrafo o solo a la primera línea arrastrando los iconos en forma de triángulo que aparecen en la misma.

Al arrastrar el marcador de sangría, el cambio se aplica en el texto seleccionado.

El botón **Tabulaciones** abre el cuadro del mismo nombre.

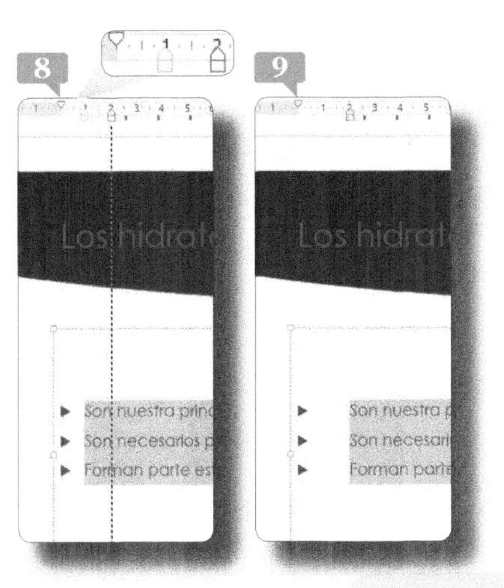

Insertar símbolos y caracteres especiales

IMPORTANTE

Algunas fuentes disponibles en PowerPoint e incluidas por defecto en la aplicación proporcionan una serie de caracteres que se ajustan al estándar de codificación de texto **Unicode**. Gracias a este sistema de codificación, es posible que casi todos los idiomas se representen mediante un mismo juego de caracteres.

GRACIAS AL CUADRO DE DIÁLOGO SÍMBOLO, al que se accede usando la herramienta Símbolo de la ficha Insertar, el usuario puede insertar en el texto de sus diapositivas caracteres y símbolos que desde el teclado son imposibles de introducir o bien solo pueden insertarse mediante complicadas combinaciones de teclado.

1. En este ejercicio introduciremos una punta de flecha en el cuadro de texto que contiene la palabra **Inicio** y que se encuentra en la diapositiva **8** de nuestra presentación. En el **Panel de diapositivas**, haga clic sobre esta diapositiva **8 y** pulse al final de la palabra **Inicio** para situar el cursor de edición en ese punto. 1
2. En el punto en el que se encuentre el cursor se insertará el símbolo que seleccionemos. Vamos a abrir el cuadro de diálogo **Símbolo**. Haga clic en la pestaña **Insertar** de la **Cinta de opciones** y pulse sobre la herramienta **Símbolo** del grupo de herramientas **Símbolos.** 2
3. Se abre de este modo el cuadro de diálogo **Símbolo**, en el que seleccionaremos en primer lugar la fuente en la que queremos que se inserte el símbolo. En el cuadro de texto **Fuente**, seleccione el tipo de letra **Arial.** 3
4. Ahora debemos localizar el símbolo que queremos insertar, en

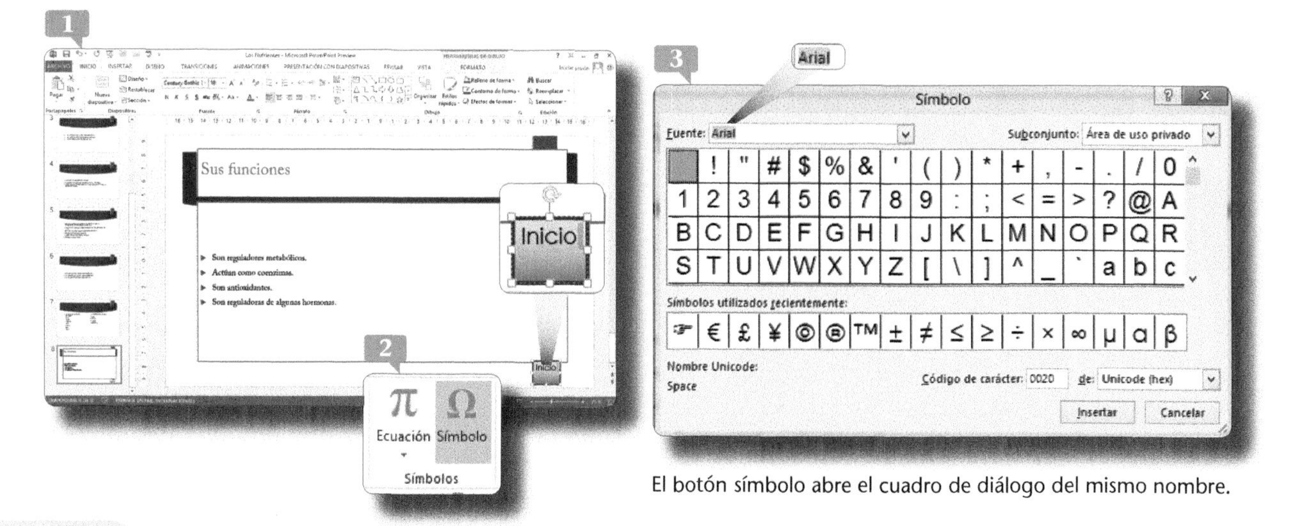

El botón símbolo abre el cuadro de diálogo del mismo nombre.

este caso, una flecha. Utilice la barra de desplazamiento vertical para localizar el símbolo que muestra una flecha orientada hacia la derecha, y, para insertar el símbolo en la diapositiva, pulse el botón **Insertar**.

5. Como puede comprobar, el símbolo seleccionado se ha insertado en el punto en que se encontraba el cursor de edición. Haga un clic sobre el botón **Cerrar** para salir del cuadro de diálogo.
6. Los símbolos se comportan como caracteres, es decir, admiten casi cualquier tipo de formato. Haga clic entre la palabra **Inicio** y el símbolo insertado y pulse la **barra espaciadora** para separar un poco el símbolo del texto.
7. Ahora desplazaremos ligeramente hacia la izquierda el cuadro de texto. Pulse en el borde de la caja de texto para seleccionarla entera. No debe ver más el cursor de edición en su interior.
8. Pulse la tecla de desplazamiento hacia la izquierda tantas veces como sea necesario para lograr que la caja de texto se ubique de tal manera que no toque el marco derecho del marcador de posición sobre el que se encuentra.
9. Sepa que si usa la tecla **Mayúsculas** como modificador mientras pulsa la tecla de desplazamiento, modificará el tamaño de la caja en lugar de su ubicación. Para acabar este ejercicio en el que hemos aprendido a insertar símbolos en una diapositiva, haga clic en una zona libre de la diapositiva para deseleccionar el cuadro de texto y pulse el icono **Guardar** de la **Barra de herramientas de acceso rápido**.

IMPORTANTE

En la parte inferior del cuadro **Símbolo** se encuentra un apartado que muestra los símbolos utilizados recientemente. Este apartado se actualiza automáticamente a medida que se van utilizando nuevos símbolos.

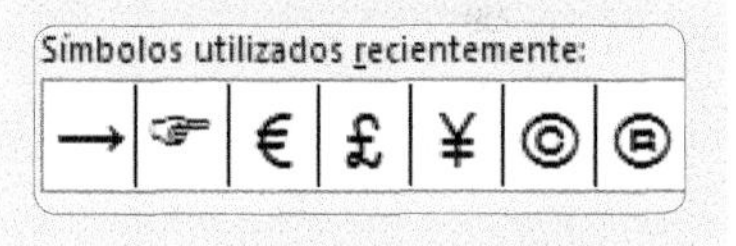

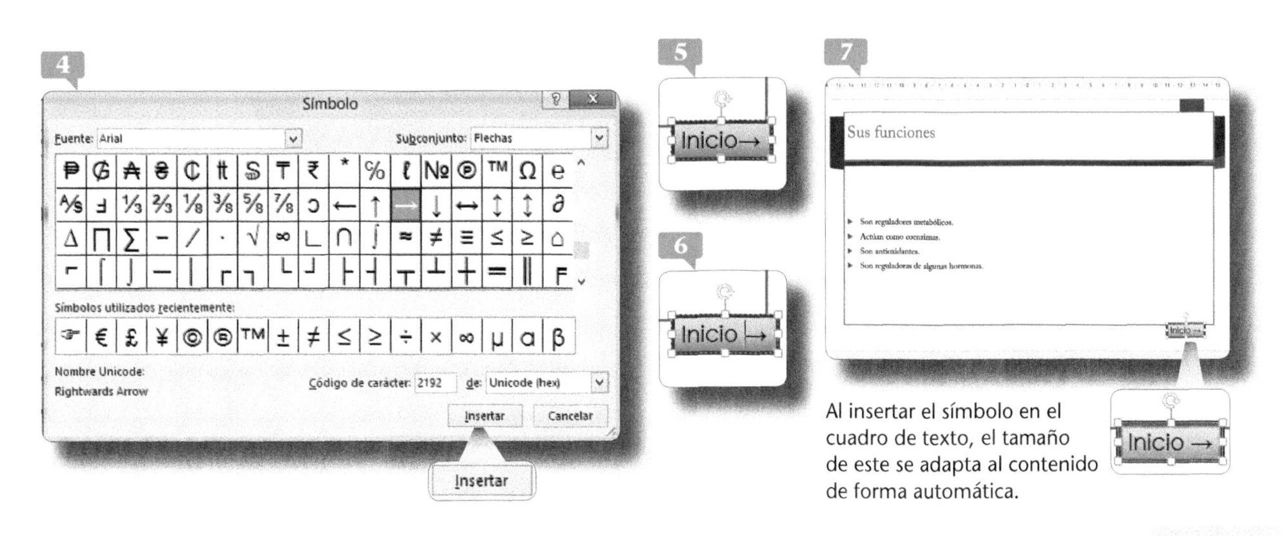

Al insertar el símbolo en el cuadro de texto, el tamaño de este se adapta al contenido de forma automática.

Revisar la ortografía

IMPORTANTE

Al pie del panel de tareas hay un menú desplegable que le permite escoger el diccionario con el que trabaja. Verá que puede escoger entre muy diversos idiomas.

Español (España - alfabetización tradic...

POWERPOINT 2016 CUENTA CON DICCIONARIOS QUE el propio usuario puede ir personalizando a medida que lo necesite, agregando y eliminando palabras.

1. En este ejercicio le mostraremos cómo puede revisar la ortografía en su presentación. Para ello, hemos creado una nueva versión de la presentación **Los nutrientes** algunos errores ortográficos. Encontrará esta nueva presentación, llamada **Los Nutrientes 2**, en nuestra página web. Descárguela y ábrala.
2. Sitúese en la ficha **Revisar** de la **Cinta de opciones** pulsando sobre su pestaña y haga clic sobre la herramienta **Ortografía** del grupo **Revisión**. [1]
3. Al pulsar sobre esta herramienta, se abre el nuevo panel de tareas **Orografía** en el lado derecho de la pantalla y se inicia la revisión. Cuando la aplicación encuentra alguna palabra que no existe en el diccionario, la selecciona y la muestra en el panel donde presenta sugerencias que se consideran apropiadas. Haga clic sobre el botón **Cambiar** para sustituir la palabra incorrecta por la que sugiere el programa. [2]
4. Automáticamente, la palabra se sustituye y el corrector con-

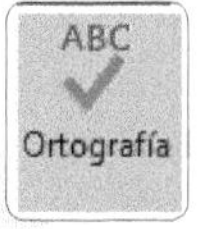

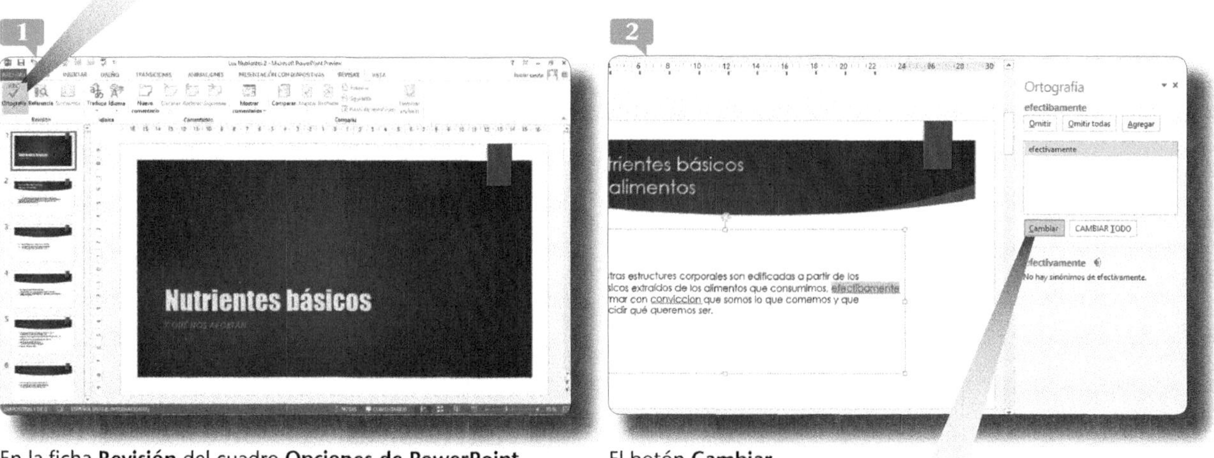

En la ficha **Revisión** del cuadro **Opciones de PowerPoint** se encuentran todas las opciones referentes a la corrección ortográfica y gramatical del programa.

El botón **Cambiar todo** corrige todas las apariciones del mismo error automáticamente.

tinúa su revisión, y vuelve a detenerse en la siguiente palabra que no encuentra. Sepa que la opción **Omitir** hace que esta aparición de la palabra no sea considerada como un error y **Omitir todas** que el error sea omitido en todas sus apariciones, mientras **Agregar** la añade al diccionario del usuario. Haga clic en botón de aspa ubicado en la esquina superior derecha del panel de tareas **Ortografía**. [3]

5. Observe que en la diapositiva se encuentra subrayada en rojo la palabra **convicción**, que debe escribirse con acento en la **o**. Utilizaremos ahora el menú contextual de esta palabra para corregirla. Haga clic con el botón derecho del ratón sobre ella y pulse sobre la palabra propuesta para la corrección, es decir, **convicción**. [4]
6. Ahora pulse la tecla **F7** de su teclado para reiniciar la corrección ortográfica.
7. Tal y como indica el cuadro de diálogo que aparece en pantalla, el programa ha acabado la revisión sin encontrar más errores. Cierre este cuadro pulsando el botón **Aceptar**. [5]
8. Salga del marcador de posición pulsando en una zona libre de la diapositiva.
9. Para terminar el ejercicio, guarde los cambios realizados pulsando el botón **Guardar** de la **Barra de herramientas de acceso rápido**.

IMPORTANTE

La parte inferior del panel **Ortografía** muestra el sinónimo de la palabra seleccionada como corrección, si lo hay. Además, si pulsa el icono de parlante puede escuchar la pronunciación de la misma.

efectivamente

No hay sinónimos de efectivamente.

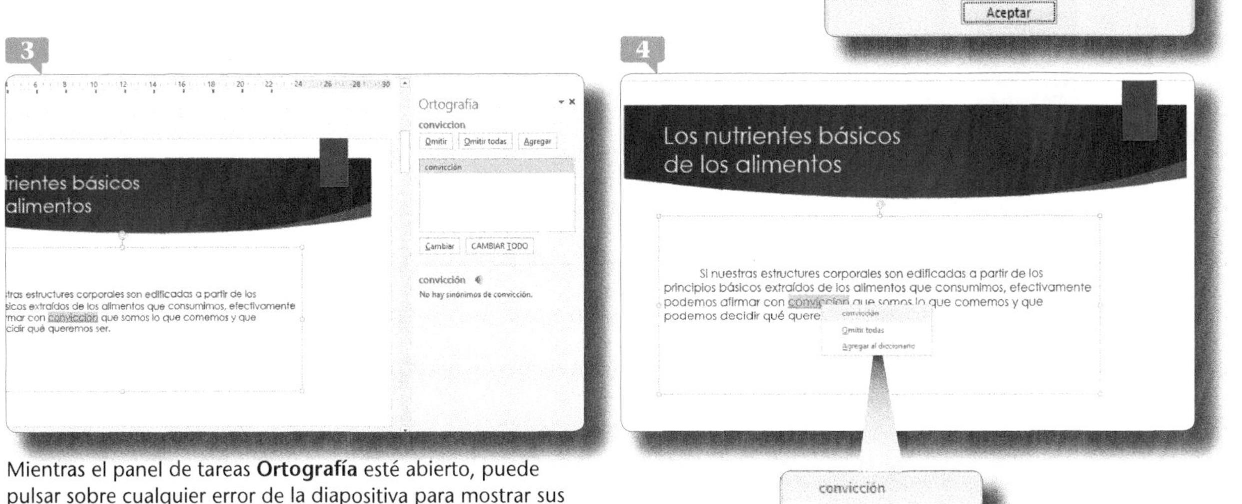

Mientras el panel de tareas **Ortografía** esté abierto, puede pulsar sobre cualquier error de la diapositiva para mostrar sus opciones de corrección en el mismo, sin esperar a que sea seleccionado por la aplicación.

Ajustar las opciones de autocorrección

IMPORTANTE

La función de **Autocorrección** contiene un importante componente interactivo, gracias al cual el usuario puede agregar nuevas correcciones automáticas cuando detecte repetidamente un mismo error de escritura.

POWERPOINT CUENTA CON UNA FUNCIÓN LLAMADA Autocorrección, mediante la cual el programa corrige de forma automática los fallos de este tipo sin necesidad de ejecutar la revisión manualmente.

1. En este ejercicio, simplemente le mostraremos las opciones que pone a su disposición la función **Autocorrección**. Haga clic en la pestaña **Archivo**, pulse sobre el botón **Opciones.** [1]
2. En el cuadro **Opciones de PowerPoint** que se acaba de abrir pulse sobre la categoría **Revisión**.
3. En esta ficha se encuentran las opciones que permiten modificar la forma en que PowerPoint corrige el texto de las diapositivas. Pulse sobre el botón **Opciones de Autocorrección.** [2]
4. En el cuadro de diálogo **Autocorrección**, pulse sobre la pestaña del mismo nombre para comprobar las opciones que contiene.
5. En primer lugar la autocorrección se ocupa del uso de mayúsculas. Además, en la parte inferior del cuadro puede comprobar la lista de construcciones que el sistema reemplaza de forma automática al escribirlas. Añadiremos ahora un término a esta lista para comprobar después que la corrección se lleva a cabo de manera automática. En el campo **Reemplazar**, escriba el término incorrecto **cnanción**. [3]

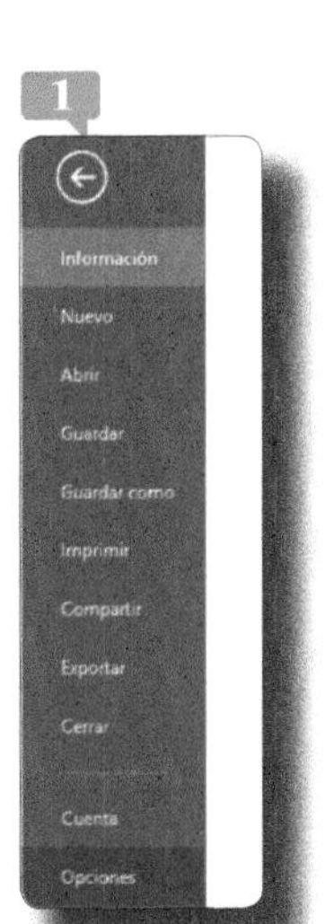

Desde el cuadro **Opciones de PowerPoint** podrá configurar cómo funcionará la **Autocorrección** así como añadir nuevos errores comunes para que se corrijan automáticamente.

6. Haga clic en el campo **Con**, escriba la forma correcta **canción** y pulse el botón **Agregar** para añadir esta autocorrección a la lista.

7. En la lista de opciones de autocorrección de la parte superior de este cuadro de diálogo, vamos a desactivar una de ellas para que no se aplique de forma automática. Haga clic en la casilla de verificación de la opción **Poner en mayúscula los nombres de días.**

8. Para terminar, le mostraremos cómo actúa sobre el texto la corrección automática. Haga clic en el botón **Aceptar** para cerrar el cuadro de diálogo **Autocorrección** y cierre también el cuadro **Opciones de PowerPoint** pulsando el botón **Aceptar**.

9. Pulse después del punto final de cualquier diapositiva, presione la tecla **Retorno**, escriba la palabra incorrecta **cnanción** y pulse la **barra espaciadora**.

10. El programa aplica automáticamente dos opciones de autocorrección: la que pone en mayúsculas las primeras letras de una oración y la autocorrección del término que hemos añadido antes. Escriba ahora en minúsculas la palabra **lunes** y pulse la **barra espaciadora**.

11. Tal y como hemos indicado en el cuadro de autocorrección, el programa no pone en mayúsculas la inicial de los nombres de los días de la semana. Para acabar este ejercicio en el que hemos conocido la utilidad de las opciones de autocorrección que ofrece PowerPoint, borre el texto insertado en esta diapositiva y guarde los cambios.

La herramienta de autocorrección de PowerPoint lleva a cabo las correcciones tal y como las hemos definido en el cuadro **Opciones de PowerPoint**.

Fijar excepciones de autocorrección

PARA IMPEDIR LA CORRECCIÓN AUTOMÁTICA en el uso de mayúsculas y minúsculas en determinadas circunstancias PowerPoint pone a disposición del usuario el cuadro de diálogo Excepciones, al que se accede desde el cuadro Autocorrección.

1. En una nueva línea de alguna diapositiva, escriba la palabra **PAso**, [1] tal como lo ve, con las dos primera letras en mayúsculas y pulse la tecla espaciadora.
2. Gracias a la autocorrección la segunda letra es cambiada por su minúscula. [2] Escriba ahora el siguiente texto: **Ind. principal**, [3] pulse la barra espaciadora y observe cómo es aplicada una mayúsculas a la palabra **Principal** por estar después de punto.
3. Bajo la palabra **Principal** aparece una línea horizontal muy sutil. [4] Acerque el puntero del ratón para mostrar la etiqueta flotante de autocorrección y despliéguela con un clic en su botón de punta de flecha.
4. Puede deshacer la corrección, deshabilitar la corrección automática de las primeras palabras de frases o detener el uso de esta norma para esta palabra en particular. Pulse la opción **Controlar opciones de Autocorrección** [5] y en el cuadro del mismo nombre pulse el botón **Excepciones**.

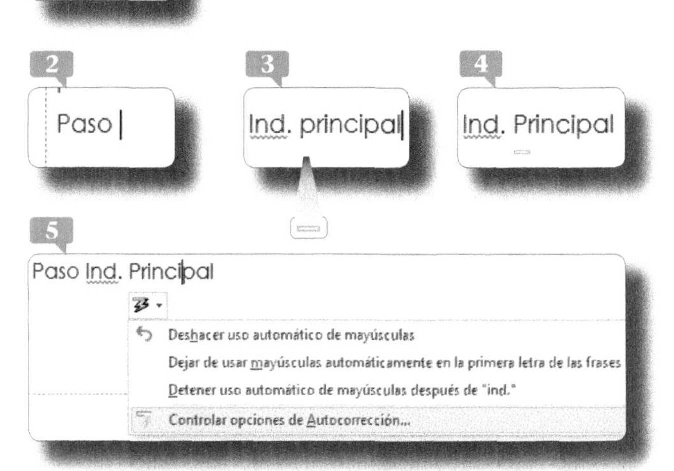

La etiqueta de **Autocorrección** le permite gestionar la aplicación de las opciones de autocorrección o acceder a su cuadro de opciones.

En el cuadro **Excepciones de autocorrección** indique cuáles serán las correcciones automáticas que no quiere que se lleven a cabo.

066

5. En el campo **No poner mayúsculas después de** la ficha **Letra inicial** del cuadro **Excepciones de autocorrección** escriba la combinación **Ind.** (con el punto) y pulse **Agregar.**
6. De este modo, cuando escribamos una palabra tras esta abreviatura inventada, PowerPoint no pondrá su inicial en mayúsculas. Haga clic ahora en la pestaña **Mayúsculas Iniciales.**
7. En el campo **No corregir**, escriba, con las dos primeras letras en mayúsculas, la palabra **PAso**, pulse el botón **Agregar** y haga clic sobre el botón **Aceptar** de este cuadro y del siguiente.
8. Comprobaremos ahora que PowerPoint tiene en cuenta las dos excepciones que acabamos de insertar. Escriba la abreviatura **Ind.**, pulse la **barra espaciadora**, escriba la palabra **superior** y pulse la **barra espaciadora.**
9. Aunque PowerPoint marca la abreviatura como error ortográfico, ya que no la encuentra en su diccionario, no corrige la inicial en minúsculas de la palabra **superior**, lo que demuestra que ha tenido en cuenta la primera excepción. Pulse la tecla **Retorno** para añadir una línea de texto.
10. Escriba ahora con las dos primeras letras en mayúsculas la palabra **PAso** y pulse la **barra espaciadora.**
11. Como ve, el programa también respeta la segunda excepción a la regla de mayúsculas que hemos añadido. Para acabar este ejercicio, borre el texto que hemos insertado en este ejercicio y guarde los cambios.

7

El sistema de corrección automática de PowerPoint no corregirá ninguna de las excepciones que haya incluido en el cuadro **Excepciones de autocorrección.**

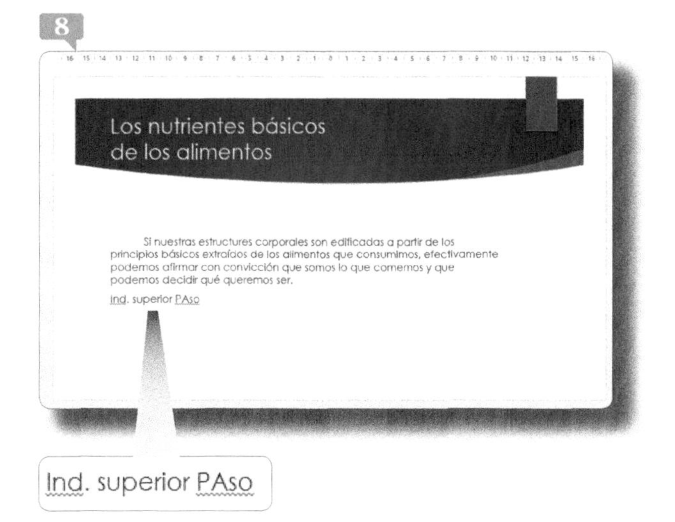

Añadir notas del orador

IMPORTANTE

El espacio destinado a las notas del orador se encuentra en la parte inferior de la diapositiva y puede aumentarse o disminuirse arrastrando la barra que lo separa de la diapositiva.

LAS NOTAS DEL ORADOR PUEDEN SERVIR de ayuda a la persona que expone la presentación, es decir, al orador y, además, lo sustituyen cuando las diapositivas se imprimen en la vista Página de notas, puesto que dichas notas se reflejan en cada diapositiva en la que se encuentran.

1. En este ejercicio le mostraremos cómo puede introducir notas del orador en las diapositivas. Muestre la pestaña **Vista** y pulse el comando **Notas** del grupo **Mostrar**. [1]
2. En la parte inferior de la ventana se abre el espacio para agregar notas a la diapositiva: Pulse donde ahora se visualiza el texto **Haga clic para agregar notas** [2] y escriba el texto que usted desee mientras alcance al menos dos líneas. [3]
3. Aunque cambie de vista en el **Panel de diapositivas**, el espacio reservado para las notas continúa mostrándose en pantalla. Haga clic sobre la pestaña **Esquema**.
4. Las notas del orador también pueden insertarse desde la vista **Página de notas**. Active la ficha **Vista** y haga clic sobre la herramienta **Página de notas** del grupo de herramientas **Vistas de presentación**.
5. La vista de página de notas nos permite editar las notas del orador y comprobar el aspecto que tendrá la presentación al

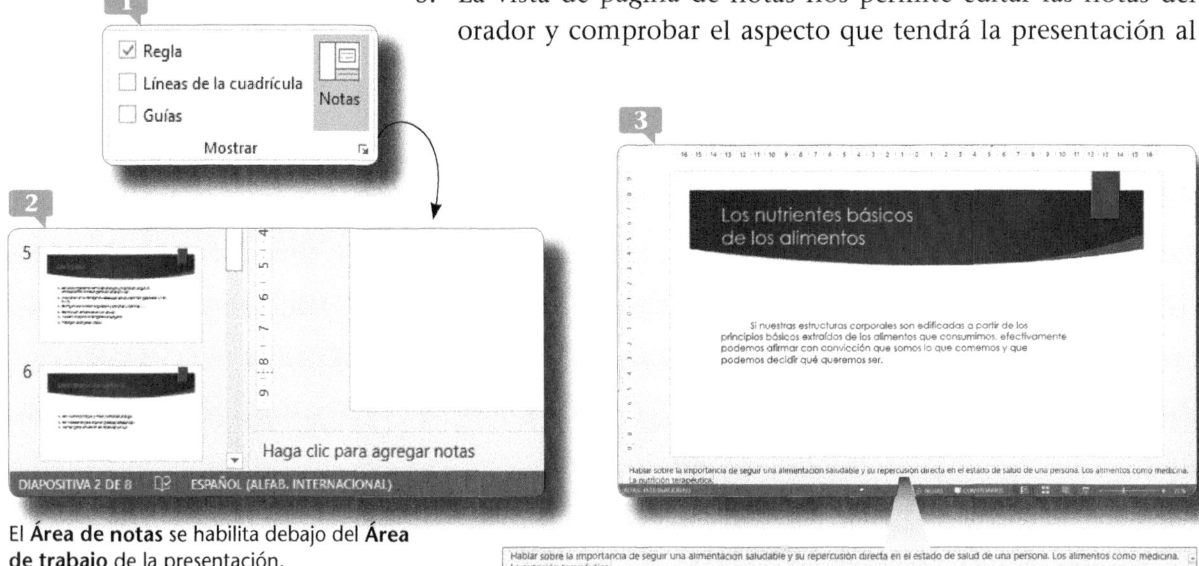

El **Área de notas** se habilita debajo del **Área de trabajo** de la presentación.

imprimirla con el formato de **Página de notas**. Para facilitar la tarea, aumente el zoom al **100%** y, en la nota del orador, haga doble clic sobre alguna palabra.

6. Aparece así difuminada la **Barra de herramientas mini**: Pulse sobre el icono del estilo **Negrita** y regrese a la vista **Normal**.
7. Acerque el puntero del ratón a la línea que separa el **Área de trabajo** del **Área de notas** y, cuando se convierta en una flecha de dos puntas, arrástrela hacia arriba para ampliar el espacio destinado a las notas.
8. Para acabar, veremos cómo podemos imprimir una presentación de manera que se muestren tanto las diapositivas como las notas del orador. Haga clic en la pestaña **Archivo** y pulse sobre el comando **Imprimir**.
9. Accede así a la ficha **Imprimir**, en la que debemos establecer las condiciones de la impresión. Despliegue el segundo de los comandos de la categoría **Configuración** y seleccione la opción **Páginas de notas** para que se imprima esa vista de las diapositivas.
10. Tras haber seleccionado la opción **Página de notas**, se modifica el aspecto de la **Vista previa** que está en la parte derecha de la ficha **Imprimir** y muestra el aspecto final de la impresión. Ya podría imprimir directamente la presentación pero no hace falta desperdiciar papel ¿cierto? Para acabar este ejercicio en el que hemos aprendido a añadir notas de apoyo para el orador a las diapositivas, regrese a la vista **Normal** y guarde los cambios.

IMPORTANTE

Si el texto de la nota es demasiado largo para mostrarse en el **Área de notas** se activa una barra de desplazamiento vertical en su extremo derecho.

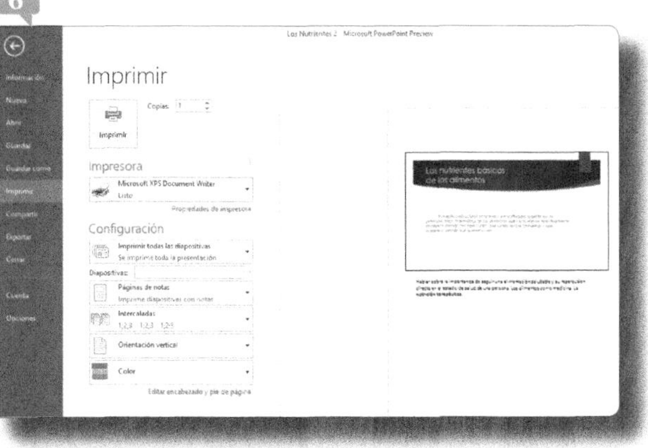

La opción **Página de notas** de la vista **Imprimir** permite imprimir cada una de las diapositivas con una amplia área de notas en su parte inferior.

Agregar comentarios

LA INSERCIÓN DE COMENTARIOS en las diapositivas de una presentación podría considerarse otra forma de incluir notas. Los comentarios pueden incluirse en la vista Normal, tanto en el panel Esquema como en el panel Diapositivas.

1. Con la diapositiva **2** de la presentación **Los Nutrientes** en pantalla, active la ficha **Revisar** de la **Cinta de opciones** pulsando sobre su pestaña.
2. En el grupo de herramientas **Comentarios** solo se encuentra disponible la opción **Nuevo comentario**, lo que indica que no hay comentarios en la presentación. Pulse este botón. [1]
3. Se inserta un icono de comentario en la esquina superior izquierda de la diapositiva y se abre así el panel de tareas **Comentarios** mostrando el nombre de usuario de Office que ha iniciado sesión y una indicación temporal de cuándo fue introducido el comentario. Pulse sobre el nombre y luego, en el campo de escritura que se muestra, introduzca algún texto. Pulse en medio de la diapositiva [2] para confirmar la entrada.
4. Al cerrar un comentario se habilita un campo para respuesta. [3] Pulse sobre la diapositiva **3** en el **Panel de diapositivas**.
5. Haga clic al final de la última línea de texto y pulse el botón **Nuevo** del panel **Comentarios**. [4]

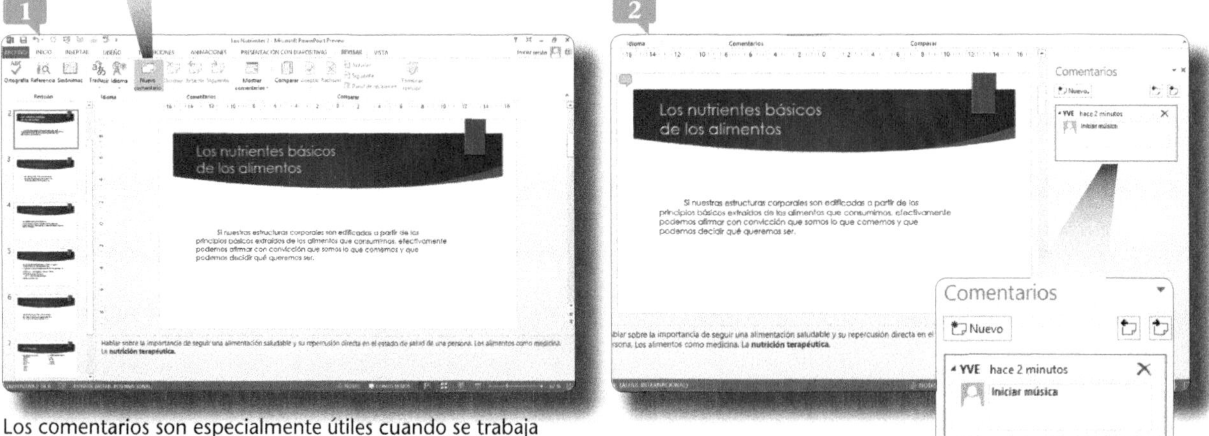

Los comentarios son especialmente útiles cuando se trabaja con presentaciones compartidas por varios usuarios.

068

6. La marca de comentario se coloca en el punto indicado. Inserte un texto también para este comentario en el nuevo campo que se ha habilitado en el panel. 5
7. Para pasar de un comentario a otro se utilizan los botones **Anterior** y **Siguiente**, ubicados sobre la esquina superior derecha del campo de comentarios. Pulse el botón **Anterior.** 6
8. El programa nos sitúa ahora en la segunda diapositiva, donde hemos insertado el primer comentario. Pulse sobre el botón **Siguiente** del panel **Comentarios.**
9. Pulse sobre la parte inferior del comando **Mostrar comentarios** del grupo de herramientas **Comentarios** y haga clic sobre la opción Mostrar marcas. 7
10. De este modo desaparecen de las diapositivas las marcas y el panel. Para volver a mostrarlos, pulse en la parte superior del botón **Mostrar comentarios.**
11. El botón **Eliminar** incluye las funciones necesarias para eliminar el comentario seleccionado, todos los comentarios de una diapositiva o todos los comentarios de la presentación. Haga clic sobre el botón de flecha de este botón y elija la opción **Eliminar todos los comentarios y anotaciones manuscritas de esta presentación** y confirme que desea borrarlos. 8

IMPORTANTE

Puede insertar comentarios sobre toda la diapositiva, en cuyo caso no hay que pulsar en ningún punto, o bien en elementos concretos, en cuyo caso hay que pulsar sobre ellos antes de insertar el comentario. Además, es posible introducir tantos comentarios como sea necesario en una misma diapositiva.

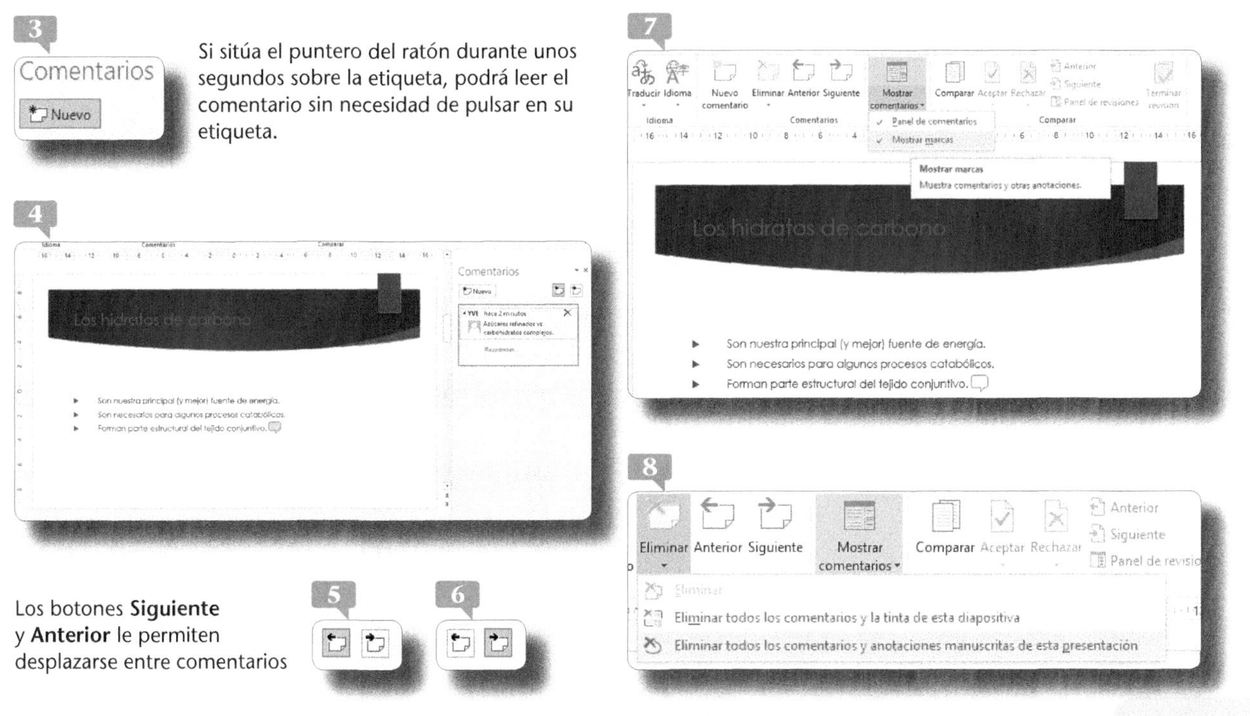

Si sitúa el puntero del ratón durante unos segundos sobre la etiqueta, podrá leer el comentario sin necesidad de pulsar en su etiqueta.

Los botones **Siguiente** y **Anterior** le permiten desplazarse entre comentarios

Usar la Página de notas y el Patrón de notas

DESDE LA VISTA PÁGINA DE NOTAS, el usuario puede agregar y modificar sus notas en cada una de las diapositivas. De hecho ésta es, a excepción de la vista Normal, la única vista en la que puede apreciarse el formato y la totalidad de las notas, siempre de manera individual para cada diapositiva que las contiene.

1. Para este sencillo ejercicio active la vista **Página de notas** desde su comando en el grupo de herramientas **Vistas de presentación** de la ficha **Vista**.
2. Se oculta el **Panel de diapositivas** y el contenido de la diapositiva no es editable en estos momentos. Si el zoom no continúa al 100%, auméntelo ahora y sitúe el cursor de edición al final del texto en una nueva línea. 1
3. Añada un par de líneas más de texto. (Puede simplemente copiar y pegar el mismo texto que ya ha introducido anteriormente.)
4. Seleccione un segmento del texto, haga clic en la pestaña **Inicio** y active la herramienta **Subrayado**, la que muestra una S subrayada en el grupo de herramientas **Fuente**.
5. Ahora pulse sobre la herramienta **Color de fuente**, que muestra una A subrayada en rojo en ese mismo grupo. 2
6. Active ahora la vista **Patrón de notas** del grupo de herramientas **Vistas de presentación**, en la ficha **Vista**.

En la vista de **Página de notas** no es posible modificar el contenido de la diapositiva, pero si hace un doble clic sobre esta saltará a la vista **Normal** para su edición.

1

2

069

7. Desaparecen así algunas fichas de la **Cinta de opciones** y aparece por otra parte la ficha **Patrón de notas**. Supongamos que quiere que las notas muestren otro formato de fuente y color de fondo. Seleccione el texto **Haga clic para modificar el estilo de texto del patrón** y pulse en la pestaña **Inicio** de la **Cinta de opciones**.
8. Haga clic en el botón de punta de flecha del campo **Fuente**, en el grupo de herramientas **Fuente** y escoja alguna opción.
9. Ahora pulse en el botón de punta de flecha de la herramienta **Color de fuente** y elija la una de las muestras de color. 3
10. Ahora cambiaremos el color de fondo de la página de notas, que puede ser tanto un color sólido como una imagen, una textura o un degradado. Haga clic en el botón de punta de flecha de la herramienta **Relleno de forma**, cuyo icono muestra un cubo de pintura en el grupo de herramientas **Dibujo**, y seleccione alguno de los colores claros. 4
11. El color se aplica como fondo de la página de notas. Active la ficha en **Vista** de la **Cinta de opciones** y la opción **Página de notas** del grupo de herramientas **Vistas de presentación**.
12. La página de notas muestra el diseño que hemos definido en el patrón de este elemento. 5 Pulse al inicio del segundo párrafo de la nota y presione el botón **Aumentar nivel de lista**, en el grupo de herramientas **Párrafo** de la ficha **Inicio**.
13. Se aplica el estilo del segundo nivel. 6 Guarde los cambios.

IMPORTANTE

Los cambios realizados en el **Patrón de notas** de una presentación se aplican a cada una de las notas preexistentes de sus diapositivas así como a las notas que se añadan en el futuro.

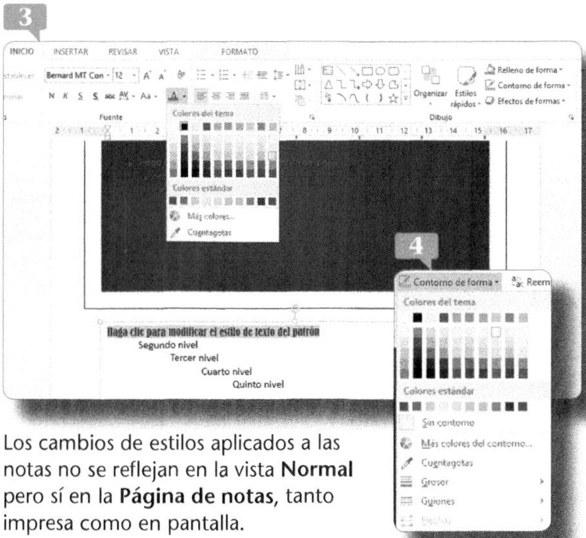

3

4

Los cambios de estilos aplicados a las notas no se reflejan en la vista **Normal** pero sí en la **Página de notas**, tanto impresa como en pantalla.

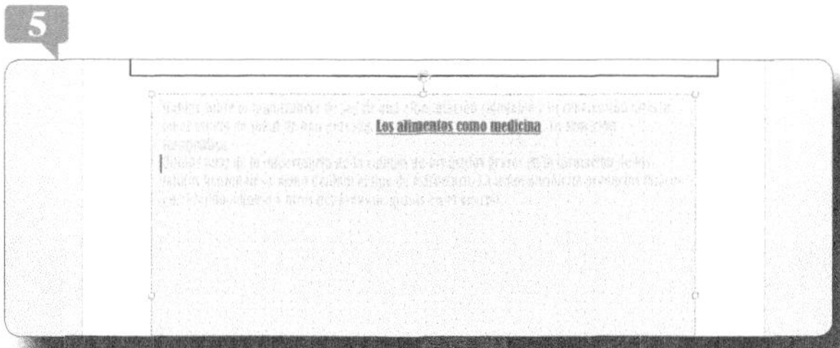

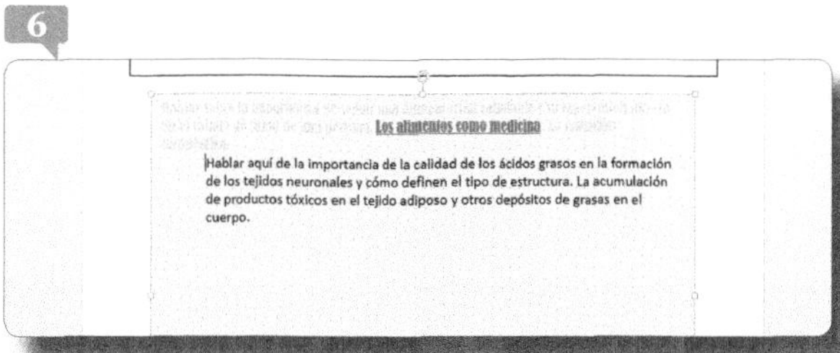

5

6

Utilizar el Patrón de diapositivas

IMPORTANTE

La finalidad de los patrones de diapositivas es facilitar en gran medida los cambios referentes a cuestiones de formato aplicables a todas las diapositivas de una presentación.

UN PATRÓN DE DIAPOSITIVAS ES UNA DIAPOSITIVA que guarda información sobre la plantilla de diseño aplicada, incluidos los estilos de fuentes, la posición y las dimensiones de los marcadores de posición de los diferentes elementos, el diseño de fondo y las combinaciones de colores.

1. En esta lección le mostraremos cómo crear un patrón de diapositivas para modificar el aspecto de todas las diapositivas de una presentación. Haga clic en la pestaña **Vista** de la **Cinta de opciones** y pulse sobre el comando **Patrón de diapositivas** del grupo de herramientas **Vistas de presentación.** [1]
2. En el **Panel de diapositivas** se muestra el patrón de cada uno de los diseños de diapositivas. Pulse sobre el primero de ellos.
3. En la diapositiva que aparece en pantalla, haga clic sobre el nivel principal de la lista de viñetas, que muestra el texto **Haga clic para modificar el estilo de texto del patrón.** [2]
4. Active la ficha **Inicio** de la **Cinta de opciones**, despliegue la herramienta **Viñetas** y seleccione algún diseño de su agrado. [3]
5. De este modo, en todas las diapositivas cuyo diseño contenga una viñeta, el primer nivel de la misma mostrará esta imagen. Vamos a comprobarlo. En el **Panel de diapositivas**, pulse sobre el segundo diseño de éste patrón.
6. Efectivamente, este diseño incluye una lista con viñetas y

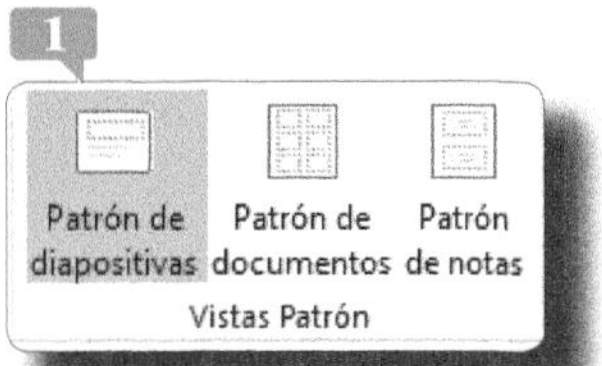

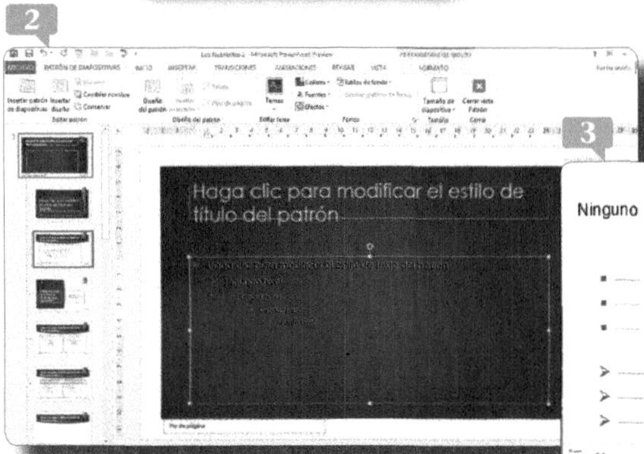

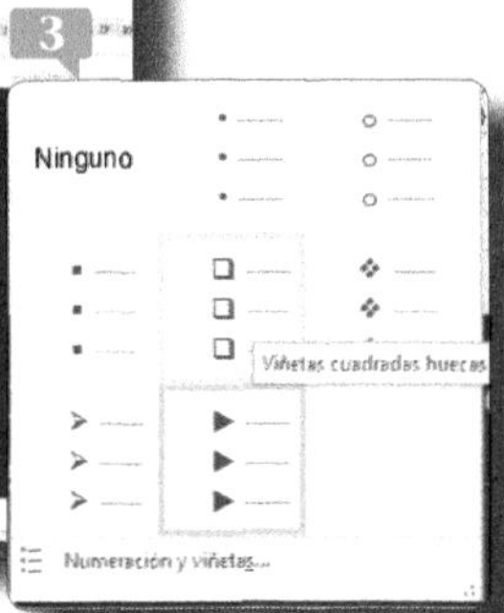

puede ver que el primer nivel de la misma muestra la imagen seleccionada. A continuación aplicaremos un estilo rápido al título de este patrón Haga clic dentro del marcador de posición que contiene el texto **Haga clic para modificar el estilo de título del patrón.**

7. Pulse sobre la herramienta **Estilos rápidos** del grupo **Dibujo** y seleccione uno de los estilos de la galería que se despliega.
8. Desde las herramientas del grupo **Fondo**, en la ficha **Patrón de diapositivas**, podría además modificar los colores del fondo de todas las diapositivas, aplicar efectos, modificar el juego de fuentes de la presentación, escoger un estilo prediseñado o ocultar todos los gráficos del fondo. Arrastre el tirador del borde superior del marcador de posición hacia arriba hasta que el texto quepan cómodamente en su interior.
9. Ahora cerraremos la vista **Patrón de diapositivas** y comprobaremos en la vista **Normal** que el diseño que hemos establecido en el patrón se ha aplicado a todas las diapositivas de la presentación. Active la vista **Patrón de diapositivas** y pulse el botón **Cerrar vista Patrón.**
10. El cambio se ha aplicado en todas las diapositivas. Seleccione la diapositiva 7: aunque el cambio en las viñetas se refleja en esta diapositiva, no se aplica el cambio en el título, pues lo introdujimos directamente en el diseño **Título y objeto** y esta diapositiva usa el diseño **Dos objetos.**

IMPORTANTE

En la vista **Patrón de diapositivas**, las diapositivas se agrupan en el **Panel de diapositivas** según la plantilla que tengan aplicada.

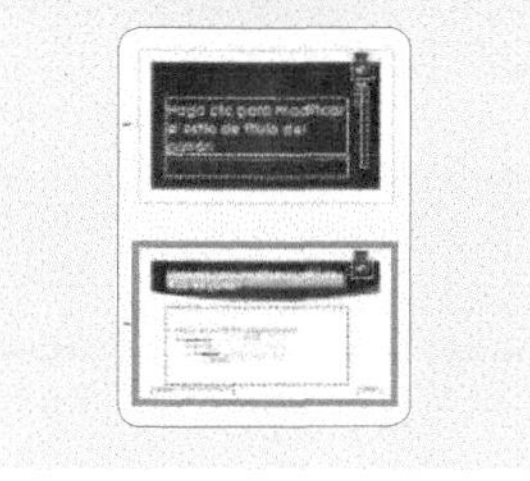

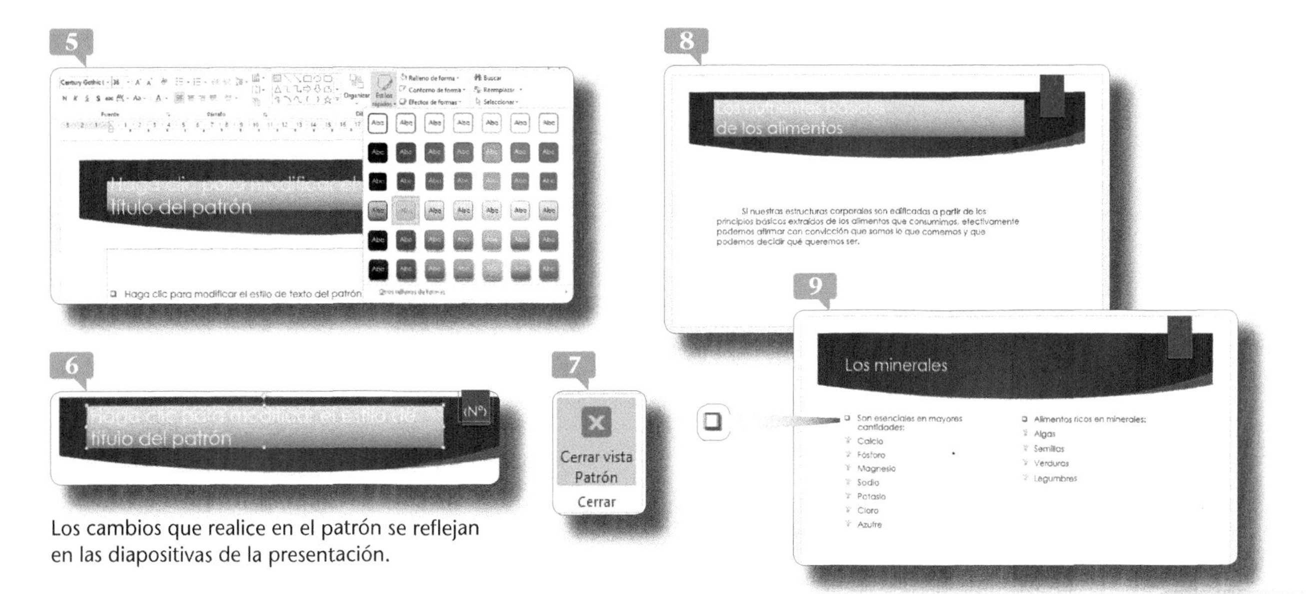

Los cambios que realice en el patrón se reflejan en las diapositivas de la presentación.

Agregar encabezados y pies de página

LAS DIAPOSITIVAS DE UNA PRESENTACIÓN PUEDEN mostrar encabezados y pies de página. En estos elementos es habitual introducir información que debe repetirse en todas las diapositivas pero que se trata de forma independiente.

1. En este ejercicio, veremos el procedimiento que debemos seguir para agregar encabezados y pies de página a las diapositivas. En el **Panel de diapositivas**, pulse sobre la diapositiva número **1** de la presentación Los nutrientes 2, active la pestaña **Insertar** de la **Cinta de opciones** y pulse sobre el botón **Encabezado y pie de página** del grupo de herramientas **Texto**. [1]
2. Se abre el cuadro de diálogo **Encabezado y pie de página**. Pulse sobre la pestaña **Notas y documentos para distribuir**.
3. Haga clic en la casilla de verificación de la opción **Número de página** para desactivarla.
4. Haga clic en la casilla de verificación de la opción **Encabezado** y, dentro del cuadro de texto **Encabezado**, escriba la palabra **Borrador**. [2]
5. A continuación, introduciremos el texto que aparecerá como pie de página en todas las páginas de notas, en este caso el

IMPORTANTE

El cuadro **Encabezado y pie de página** muestra dos pestañas. La primera permite modificar las diapositivas y la segunda las Notas y documentos para distribuir. La ubicación de los distintos elementos en las diapositivas dependerá del tema aplicado a la presentación.

Diapositiva | Notas y documentos para distribuir

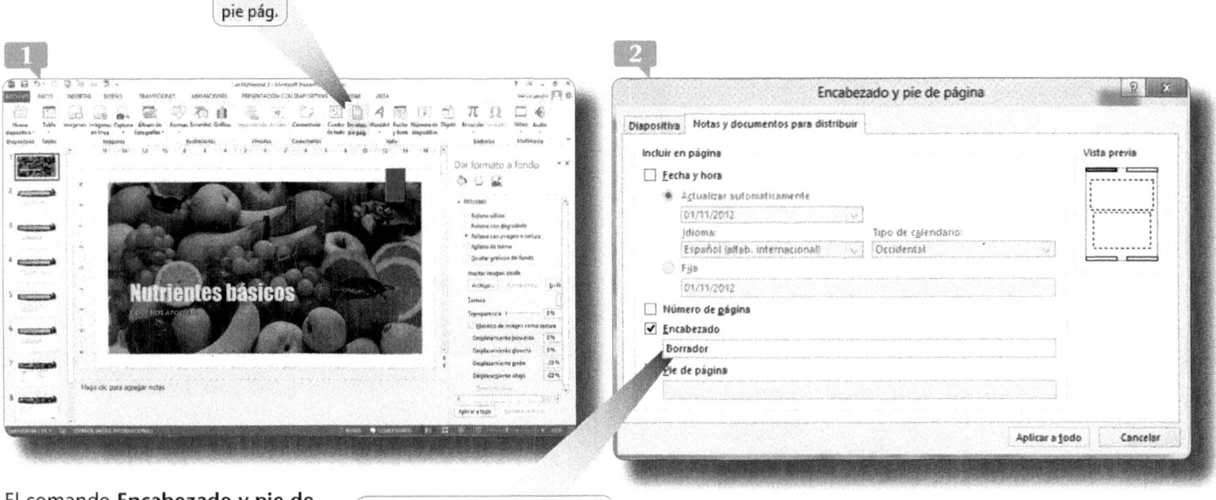

El comando **Encabezado y pie de página** se encuentra en el grupo **Texto** de la ficha **Insertar**.

La **Vista previa** del cuadro **Encabezado y pie de página** es en realidad una representación gráfica de sus elementos.

nombre de dos alumnos. Haga clic en la casilla de verificación de la opción **Pie de página** y escriba su nombre.

6. Antes de aplicar estos elementos a todas las páginas de notas, haremos que el pie de página también aparezca en las diapositivas de la presentación. Active la ficha **Diapositiva** pulsando sobre su pestaña, haga clic en la casilla de verificación de la opción **Pie de página** y, en su cuadro de texto, escriba de nuevo su nombre. 3
7. Pulse en la casilla de verificación de la opción **No mostrar en diapositiva de título** para que el pie de página no aparezca en esa diapositiva y pulse el botón **Aplicar a todo**.
8. Como puede ver, el pie de página no aparece en la diapositiva de título, que se encuentra seleccionada en estos momentos. Haga clic en la diapositiva número **3** del **Panel de diapositivas**.
9. En esta diapositiva sí que puede verse el pie de página que hemos insertado. 4 Ahora comprobaremos que también se muestran el pie de página y el encabezado que hemos agregado a las páginas de notas. Pulse en la pestaña **Vista** de la **Cinta de opciones** y haga clic en la opción **Página de notas** del grupo de herramientas **Vistas de presentación**.
10. Ajuste el nivel de visualización para realizar la comprobación y una vez haya visto el resultado, 5 vuelva a la vista **Normal** y guarde los cambios realizados.

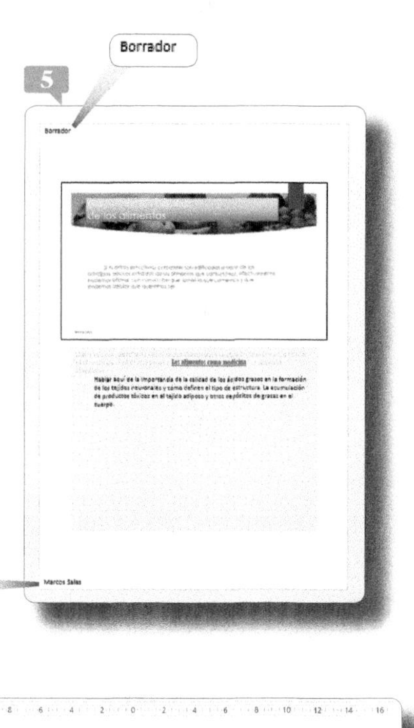

Agregar fecha y hora

IMPORTANTE

Una vez activada la opción que le permitirá introducir la fecha y la hora en sus diapositivas, debemos indicar si queremos que esta información se actualice automáticamente, es decir, que muestre siempre la fecha y la hora actual, o que, por el contrario, muestre una fecha fija, por ejemplo, la del momento en que se creó la presentación.

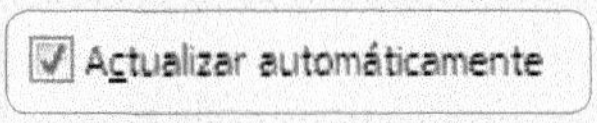

Actualizar automáticamente

ENTRE LAS OPCIONES DE LOS OBJETOS que pueden insertarse como pie de página se encuentran la fecha y la hora. Desde el cuadro de diálogo Encabezado y pie de página puede configurarse esta opción, desactivando el resto de opciones, de modo que sólo aparezca este dato en las diapositivas seleccionadas.

1. En este ejercicio le mostraremos los dos procedimientos que existen en PowerPoint para insertar la fecha y la hora en sus diapositivas. Empezaremos por insertar fecha y hora en todas las diapositivas, excepto en la primera. Haga clic en la pestaña **Insertar** de la **Cinta de opciones** y pulse sobre el comando **Encabezado y pie de página** del grupo **Texto**. [1]
2. En el cuadro de diálogo **Encabezado y pie de página**, en la ficha **Diapositiva**, pulse sobre la casilla de verificación de la opción **Fecha y hora.** [2]
3. Haga clic en el botón de punta de flecha del campo que muestra la fecha y, de la lista de formatos disponibles, elija el primero de los que muestran la fecha y la hora. [3]
4. Desactive la opción **No mostrar en diapositiva de título** y haga clic en el botón **Aplicar a todas.** [4]
5. En efecto, se insertan ambos datos en la diapositiva. [5] Para que no se muestre esta información, basta con desactivar la opción **Fecha y hora** en el cuadro **Encabezado y pie de pá-**

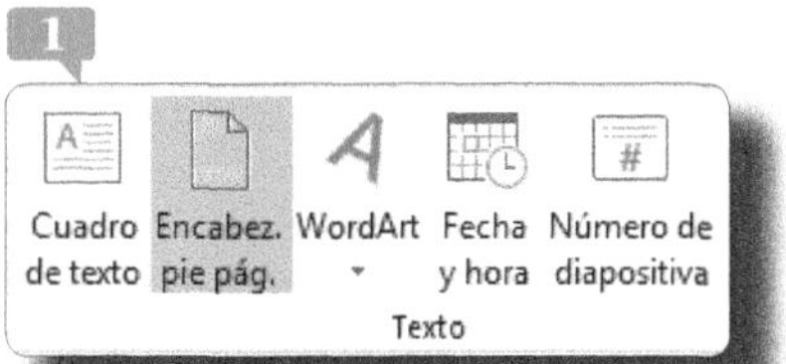

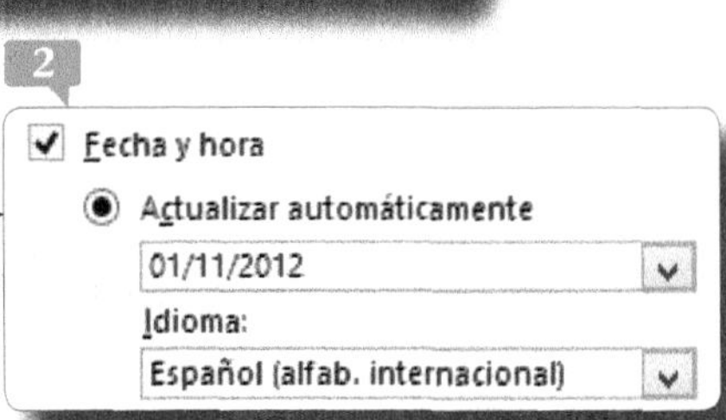

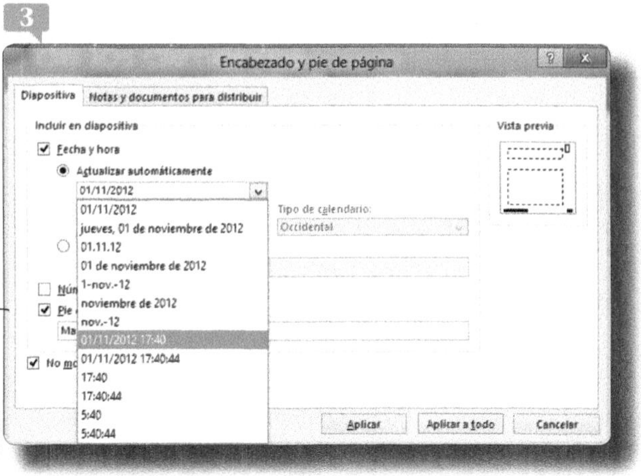

1

2

3

4

gina. Abra de nuevo este cuadro usando esta vez la opción **Fecha y hora**, también del grupo de herramientas **Texto**, desactive la mencionada opción y pulse el botón **Aplicar a todas**.

6. Ahora veremos cómo aplicar la fecha en una única diapositiva. Muestre una vez más el cuadro **Encabezado y pie de página** y marque la opción **Fecha y hora**.
7. Compruebe cómo en la **Vista previa** se muestra destacado en color negro el lugar donde se insertará la información. Haga clic en el botón **Aplicar** para que la fecha aparezca sólo en la diapositiva actual.
8. Para acabar, veremos el modo de insertar la fecha en un punto concreto de una diapositiva y no a modo de pie de página. En el **Panel de diapositivas**, pulse sobre la diapositiva número **3** y haga clic en el botón **Cuadro de texto** del grupo de herramientas **Texto**.
9. Trace un cuadro de texto mediante la técnica de arrastre, active la ficha **Insertar** pulsando sobre su pestaña y haga clic en el comando **Fecha y hora** del grupo de herramientas **Texto**.
10. Aparece así el cuadro **Fecha y hora** donde debemos seleccionar el formato de fecha y hora que queremos utilizar e indicar si deseamos que esta información se actualice automáticamente. Mantenga seleccionado el primer formato disponible, marque la opción **Actualizar automáticamente** y pulse en **Aceptar** para insertar la fecha en el cuadro de texto.

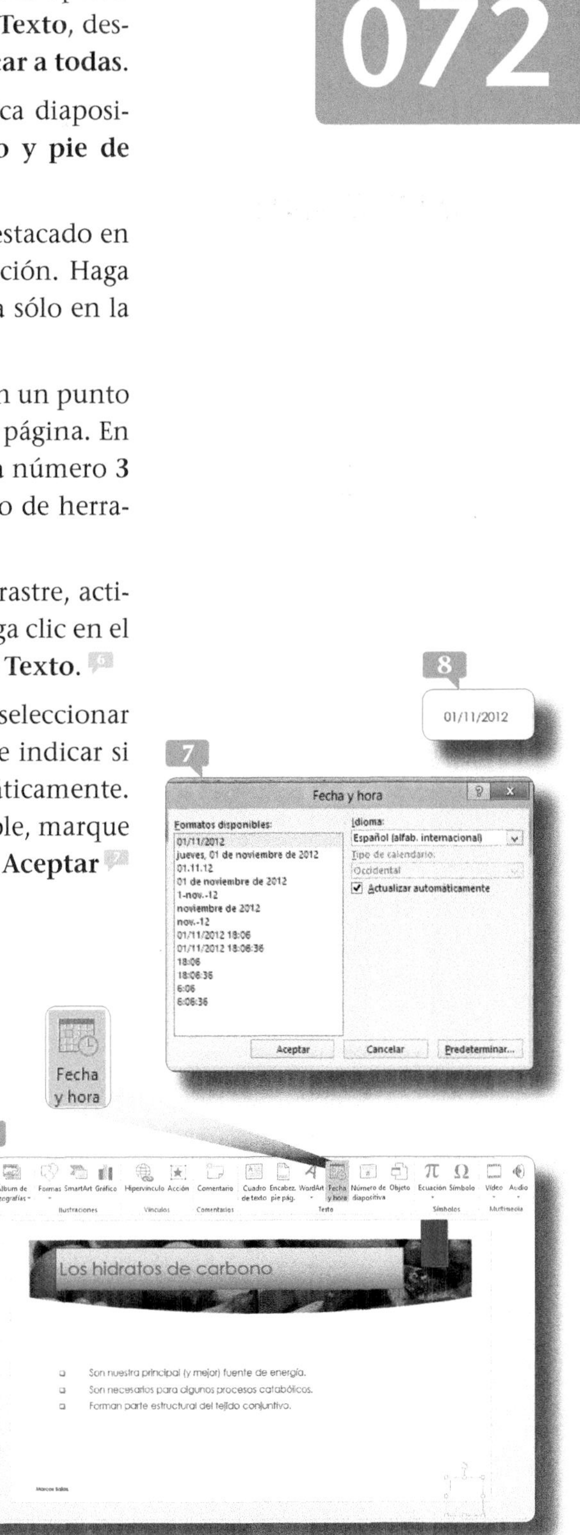

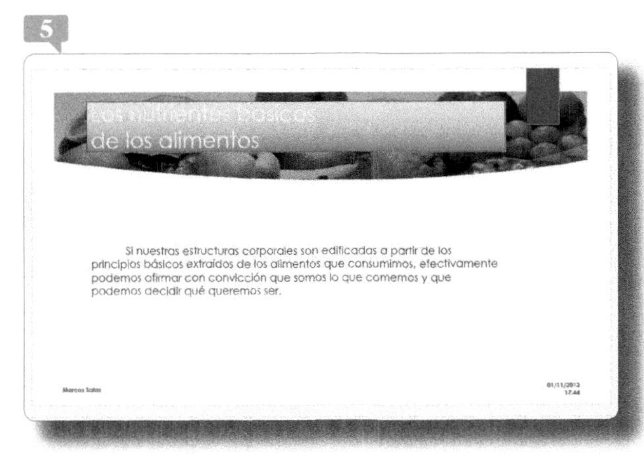

Puede insertar el número de página desde el cuadro **Encabezado y pie de página** en el lugar predeterminado para el tema, o hacerlo en cualquier lugar que escoja para ello desde el comando **Fecha y hora**.

Agregar el número de diapositiva

IMPORTANTE

Como el número de diapositiva puede tratarse de forma individual, es decir, en el cuadro de texto o el marcador de posición que se indique, el usuario es libre de indicar el punto en que desea que se inserte este elemento.

OTRO ELEMENTO QUE PUEDE INSERTARSE EN las diapositivas y que resulta útil cuando la presentación es muy larga es el número de diapositiva. Este número puede insertarse de dos formas distintas: como pie de página o como parte del texto en las diapositivas.

1. En este sencillo ejercicio, le mostraremos cómo puede insertar el número de diapositiva en su presentación. Una vez más, indicaremos que este dato no debe aparecer en la diapositiva de título. Haga clic en la pestaña **Insertar** de la **Cinta de opciones** y pulse en la herramienta **Encabezado y pie de página** del grupo de herramientas **Texto.** [1]
2. Se abre el cuadro **Encabezado y pie de página**. Pulse en la casilla de verificación de la opción **Número de diapositiva** para activarla. [2]
3. Es interesante que observe el cuadro **Vista previa**, en el cual se muestran los dos elementos que en estos momentos se encuentran activados para incluir en la diapositiva. Para identificar a cada uno puede desactivarlos y activarlos uno a uno. Marque la opción **No mostrar en diapositiva de título.**
4. Pulse el botón **Aplicar a todo** [3] y compruebe el efecto.
5. A continuación, eliminaremos los números de página y veremos otro procedimiento para volverlos a insertar. Haga clic en

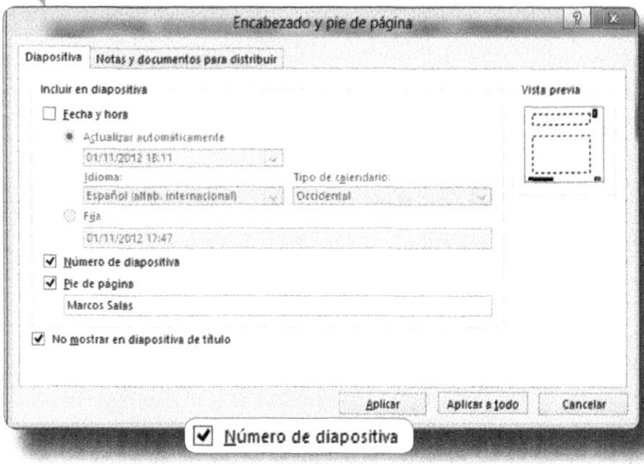

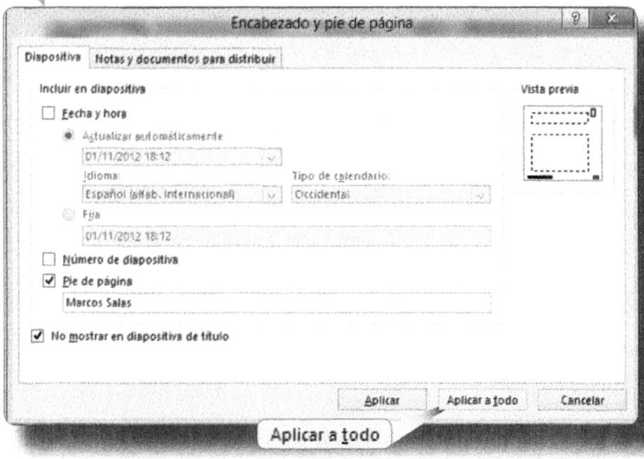

el comando **Encabezado y pie de página** del grupo **Texto.**

6. En el cuadro **Encabezado y pie de página**, desactive la opción **Número de diapositiva** y haga clic en **Aplicar a todo.**
7. Ahora insertaremos el número de página en un punto concreto de la diapositiva actual. Haga clic en la herramienta **Cuadro de texto** del grupo **Texto.**
8. Trace el cuadro de texto mediante la técnica de arrastre en cualquier punto de la diapositiva seleccionada.
9. Active la ficha **Insertar** de la **Cinta de opciones** pulsando sobre su pestaña.
10. Haga clic sobre la herramienta **Número de diapositiva** del grupo **Texto.** [4]
11. Observe que, de manera automática, el número de la diapositiva actual aparece dentro del cuadro de texto que hemos insertado. [5] Existen, pues, dos maneras de insertar el número de diapositiva: una es hacerlo a modo de pie de página desde el cuadro **Encabezado y pie de página** y otra es hacerlo a modo de texto normal escrito en un cuadro de texto con la herramienta **Número de diapositiva.** Salga del cuadro de texto del número de diapositiva pulsando en cualquier zona libre de la diapositiva.
12. Para acabar el ejercicio, guarde los cambios usando el icono **Guardar** de la **Barra de herramientas de acceso rápido.**

IMPORTANTE

Sepa que el número de página se puede editar de manera independiente como cualquier otro texto de las diapositivas. Así, es posible aumentar o disminuir el tamaño de fuente, cambiar su color, aplicarle efectos, etc.

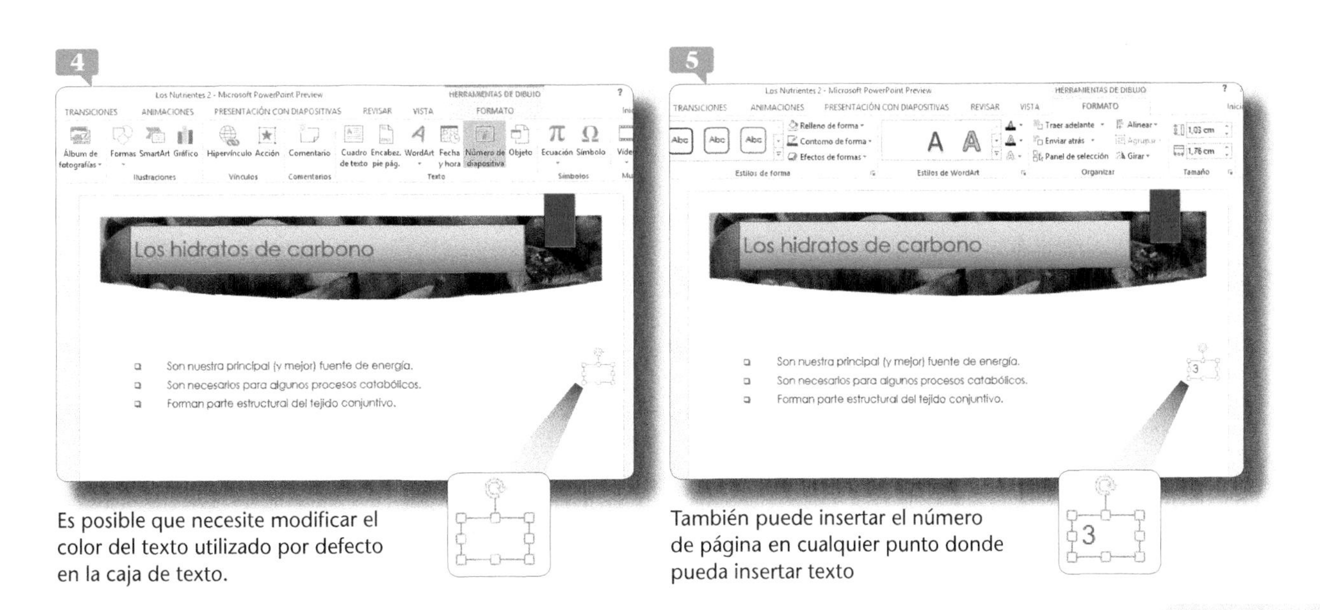

Es posible que necesite modificar el color del texto utilizado por defecto en la caja de texto.

También puede insertar el número de página en cualquier punto donde pueda insertar texto

Insertar un objeto

LOS OBJETOS PUEDEN INSERTARSE en las diapositivas de manera que estén vinculados a su original, es decir, que los cambios que se produzcan en el archivo original se reflejen también en la presentación. Además, es posible mostrar el objeto a modo de icono, que podrá cambiarse desde el cuadro Cambiar icono.

1. En este ejercicio aprenderemos a insertar en nuestra presentación una tabla creada en Excel. Puede descargar el documento con el que trabajaremos, titulado **Ventas.xls**, desde nuestra página web. Inserte al final de la presentación una diapositiva con el diseño **Contenido con título** y haga clic sobre la herramienta **Objeto** del grupo **Texto** de la ficha **Insertar.** 1
2. Se abre de este modo el cuadro de diálogo **Insertar objeto.** Haga clic en el botón de opción **Crear desde archivo** y pulse el botón **Examinar.** 2
3. Aparece el cuadro **Examinar**, mostrando el contenido de la carpeta **Documentos.** Localice y seleccione el archivo de Excel **Ventas** y pulse el botón **Aceptar.** 3
4. Haremos que el contenido de este archivo se inserte como un objeto en la presentación y podamos modificarlo usando la aplicación con la que fue creado. Marque la opción **Vínculo** 4 y pulse **Aceptar** para insertar la tabla en la diapositiva.

IMPORTANTE

Desde el cuadro de diálogo **Insertar objeto** podemos crear un objeto nuevo de cualquiera de los tipos que aparecen en el apartado **Tipo de objeto** o bien insertar un objeto desde un archivo ya existente. Además, la opción **Mostrar como icono** hace que el objeto insertado se muestre en la presentación a modo de icono.

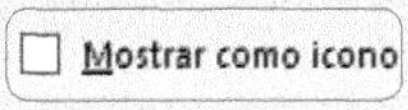

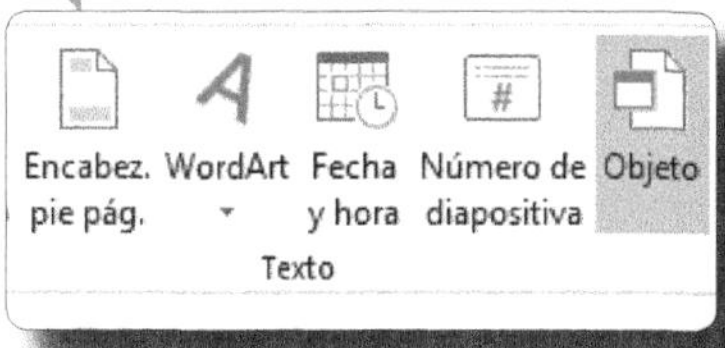

El comando **Objeto** se encuentra en el grupo **Texto** de la ficha **Insertar.**

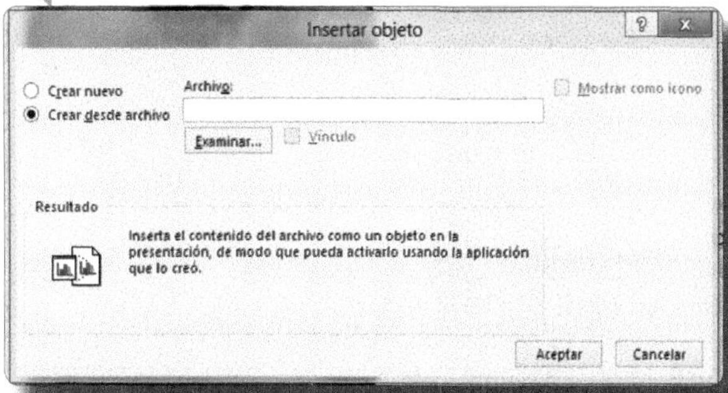

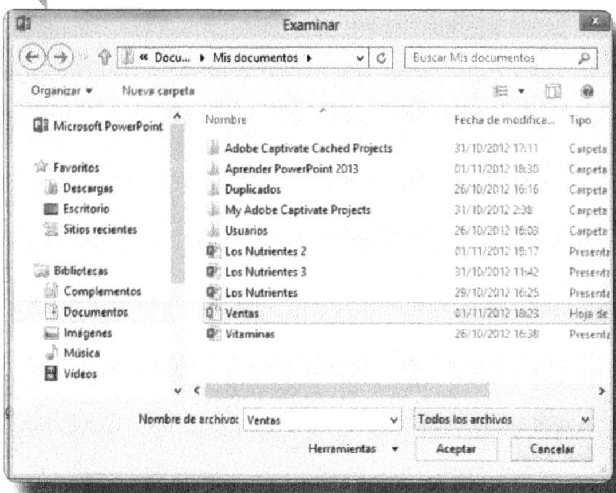

5. El contenido del archivo de Excel seleccionado se inserta así en la diapositiva. Seleccione la tabla para comprobar cómo aparece la ficha contextual **Herramientas de dibujo**, con cuyos comandos podemos modificar algunas propiedades de la tabla, como su contorno o su fondo. Haga luego un doble clic en la tabla para abrirla en Excel.
6. Vamos a realizar una sencilla modificación en la tabla para comprobar que ésta se actualiza también en la presentación. Seleccione las celdas de **A2** hasta **D2** con un arrastre.
7. Aplique el color de fuente que usted desee al texto de las celdas seleccionadas.
8. Cierre el documento y la aplicación Excel después de guardar los cambios realizados.
9. Efectivamente, el cambio se observa también en la tabla insertada en la diapositiva. Vamos a ver ahora cómo se visualizará esta tabla al reproducir la presentación. Pulse sobre el último icono de acceso directo a vistas de la **Barra de estado**, correspondiente a la vista **Presentación con diapositivas.**
10. Realizada la comprobación, pulse la tecla **Escape** para salir del modo **Presentación con diapositivas.**
11. Para acabar este ejercicio, guarde los cambios realizados pulsando el icono **Guardar** que se encuentra en la **Barra de herramientas de acceso rápido.**

IMPORTANTE

Al activar la opción **Vínculo** del cuadro **Insertar objeto**, el programa insertará en la diapositiva una imagen del contenido del archivo seleccionado. De este modo, los cambios que se produzcan en el archivo se reflejarán en la presentación.

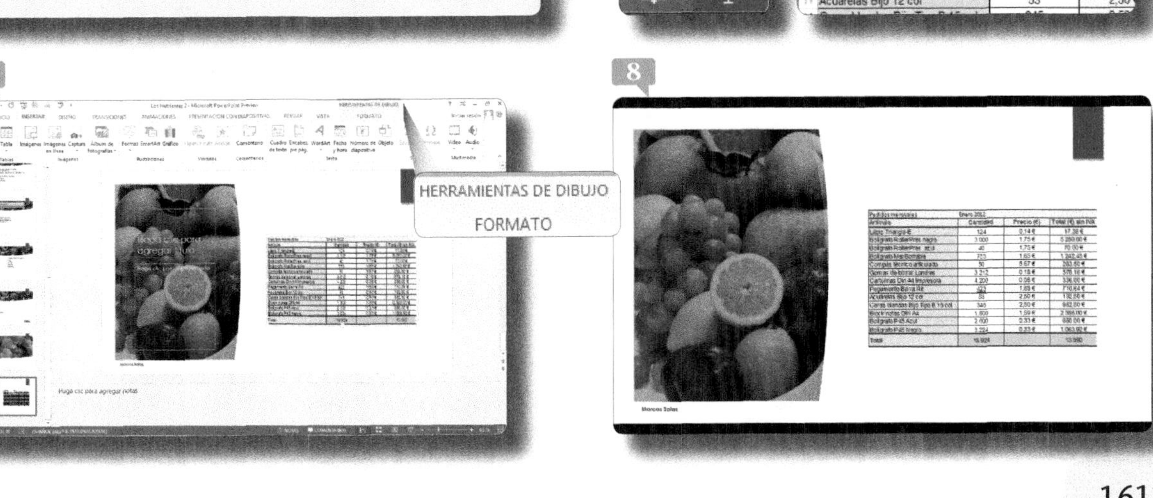

Dibujar formas

IMPORTANTE

Para trazar una autoforma con unas dimensiones concretas debemos utilizar la técnica del arrastre mientras que si deseamos trazarla con sus dimensiones preestablecidas, que después podrán ser modificadas, basta con una simple pulsación en el punto deseado. Para obtener un cuadrado o un círculo perfectos se deben utilizar las herramientas **Rectángulo** y **Elipse** en combinación con la tecla **Mayúsculas**.

EL PROCESO DE CREACIÓN DE AUTOFORMAS no reviste dificultad alguna ya que consiste simplemente en elegir la herramienta adecuada en el grupo de herramientas Ilustraciones de la ficha Insertar o bien en el grupo de herramientas Dibujo de la ficha Inicio y, mediante la técnica de arrastre, trazar la forma con las dimensiones deseadas en el área de trabajo.

1. En este ejercicio, aprenderemos a crear figuras básicas en PowerPoint. Para empezar, seleccione la diapositiva número **8** en el **Panel de diapositivas** y active la ficha **Insertar** de la **Cinta de opciones** pulsando sobre su pestaña.
2. Haga clic en el botón de la herramienta **Formas** en el grupo de herramientas **Ilustraciones**, y pulse sobre el dibujo de luna que aparece en el grupo **Formas básicas.** [1]
3. Para dibujar una luna con dimensiones predeterminadas, haga clic en el espacio en blanco que se encuentra del lado derecho de la diapositiva. [2]
4. Vamos a modificar las dimensiones de la figura. Active, si no se ha abierto automáticamente, la ficha **Formato** de la ficha contextual **Herramientas de dibujo** y utilizando los campos del grupo de herramientas **Tamaño**, cambie tanto el **Ancho** como el **Alto** a 5 cm. [3] Para aplicar el nuevo valor de anchura de la forma, haga clic en cualquier punto fuera de la diapositiva.

1

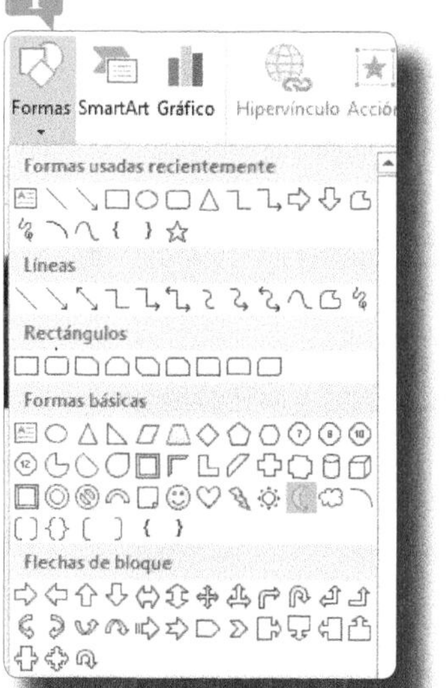

2

3

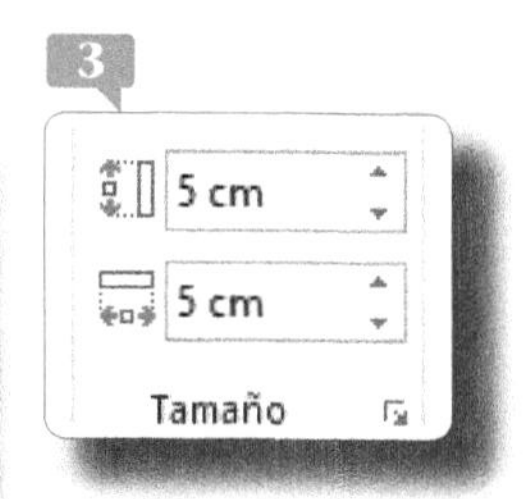

Debe saber que para desplazar la forma basta con pulsar sobre ella y arrastrarla hasta el punto en que desee situarla.

5. Seguidamente, cambiaremos el color de relleno de la forma y le aplicaremos un efecto. Selecciónela de nuevo y haga clic en el comando **Relleno de forma** del grupo de herramientas **Estilos de forma** y pulse sobre alguno de los **Colores del tema.**
6. Pulse en el comando **Efectos de forma** del grupo de herramientas **Estilos de forma**, haga clic en la opción **Iluminado**, y en el panel que se despliega haga clic sobre la opción **Más colores de iluminado.**
7. En el panel de muestras de color que se despliega, haga clic sobre alguno otro de los **Colores del tema.**
8. Como ve, es posible editar una forma de muchas maneras gracias a las herramientas incluidas en la ficha contextual **Herramientas de dibujo**. Ahora dibujaremos otra forma y le aplicaremos uno de los efectos de formas preestablecidos. Haga clic en el botón **Formas** del grupo de herramientas **Insertar formas** y en la galería de formas pulse sobre el marco del apartado **Formas básicas.**
9. Trace la forma a un lado de la luna, de un tamaño similar al de ésta.
10. A continuación, pulse sobre el comando **Efectos de forma**, haga clic en la opción **Preestablecer** y elija con un clic la primera muestra de la segunda fila del apartado **Valores predeterminados** y observe el resultado en la diapositiva.

IMPORTANTE

Además de formas básicas como rectángulos, elipses, triángulos, etc., la galería de autoformas también incluye flechas de bloque, cintas y estrellas, llamadas y otros muchos objetos que pueden resultar muy útiles para animar visualmente una diapositiva.

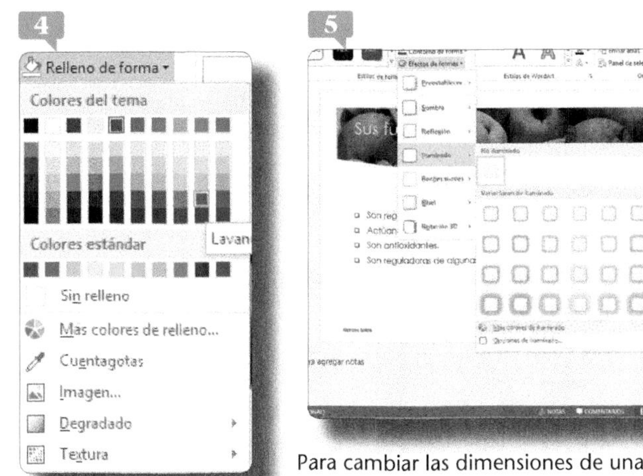

Para cambiar las dimensiones de una autoforma, puede arrastrar los controladores que rodean a la imagen. Si pulsa simultáneamente la tecla **Mayúsculas**, la escala se modifica de forma proporcional.

Añadir texto en figuras y alinear objetos

LAS FIGURAS TRAZADAS EN UNA DIAPOSITIVA no permiten la introducción directa de texto en su interior. Para poder insertar palabras o números dentro de un dibujo es preciso utilizar los cuadros de texto.

1. En este ejercicio le mostraremos lo fácil que es añadir texto a una autoforma en PowerPoint 2016. Para ello abra la presentación **Los nutrientes 3**, active ficha **Insertar** y, de la galería **Formas**, seleccione una estrella de seis puntos del apartado **Cintas y estrellas**. 1
2. Para crear una estrella del tamaño predeterminado, haga un clic arriba del título de la diapositiva 1.
3. Con la estrella aún seleccionado, escriba directamente la palabra **Estrella**.
4. Efectivamente, puede utilizar cualquier autoforma como si fuera un cuadro de texto. Pulse en el botón de flecha hacia arriba del campo **Ancho** en el grupo **Tamaño** de la ficha contextual **Formato** de **Herramientas de dibujo** hasta que el texto quepa en una sola línea. 2
5. A continuación, cambiaremos algunas de las propiedades del texto introducido. En concreto, aplicaremos negritas y cam-

IMPORTANTE

Al escribir dentro de una autoforma, el cursor de edición se sitúa en el centro de la misma. Una vez introducido el texto, puede modificar la alineación utilizando las opciones de la **Barra de herramientas mini** o de la ficha **Insertar**.

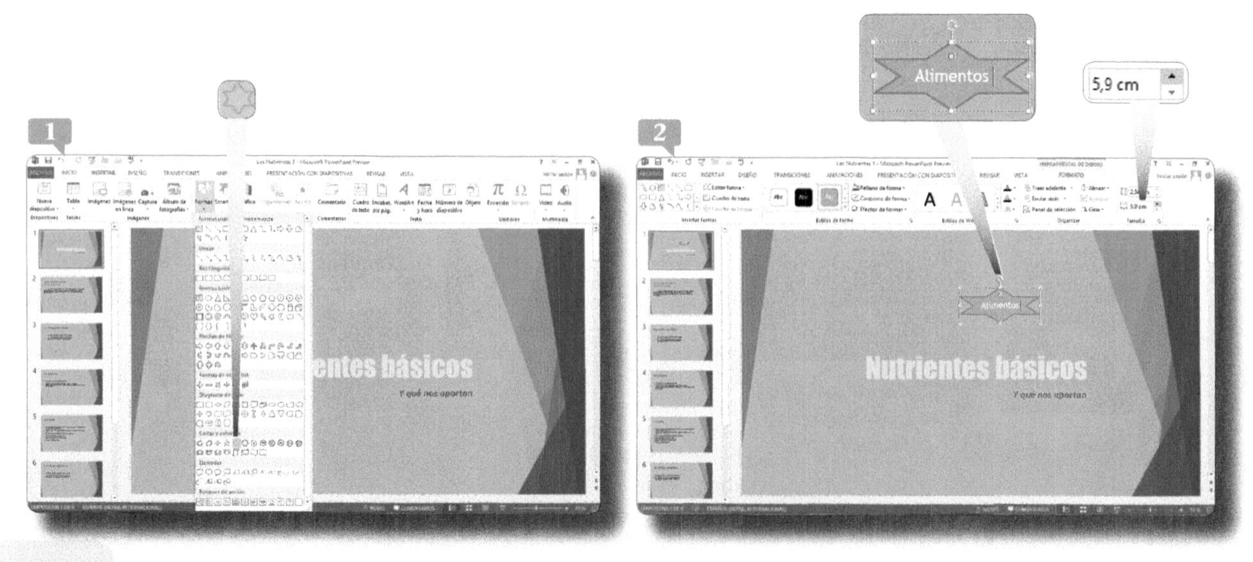

biaremos el color del texto. Seleccione la palabra **Alimentos**, active la ficha **Inicio** y pulse sobre el botón **Negritas**.

6. Haga clic en el botón **Color de fuente** y pulse sobre alguna de las muestras del apartado **Colores del tema** de la paleta de colores que aparece.
7. Antes de acabar, conoceremos una de las novedades de PowerPoint 2016 en el tratamiento de autoformas. Pulse sobre la estrella y desplácela de arriba hacia abajo hasta ver una fina línea punteada bajo ella y sobre el título de la diapositiva, y déjela en este punto.
8. Arrastre ahora la estrella horizontalmente, buscando alinearla sobre el centro del título. Podrá comprobar que al llegar al punto correcto, es decir, al alinearse el centro de la forma con el centro del marcador de posición, aparece una línea punteada vertical, que se cruza con la horizontal que teníamos anteriormente.
9. Pulse sobre el marcador de posición del título y compruebe cómo el centro de su borde superior coincide exactamente con la punta de la estrella, y guarde los cambios para acabar.

La versión 2013 de PowerPoint incorpora las guías de alineación que aparecen automáticamente para ayudarle a conseguir composiciones impecables con un mínimo esfuerzo.

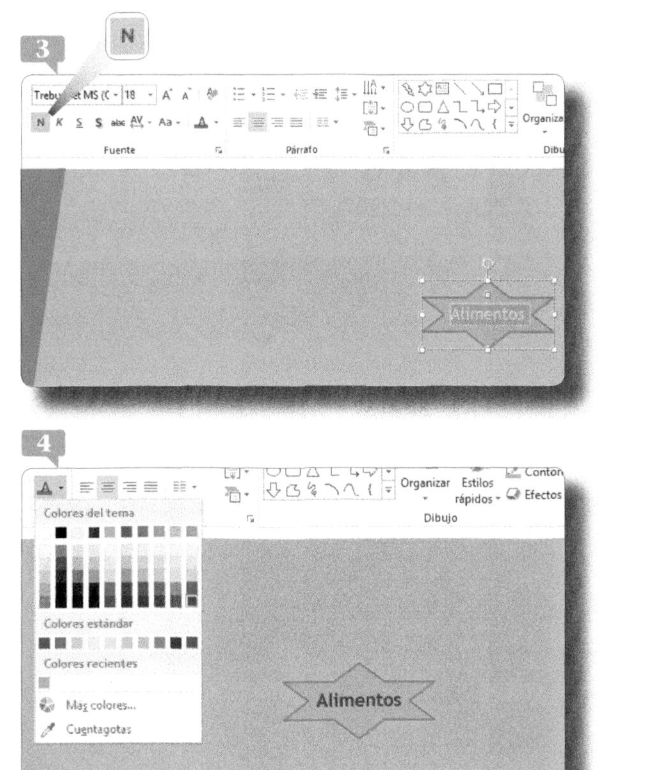

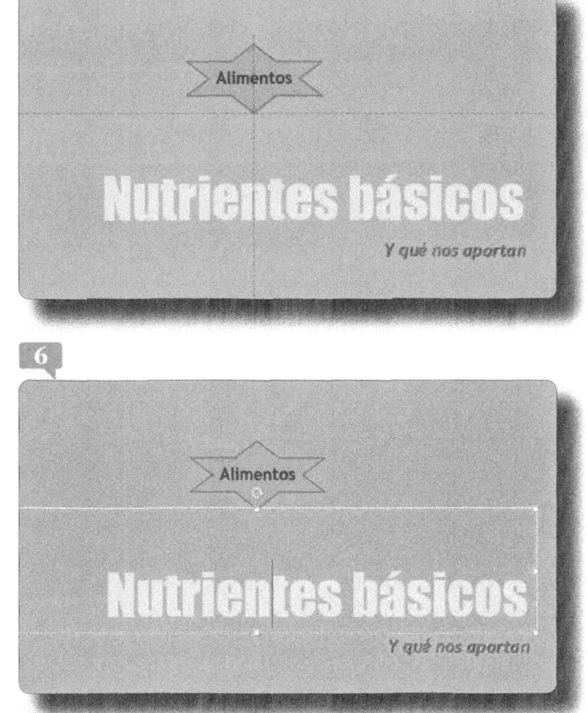

Trazar líneas y cambiar giro y posición

ADEMÁS DE FIGURAS GEOMÉTRICAS COMO RECTÁNGULOS o círculos, PowerPoint dispone de un grupo de formas, Líneas, que, como su nombre indica, permiten trazar todo tipo de líneas rectas o curvas. Las líneas rectas pueden ser trazadas con un clic que defina su inicio y otro que marque su final, con un arrastre de ratón o con un simple doble clic, en cuyo caso se define con la longitud y posición preestablecidos.

1. En este ejercicio, aprenderá a trazar líneas rectas en una diapositiva y también a modificar alguno de sus aspectos, en concreto, su tamaño, ubicación y giro. Haga clic en el icono **Formas** del grupo **Ilustraciones**, que a estas alturas ya debe conocer sobradamente.
2. Como puede ver, en el apartado **Líneas** de la galería de formas se encuentran todos los tipos de líneas que podemos dibujar en PowerPoint. Haga clic en la primera línea. [1]
3. Para trazar líneas, igual que para trazar cualquier otro tipo de forma, podemos utilizar la técnica de arrastre, que nos permite dar unas dimensiones concretas a la línea, o bien pulsar en el punto donde deseamos que aparezca la línea, en cuyo caso ésta se trazará con una dimensiones preestablecidas. Haga clic en el punto en que desee insertar la línea. [2]

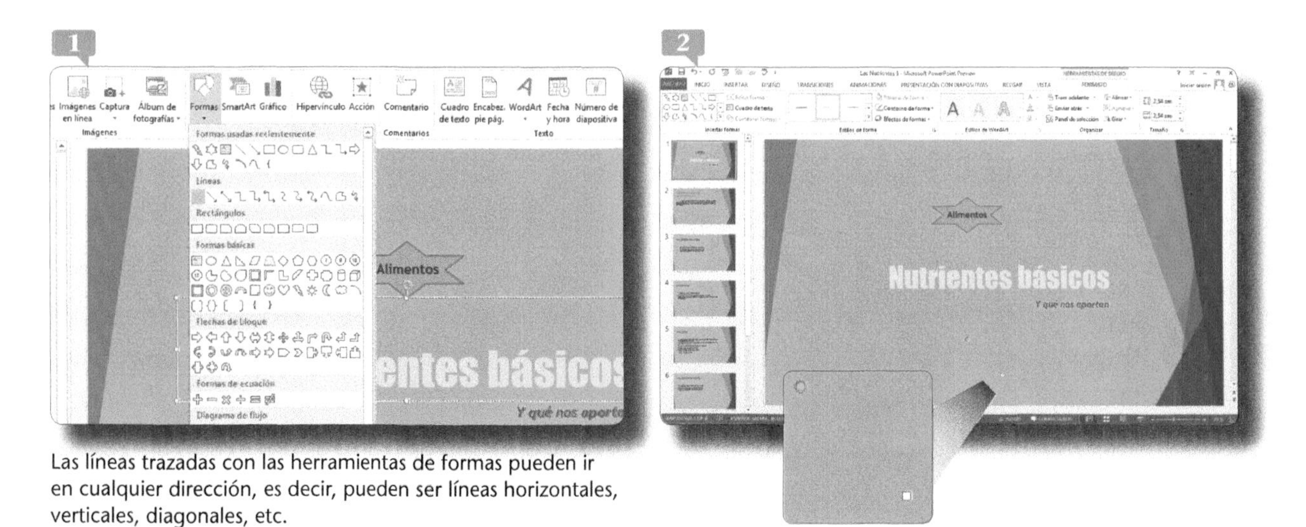

Las líneas trazadas con las herramientas de formas pueden ir en cualquier dirección, es decir, pueden ser líneas horizontales, verticales, diagonales, etc.

4. Por defecto se crea una línea diagonal. A continuación, le mostraremos cómo modificar la ubicación y el tamaño de la línea trazada. Con la línea aún seleccionada, en el grupo **Tamaño** de la ficha **Formato** de **Herramientas de dibujo**, introduzca el valor **6** en los campos **Ancho** y **Alto**.
5. Observe que el ancho corresponde a la distancia horizontal que separa sus puntas y no a su grosor mientas y el alto corresponde a la distancia vertical y no a la longitud real de la línea. Muestre el panel **Formato de la forma** con un clic en su iniciador del grupo de herramientas **Tamaño.**
6. Cambie el **Giro** a **-45°** para que gire 45° hacia la izquierda.
7. Despliegue el apartado **Posición**, haga clic dentro del campo **Posición horizontal** y escriba el valor **14.**
8. Cambie ahora la **Posición vertical** a **10** y despliegue alguno de los campos **Desde** para observar sus opciones.
9. La distancia puede ser medida desde la esquina superior izquierda de la diapositiva o desde el centro de ésta. Para terminar este sencillo ejercicio, guarde los cambios realizados en su presentación.

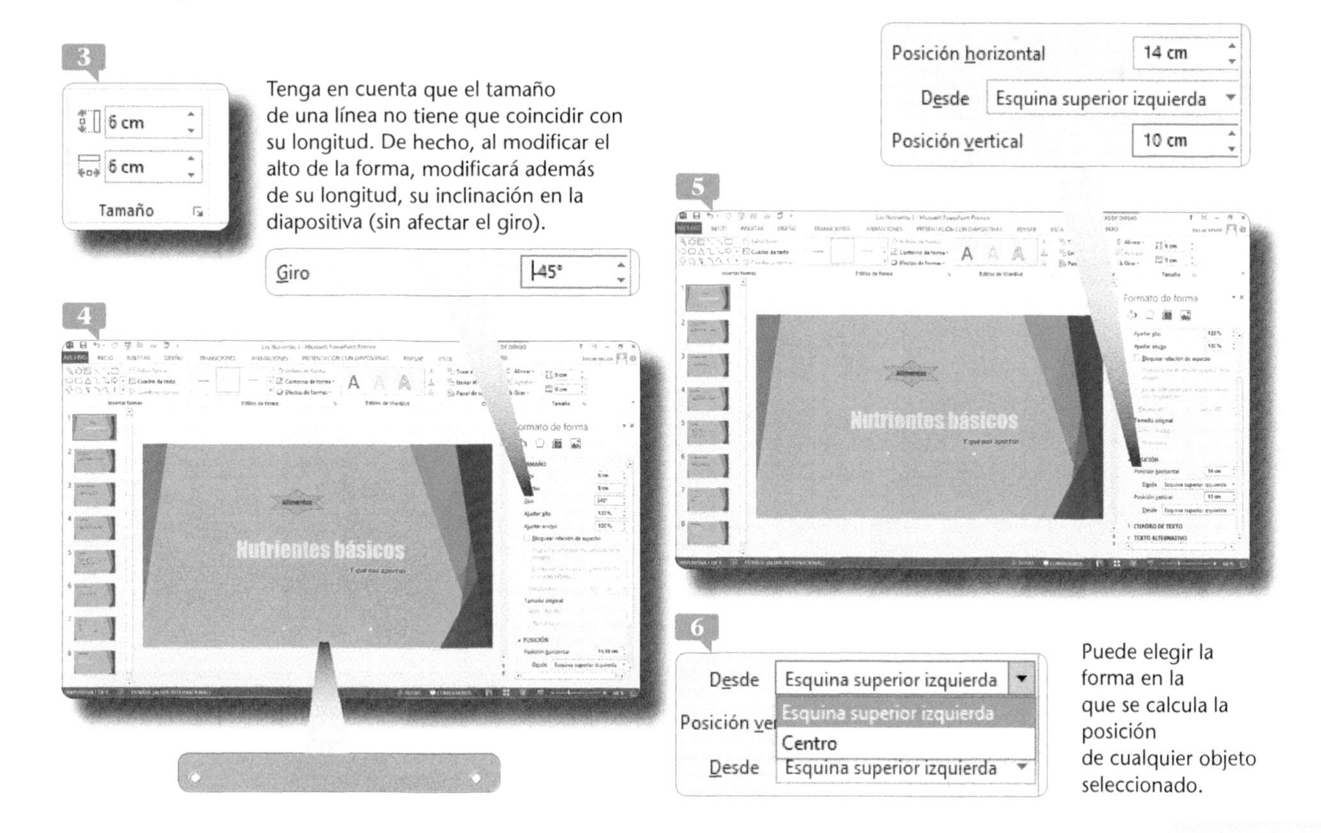

Tenga en cuenta que el tamaño de una línea no tiene que coincidir con su longitud. De hecho, al modificar el alto de la forma, modificará además de su longitud, su inclinación en la diapositiva (sin afectar el giro).

Puede elegir la forma en la que se calcula la posición de cualquier objeto seleccionado.

Modificar líneas y duplicar objetos

IMPORTANTE

En la vista **Relleno y línea** del panel de tareas **Formato de forma** podemos modificar, entre otras propiedades, el ancho y el tipo de línea. Además, desde la vista **Efectos** podemos cambiar el color de la línea y aplicarle diferentes efectos especiales, teniendo en cuenta que una línea simple no actúa como una imagen normal y, por lo tanto, no puede recibir determinados efectos.

UNA VEZ TRAZADAS LAS LÍNEAS SENCILLAS en una diapositiva, es posible modificarlas en varios aspectos, entre los que se encuentran también su color y grosor. Además es posible aplicarles efectos y, claro está, duplicarlas.

1. En este ejercicio le mostraremos cómo aplicar algunas características de formato a la línea trazada en el ejercicio anterior. Para empezar, haga clic sobre la línea para seleccionarla, pulse en el icono Relleno y línea del panel **Formato de la forma**, que como recordará es el primero de su cabecera.
2. En primer lugar, aumentaremos el ancho de la línea. Haga clic dentro del campo **Ancho** y escriba el valor **4**.
3. Haga clic ahora en el botón **Tipo de guión** y, de la lista de estilos disponibles, elija el segundo, **Punto redondo.**
4. Una vez modificados el grosor y el tipo de línea, le aplicaremos un degradado de color. Haga clic en la categoría **Color de línea** del panel de la izquierda y pulse en el botón de opción **Línea degradado.**
5. Aplicaremos una de las combinaciones de degradados preestablecidas. Pulse en el botón **Degradados preestablecidos**, haga clic en alguna muestra que contraste contra el fondo.

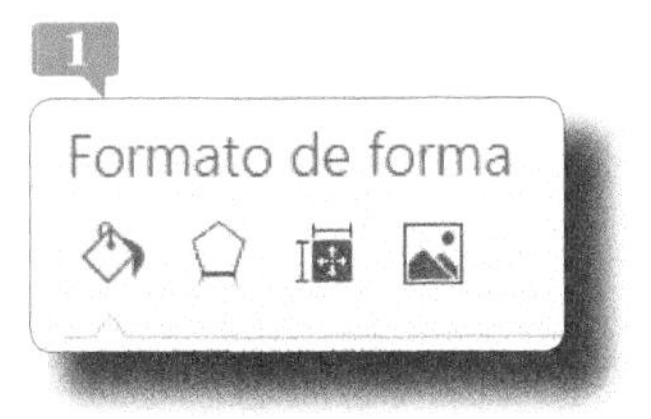

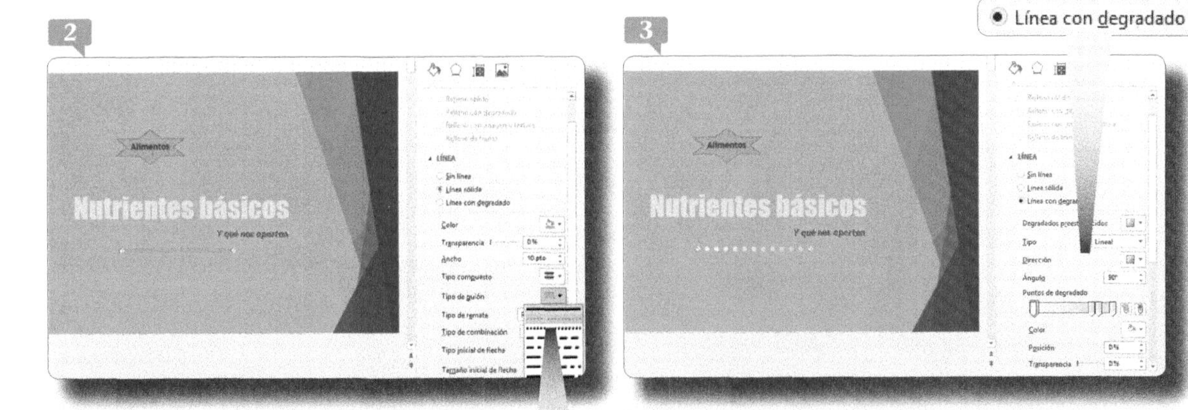

Las opciones de tipo de guión permiten sustituir las líneas continuas por líneas de puntos, de cuadros o de guiones diversos.

Recuerde que puede personalizar el degradado preestablecido modificando las propiedades de cada uno de los **Puntos de degradado**.

6. Efectivamente, la línea es ahora una línea discontinua de puntos degradados. Le aplicaremos ahora un efecto de resplandor y después ampliaremos el zoom de la diapositiva para comprobar mejor el resultado. Active la vista **Efectos** del panel **Formato de forma** con un clic en su icono, que es el segundo.
7. Despliegue el efecto **Iluminado** para ver sus propiedades.
8. Pulse el botón **Preestablecidos** para desplegar su galería de muestras y escoja alguna de las **Variaciones de iluminado.**
9. Si arrastra una forma o cualquier otro objeto mientras pulsa la tecla **Control**, crea un duplicado de éste que se ubicará en el punto en que culmine el arrastre, mientras el original permanece en su posición. Por otra parte, el uso de la tecla **Mayúsculas** mientras arrastra un objeto le asegura que el desplazamiento sea en línea recta en una dirección, ya sea horizontal o vertical. Pulse simultáneamente las teclas **Mayúsculas** y **Control** y, sin soltarlas, arrastre la línea creada hacia arriba hasta ubicarla más o menos centrada verticalmente entre el título de la presentación y la estrella que está sobre éste.
10. Ha creado un duplicado perfecto y unas líneas punteadas le han confirmado durante el arrastre que ambas líneas están perfectamente alineadas. Sepa que estas guías son una novedad de Office 2013. Guarde los cambios para terminar.

Las líneas admiten perfectamente degradados, iluminados y sombras entre otros estilos y efectos.

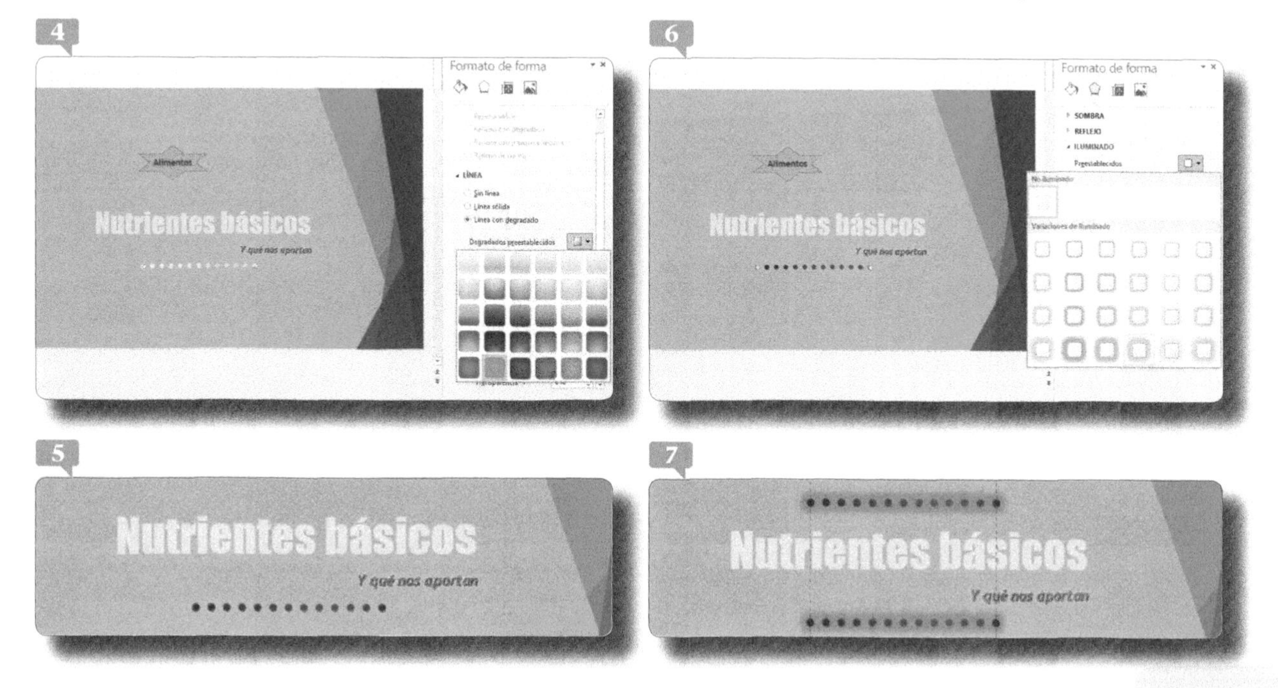

Trazar curvas y formas libres

IMPORTANTE

Las autoformas son un grupo de formas elaboradas de forma predeterminada en PowerPoint, formas que incluyen líneas, flechas de bloque, conectores, etc.

DENTRO DE LA HERRAMIENTA FORMAS SE incluyen curvas, formas libres y líneas a mano alzada. Las formas libres permiten trazar objetos con segmentos curvos y rectos, mientras que las líneas a mano alzada permiten dibujar formas idénticas al trazo del ratón.

1. En este ejercicio le mostraremos cómo puede trazar curvas y formas libres utilizando las opciones de las autoformas. Empezaremos trazando una línea curva con forma de onda. Haga clic en la pestaña **Insertar** de la **Cinta de opciones**.
2. A continuación, pulse sobre el icono de la herramienta **Formas** del grupo **Ilustraciones** y haga clic en el décimo icono del apartado **Líneas**, correspondiente a la herramienta **Curva**.
3. Con la autoforma **Curva** seleccionada, ya podemos empezar a trazar las formas que deseemos para lo que utilizaremos la técnica de arrastre. Debe saber que cada vez que soltemos el botón del ratón se creará un punto de inflexión en la curva trazada. Para finalizar el proceso, debe pulsar la tecla **Escape** de su teclado o bien hacer doble clic sobre el punto final. Sabiendo estas directrices, trace una sucesión de tres segmentos inclinados, como si quisiera trazar un zigzag, de manera que el resultado obtenido sea una especie de onda.

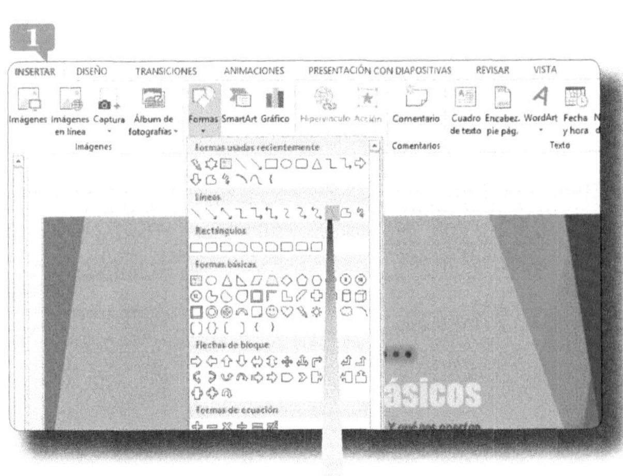

No puede trazar una curva mediante la técnica de arrastre, sino mediante una sucesión de clics que indiquen los puntos de inflexión.

4. En el momento en que da por finalizado el trazado de la autoforma con la pulsación de la tecla **Escape**, la figura queda delimitada por los puntos de anclaje que le permitirán modificarla y voltearla. Haga clic en una zona libre de la diapositiva para deseleccionarla.
5. Tanto las formas libres como las líneas a mano alzada se trazan del mismo modo que las líneas curvas, tal y como comprobaremos a continuación. Haga clic en el icono de la herramienta **Formas** del grupo de herramientas **Ilustraciones** y pulse sobre el penúltimo icono del apartado **Líneas**, correspondiente a la herramienta **Forma libre**.
6. Con esta herramienta seleccionada, pulse la tecla **Control** y, sin soltarla dibuje un triángulo trazando lado a lado y haciendo clic en cada uno de lo que serán los vértices de la figura. El último punto debe coincidir con el primero; de esta manera la figura quedará cerrada. Así, el programa la rellenará con el color de relleno actual.
7. Como siempre, utilizando las herramientas de la subficha **Formato** de la ficha contextual **Herramientas de dibujo** podemos modificar esta forma. Deseleccione la forma pulsando en una zona libre de la diapositiva.
8. Guarde los cambios pulsando el icono **Guardar** de la **Barra de herramientas de acceso rápido**.

Recuerde que la técnica de arrastre requiere la pulsación continua del botón del ratón mientras se arrastra el puntero.

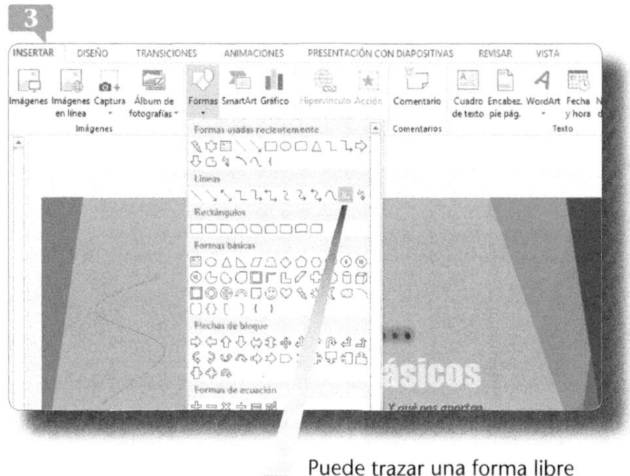

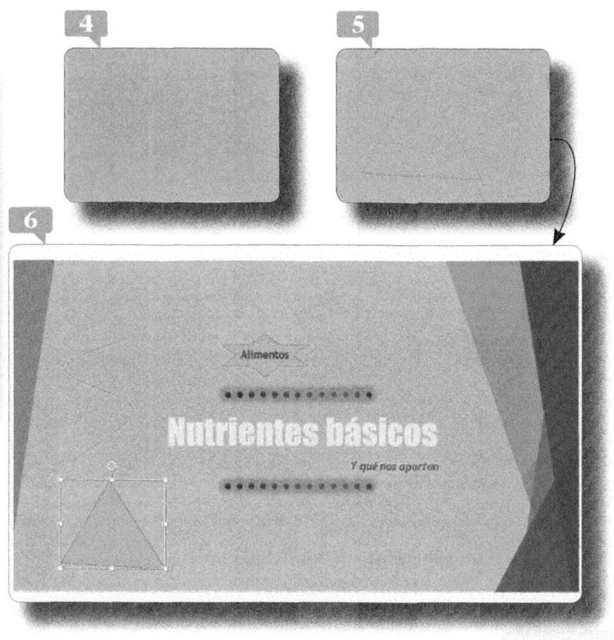

Puede trazar una forma libre con un arrastre de ratón, aunque si quiere obtener líneas rectas y ángulos definitivamente es preferible hacer clics en los vértices.

Trazar flechas de bloques

IMPORTANTE

En comparación con las flechas lineales, las flechas de bloques presentan la ventaja de ser mucho más visibles en una presentación a causa de sus dimensiones y sus formas.

LAS FLECHAS DE BLOQUE SE ENCUENTRAN en la herramienta Formas de la ficha Insertar. Son figuras en forma de flecha que, a diferencia de las flechas lineales, tienen cuerpo. Son objetos cerrados cuyo perímetro señala una dirección en el plano.

1. En este ejercicio le mostraremos el sencillo proceso para insertar flechas de bloque en sus diapositivas, así como el modo de manipularlas. Empezaremos eliminando algunas de las formas que hemos creado en ejercicios anteriores para limpiar la diapositiva actual. Seleccione con un clic el triángulo creado con la herramienta de forma libre 1 y pulse la tecla **Suprimir** para eliminarlo.
2. Seleccione y borre también la curva y la estrella que insertamos en ejercicios anteriores.
3. Haga clic ahora en el icono de la herramienta **Formas** del grupo **Ilustraciones** en la ficha **Insertar**.
4. Vamos a situar sobre el título de la diapositiva una de estas flechas para, a continuación, modificar su ubicación. Pulse sobre el primer icono de la segunda fila del apartado **Flechas de bloque**. 2

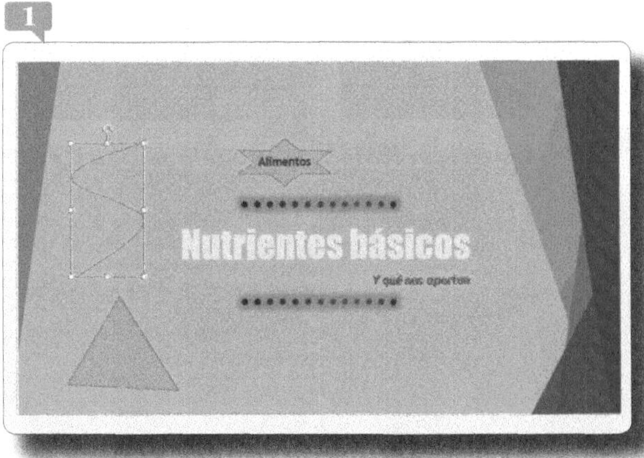

Aunque la manera más rápida de eliminar formas y figuras es pulsando la tecla **Suprimir**, sepa que también puede utilizar el menú contextual de cada elemento.

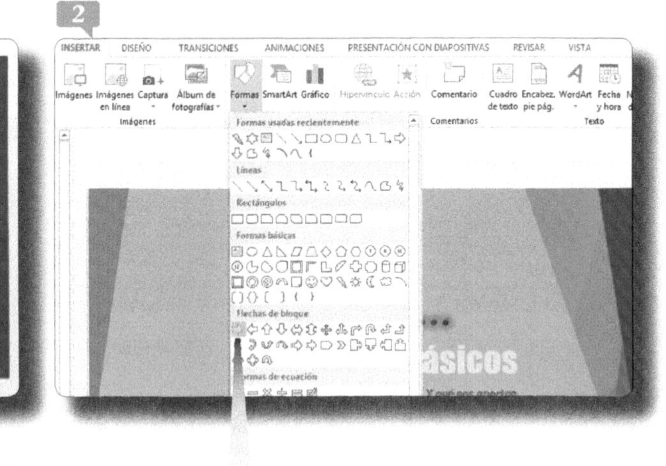

5. Con la herramienta seleccionada, haga un doble clic en la esquina inferior derecha de la diapositiva para insertar la flecha de bloque en este punto.
6. De este modo aparece la flecha con unas dimensiones predefinidas. Las flechas de bloque aparecen delimitadas por los puntos de anclaje, que permiten, como ya sabe, modificar el tamaño de la figura y rotarla. Para cambiar su ubicación podemos utilizar el arrastre o unas las herramientas del panel de tareas **Formato de forma**. Pulse el icono **Tamaño y propiedades**, que es el tercero de la cabecera del mencionado panel, ahora abierto en pantalla, y despliegue en su vista, si hace falta, el apartado **Posición**.
7. En el campo **Posición horizontal**, escriba el valor **30,5**.
8. Usando los botones de flecha introduzca el valor **17** en el campo **Posición vertical** y compruebe el resultado.
9. Active la ficha **Formato** de **Herramientas de dibujo** y despliegue la galería **Estilos de forma**.
10. Seleccione una muestra que contraste contra el fondo de la forma.
11. Deseleccione la flecha de bloque pulsando en una zona libre de la diapositiva y guarde los cambios pulsando el icono **Guardar** de la **Barra de herramientas de acceso rápido**.

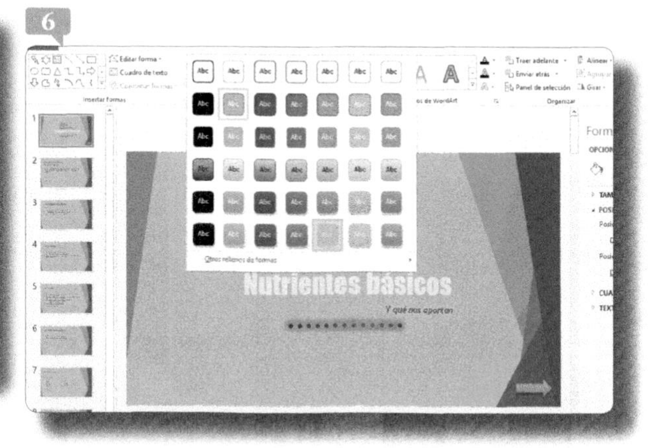

Mediante la técnica de arrastre, además de cambiar el tamaño, la ubicación y la proporción de la flecha, se puede conseguir que tenga una orientación distinta a la predeterminada.

Organizar los objetos de una diapositiva

CUANDO DOS O MÁS OBJETOS SE SUPERPONEN total o parcialmente, uno de ellos debe tapar forzosamente al resto. Se considera que el objeto que tapa total o parcialmente al resto de objetos está situado en primer plano.

1. En este ejercicio le mostraremos cómo superponer figuras mediante las opciones de la herramienta **Organizar**. Seleccione la diapositiva 1 la presentación **Los nutrientes 3**.
2. Seleccione una a una las dos líneas punteadas y arrástrelas hasta colocarlas sobre la figura de la esquina inferior derecha.
3. Tal vez debimos decir "colocarlas detrás", ya que las líneas han quedado detrás de la forma porque fueron añadidas después de ésta. Centre la forma sobre ellas [1] y manténgala seleccionada.
4. Las herramientas de organización de objetos se encuentran tanto en la herramienta **Organizar** de la ficha **Inicio** como en el grupo del mismo nombre de la subficha **Formato**. En este caso, haga clic en la herramienta **Organizar** [2] y pulse sobre la opción **Enviar al fondo**. [3]
5. Compruebe que la forma compuesta se ha colocado detrás de

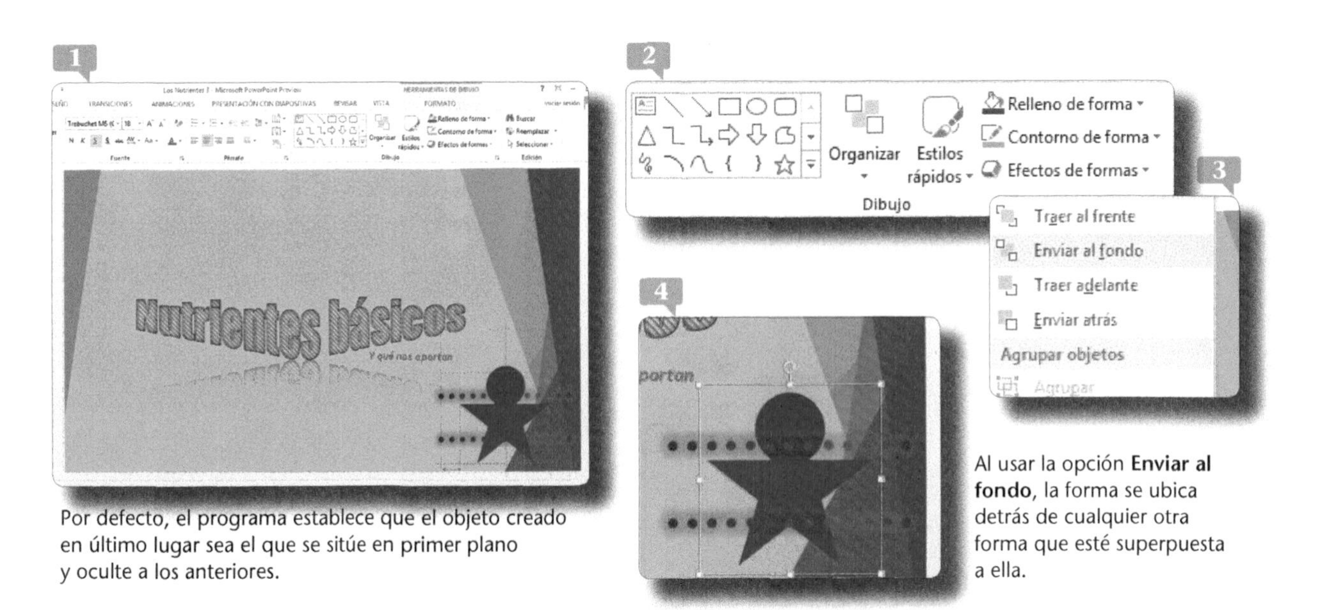

Por defecto, el programa establece que el objeto creado en último lugar sea el que se sitúe en primer plano y oculte a los anteriores.

Al usar la opción **Enviar al fondo**, la forma se ubica detrás de cualquier otra forma que esté superpuesta a ella.

las dos líneas punteadas, en el último plano. Ahora situaremos la forma compuesta delante de una sola de las líneas. Haga clic en la pestaña de la subficha **Formato** de la ficha contextual **Herramientas de dibujo** y pulse sobre el comando **Traer adelante** del grupo de herramientas **Organizar** todas las veces que sea necesario para que la forma se ubique delante de la línea punteada de abajo. Debería ser 4 veces.

6. Muestre el menú contextual de la forma compuesta, seleccione el comando **Agrupar** y, de sus opciones, el comando **Desagrupar**. Luego pulse sobre el círculo y aplíquele algún color contrastante. Luego pulse la punta de flecha del comando **Traer adelante** y escoja la opción **Traer al frente.**
7. De este modo, la forma circular pasa a situarse en primer plano, por encima del resto de formas. Antes de acabar el ejercicio, haremos que el círculo se ubique detrás de la estrella. Pulse el botón **Enviar atrás** dos veces y compruebe cómo el círculo está primero detrás de la línea punteada y luego detrás de la estrella. Deseleccione la forma pulsando en cualquier zona libre de la diapositiva y guarde los cambios pulsando el icono **Guardar** de la **Barra de herramientas de acceso rápido**.

IMPORTANTE

La diferencia entre **Traer al frente** y **Traer adelante** radica en la posición a la que se mueve el objeto seleccionado. De este modo, cuando un objeto se encuentra tapado por otros objetos y se elige la opción **Traer al frente**, este se situará en primer plano; sin embargo, si se elige la opción **Traer adelante**, se moverá solo una posición, situándose en el plano correspondiente respecto al resto de los otros objetos. Ocurre lo mismo con las opciones **Enviar al fondo** y **Enviar atrás**.

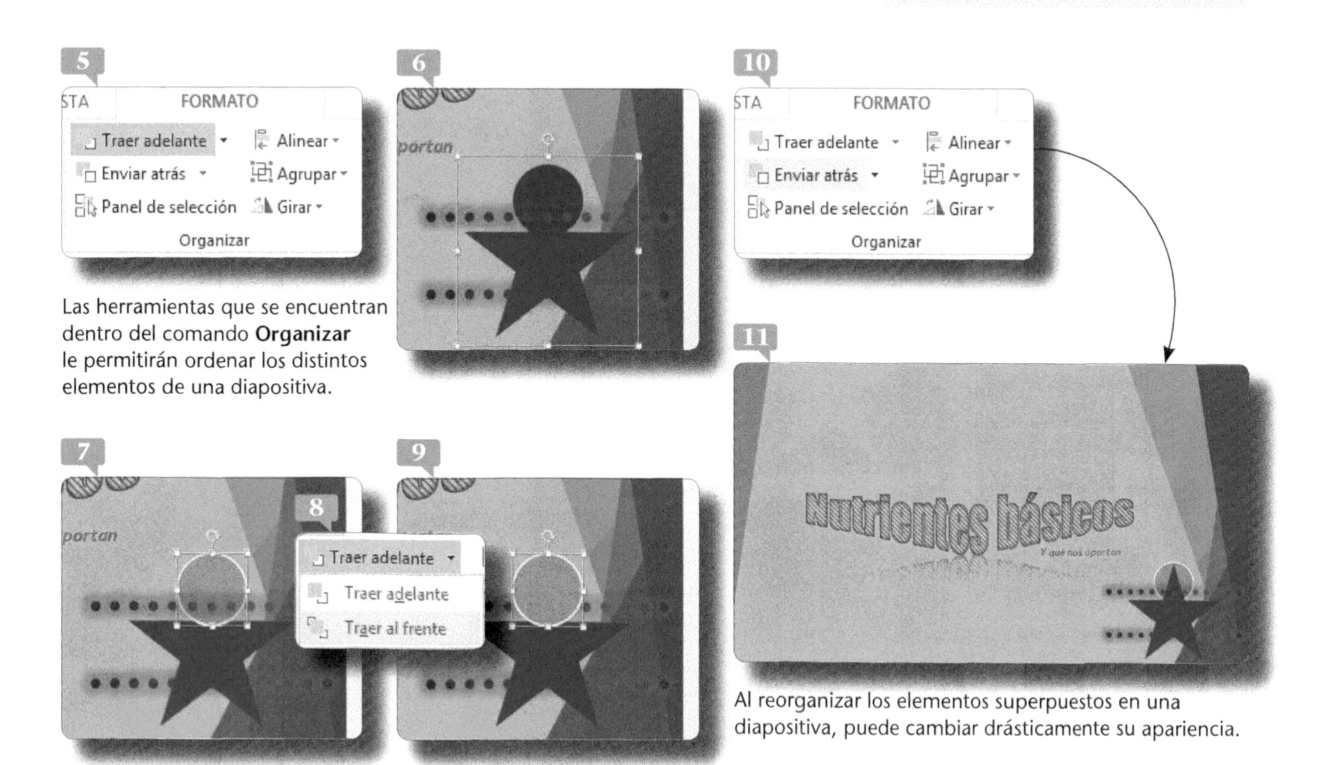

Las herramientas que se encuentran dentro del comando **Organizar** le permitirán ordenar los distintos elementos de una diapositiva.

Al reorganizar los elementos superpuestos en una diapositiva, puede cambiar drásticamente su apariencia.

Voltear los objetos de una diapositiva

IMPORTANTE

Para girar libremente cualquier figura, en primer lugar, debe estar seleccionada. Dicha selección proporciona una serie de tiradores, entre los cuales se encuentra el que se utiliza para voltear las figuras. Este tirador se diferencia del resto porque es una flecha redonda. Mediante la técnica de arrastre de dicho tirador, el objeto gira hacia la dirección indicada.

VOLTEAR UN OBJETO SIGNIFICA HACERLO GIRAR sobre un plano. El usuario puede llevar a cabo esta acción de forma libre, utilizando los comandos de la herramienta **Girar** y mediante los controles del cuadro **Tamaño y posición**.

1. En este ejercicio aprenderemos a voltear objetos mediante todos los procedimientos posibles. Para empezar, seleccione la estrella y el círculo de la primera diapositiva de la presentación **Los nutrientes 3** y vuelva a agruparlas. [1]
2. Compruebe que en la parte superior de la figura, a un nivel superior al de los tiradores, aparece un tirador de color redondo. Éste es el tirador que debemos utilizar para girar manualmente la figura. [2] Haga clic sobre el mencionado tirador y, sin soltar el botón del ratón, arrástrelo aproximadamente un centímetro hacia la izquierda en línea recta, punto en el que puede liberar el botón. [3]
3. De este modo podemos voltear libremente los objetos. Ahora utilizaremos las opciones de la herramienta **Girar** para seguir volteando la forma. Haga clic en el comando **Organizar** del grupo de herramientas **Dibujo** en la ficha **Inicio** y pulse en la opción **Girar**. [4]

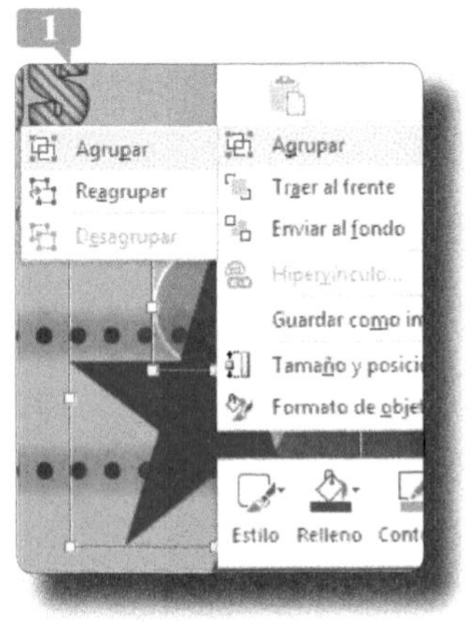

Mientras gira la forma mediante el arrastre, esta se ve ligeramente traslúcida.

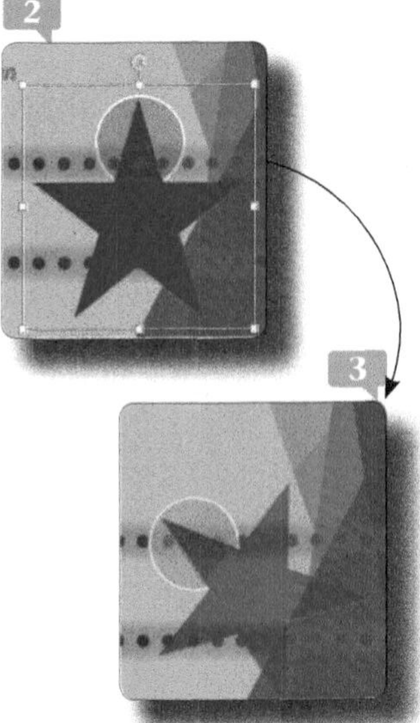

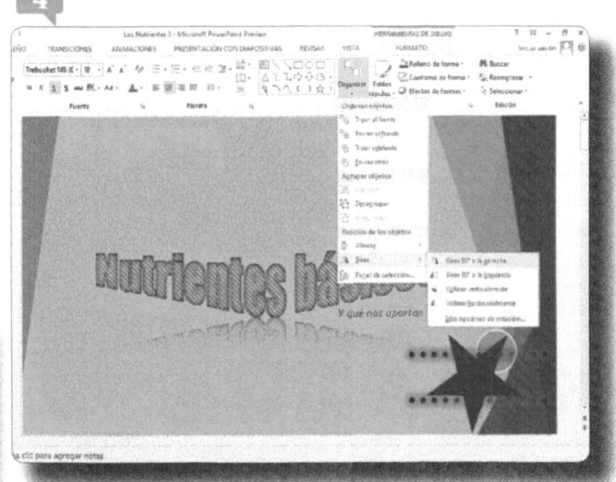

El comando **Organizar** oculta los comandos **Ordenar objetos**, **Agrupar objetos** y **Posición de los objetos**.

4. Recuerde que la nueva función de vista previa permite comprobar el efecto conseguido antes de aplicar definitivamente uno u otro ángulo de giro. Haga clic en la opción **Girar 90º a la derecha**.
5. A continuación, comprobaremos el funcionamiento del comando **Voltear**. Haga clic en la pestaña de la subficha **Formato**.
6. Luego haga clic sobre el icono de la herramienta **Girar**, el último del grupo **Organizar**, y pulse sobre la opción **Voltear verticalmente**.
7. Para acabar, volveremos a mostrar la forma en su posición vertical original utilizando los controles del cuadro **Formato de forma**. Haga clic en el icono de la herramienta **Girar** y pulse sobre el comando **Más opciones de rotación**.
8. Observe que en la ficha **Tamaño** del panel de tareas **Formato de forma** se encuentra el control **Giro**, que permite modificar el grado de giro de los objetos. Haga clic dentro del cuadro de texto del campo **Giro** y escriba el valor 180.
9. Pulse el botón **Cerrar** del cuadro **Tamaño y posición** para comprobar el resultado del cambio en la diapositiva y guarde los cambios realizados utilizando para ello el método de su preferencia.

IMPORTANTE

La diferencia entre girar y voltear es el ángulo de giro. En el caso de la función **Girar**, el objeto efectúa un giro de 90 grados, tanto a la izquierda como a la derecha, mientras que al voltear un objeto, este gira en un ángulo de 180 grados horizontal o verticalmente.

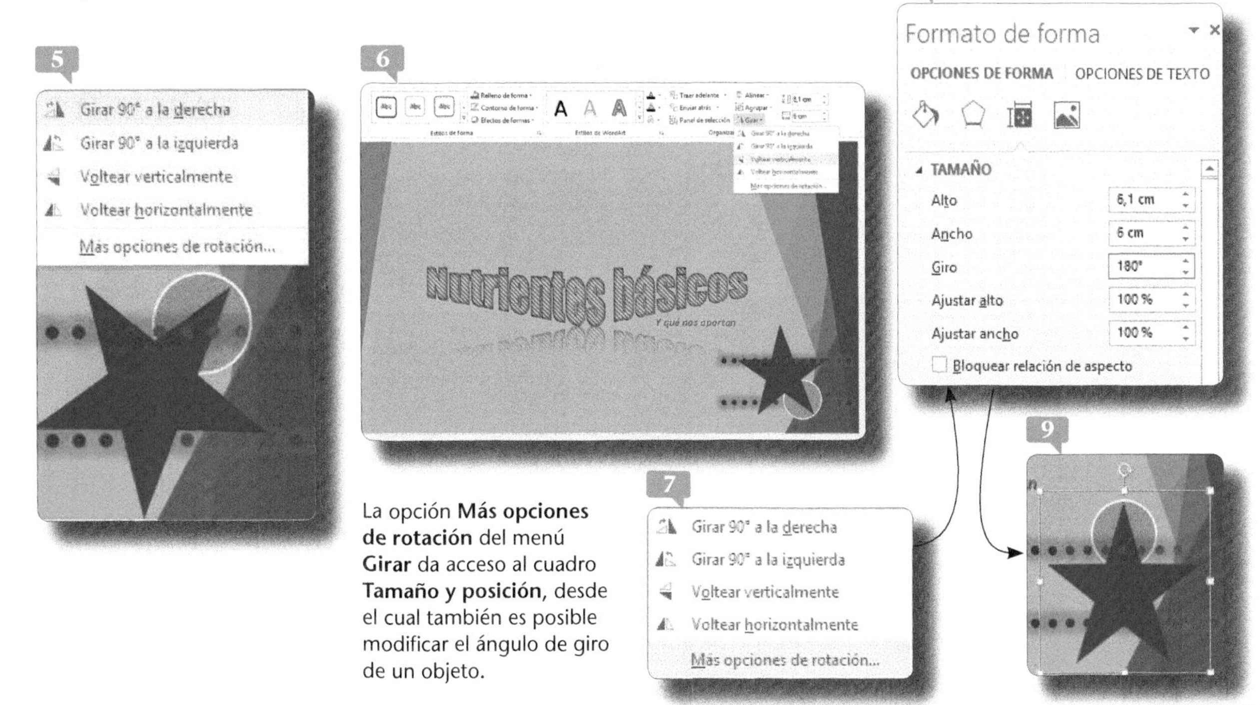

La opción **Más opciones de rotación** del menú **Girar** da acceso al cuadro **Tamaño y posición**, desde el cual también es posible modificar el ángulo de giro de un objeto.

Insertar y editar imagen desde archivo

IMPORTANTE

Podemos reducir el tamaño del archivo de imagen creando un vínculo al mismo, de modo que se crea una conexión entre ellos y cuando se producen cambios en el original, estos se reflejan también en la imagen insertada en la diapositiva. En este caso, si desea compartir la presentación tendrá que enviar la imagen por separado.

LAS IMÁGENES INSERTADAS desde un archivo se incrustan en la diapositiva y la información que contienen pasa a formar parte de la presentación. La inserción de imágenes en una diapositiva se lleva a cabo desde la ficha Insertar de la Cinta de opciones.

1. En este ejercicio aprenderemos a insertar una imagen en una de las diapositivas de nuestra presentación. Trabajaremos de nuevo con la imagen **Frutas.jpg**; si no dispone de ella, puede descargarla de nuestra página y guardarla en su equipo. Para empezar, seleccione la diapositiva número **2** en el **Panel de diapositivas**, despliegue el comando **Diseño** de la ficha **Inicio** y escoja la opción **Dos objetos.** [1]
2. El diseño se aplica a la diapositiva. Podría ahora pulsar la herramienta **Imagen** del grupo **Ilustraciones** en la ficha **Insertar**, pero en lugar de ello pulse el primer icono de la segunda fila, de los que están ubicados en medio del marcador de posición en blanco. [2]
3. Se abre de este modo el cuadro de diálogo **Insertar imagen**, mostrando por defecto el contenido de la carpeta **Imágenes** del equipo. Para insertar una de estas imágenes en la diapositiva, basta con seleccionarla y pulsar el botón **Insertar**. Pulse sobre la imagen denominada **Frutas** para seleccionarla y haga clic sobre el botón **Insertar.** [3]

Si desea agregar más de una imagen, debe seleccionarlas a la vez en el cuadro **Insertar imagen** con ayuda de la tecla **Mayúsculas.**

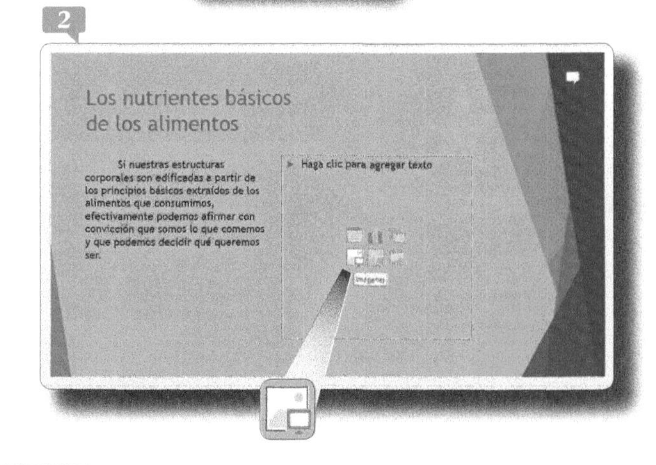

4. La imagen seleccionada se inserta en el marcador de posición a la vez que se activa la ficha contextual **Herramientas de imagen**, en cuya subficha **Formato** encontramos las herramientas necesarias para editar la imagen. En este ejercicio trabajaremos con algunas de estas herramientas y en el siguiente, conoceremos otras. En primer lugar, aumentaremos el tamaño de la imagen. Haga clic sobre el botón de expansión del cuadro del grupo de herramientas **Tamaño**.
5. Aparece el panel de trabajo **Formato de imagen**. En este caso, aumentaremos la escala del objeto. En el campo **Ajustar alto** escriba el valor **150** y pulse la tecla **Retorno** para que el cambio sea aplicado a la presentación.
6. Arrastre la imagen hacia arriba para que no se salga de la diapositiva, y pulse el botón **Más** de la galería **Estilos de imagen** en la **Cinta de opciones**.
7. Escoja algún estilo que le agrade, observe el efecto y, de nuevo en el panel, pulse en el botón **Imagen** de su cabecera. Despliegue el apartado **Correcciones**, pulse el botón **Preestablecidos** del apartado **Brillo y contraste** y, de la galería que se despliega, elija la muestra que le resulte más conveniente y guarde los cambios

IMPORTANTE

Las opciones **Vincular al archivo** e **Insertar y vincular**, incluidas en el botón **Insertar** del cuadro **Insertar imagen**, crean una conexión entre el archivo original y el insertado de manera que los cambios en el primero se reflejan en el segundo.

Insertar | Cancelar
Insertar
Vincular al archivo
Insertar y vincular

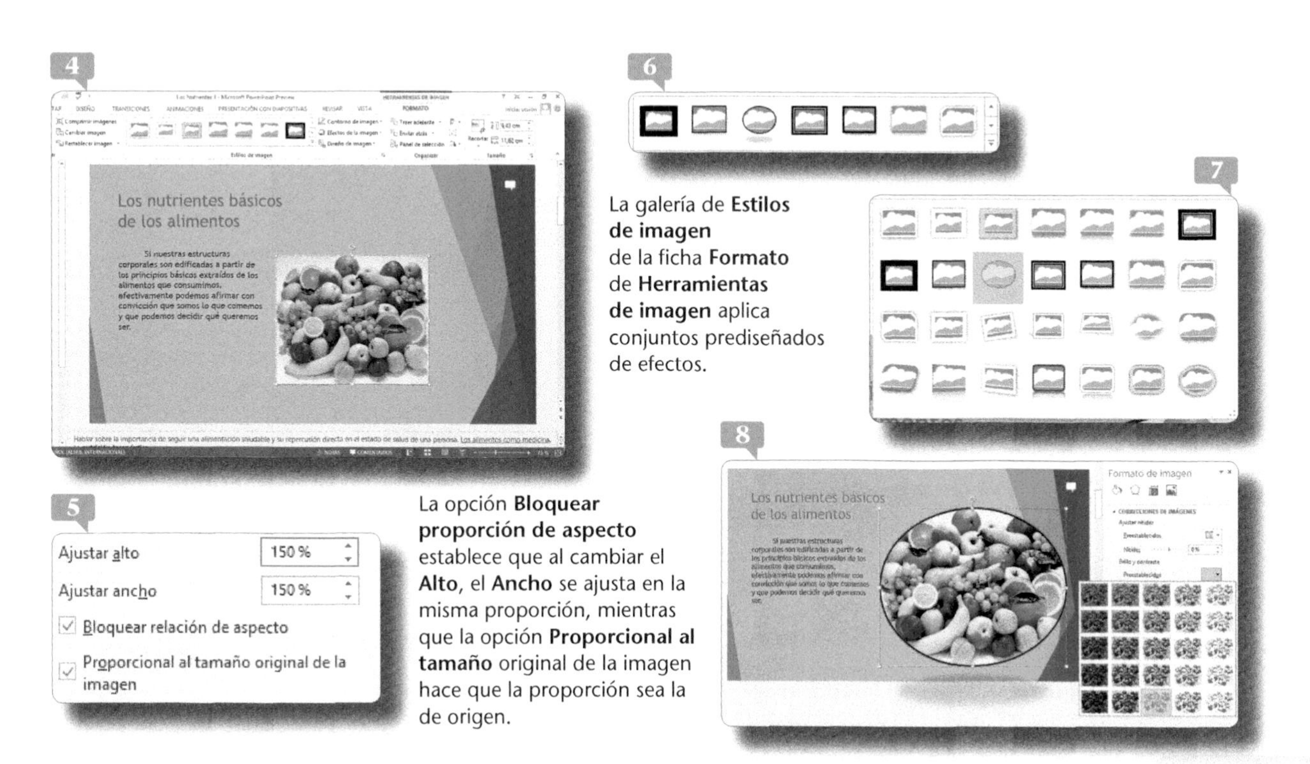

La galería de **Estilos de imagen** de la ficha **Formato** de **Herramientas de imagen** aplica conjuntos prediseñados de efectos.

La opción **Bloquear proporción de aspecto** establece que al cambiar el **Alto**, el **Ancho** se ajusta en la misma proporción, mientras que la opción **Proporcional al tamaño** original de la imagen hace que la proporción sea la de origen.

Insertar imágenes en línea

IMPORTANTE

Con un simple clic, el usuario puede insertar la imagen en el marcador de posición que esté vacío o, si no lo hubiese, en medio de la pantalla. Además de las imágenes contenidas en el banco de Office.com, el usuario también puede realizar una búsqueda con Bing para localizar otras imágenes en toda la web. En este caso se mostrarán solo imágenes con licencias de **Creative Commons.**

Búsqueda de imágenes de Bing
Buscar en la Web

POWERPOINT 2016 CUENTA con que el usuario esté conectado a Internet y sustituye la galería de imágenes prediseñadas por el comando Imágenes en línea, que le permite descargar de internet tanto ilustraciones como fotografías que puede usar libremente para sus presentaciones.

1. En este ejercicio le mostraremos cómo puede insertar imágenes de la galería en línea de **Office.com** y ajustarlas en sus diapositivas. En el **Panel de diapositivas**, haga clic sobre la diapositiva número **3** y aplíquele el diseño **Dos objetos**, tal como hizo en el ejercicio anterior.
2. Sitúese en la ficha **Insertar** de la **Cinta de opciones** y pulse sobre el botón **Imágenes en línea** del grupo de herramientas **Imágenes.** [1]
3. Se abre el cuadro **Imágenes prediseñadas**, que ya vimos cuando estaba trabajando con los fondos. En este caso buscaremos todas las imágenes relacionadas con el término **grano**. Escriba esta palabra en el campo **Buscar** y pulse la tecla **Retorno.** [2]
4. En unos pocos segundos se muestran las opciones disponibles. Utilice la barra de desplazamiento vertical para conseguir una imagen que le guste, selecciónela y pulse el botón **Insertar.** [3]
5. Una vez descargada la imagen, se inserta automáticamente en el marcador de posición que estaba vacío, sin necesidad de se-

Imágenes en línea

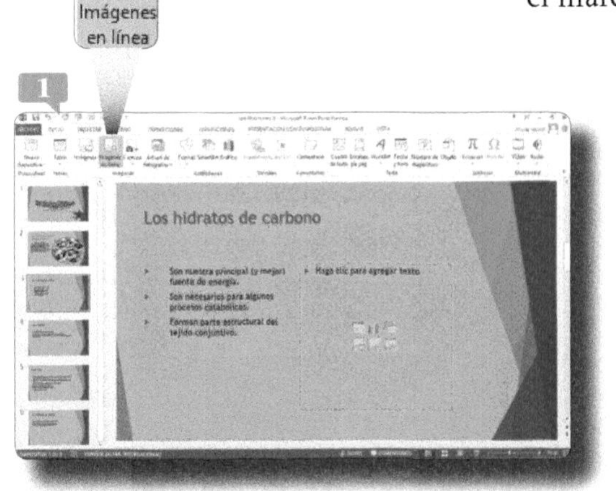

El botón **Imágenes en línea** del cuadro **Insertar imágenes**, a diferencia del que vimos en la lección anterior, le permite buscar imágenes en la red.

Use el icono de lupa para obtener una previsualización ampliada de la imagen.

leccionarlo previamente. Además aparece la ficha contextual **Herramientas de imagen.**

6. A continuación vamos a reubicar la imagen. Haga clic en el botón de expansión del grupo de herramientas **Tamaño.**
7. Despliegue el apartado **Posición** del panel de tareas **Formato de imagen** y utilice los botones de los campo **Posición vertical** y **Posición horizontal** para reubicar la imagen a su gusto mientras observa cómo se desplaza por la diapositiva el objeto.
8. A continuación, pulse el icono **Efectos** del panel de tareas que tiene abierto en pantalla y haga clic sobre la opción **Sombra** para desplegar sus opciones. Luego pulse el botón **Preestablecidos** para ver la galería de efectos que incluye, seleccione alguno del apartado **Exterior** y compruebe el efecto logrado.
9. Si la imagen a la que aplicamos la sombra tiene un fondo transparente, la sombra delinea la imagen propiamente, y por lo tanto no coincide con la caja contenedora. Cuando haya acabado , cierre el panel **Formato de imagen** pulsando su botón de aspa, pulse en cualquier zona libre de la diapositiva para deseleccionar la imagen y guarde los cambios.

IMPORTANTE

Para buscar imágenes en línea también puede utilizar el segundo icono de cualquier marcador de posición de objetos.

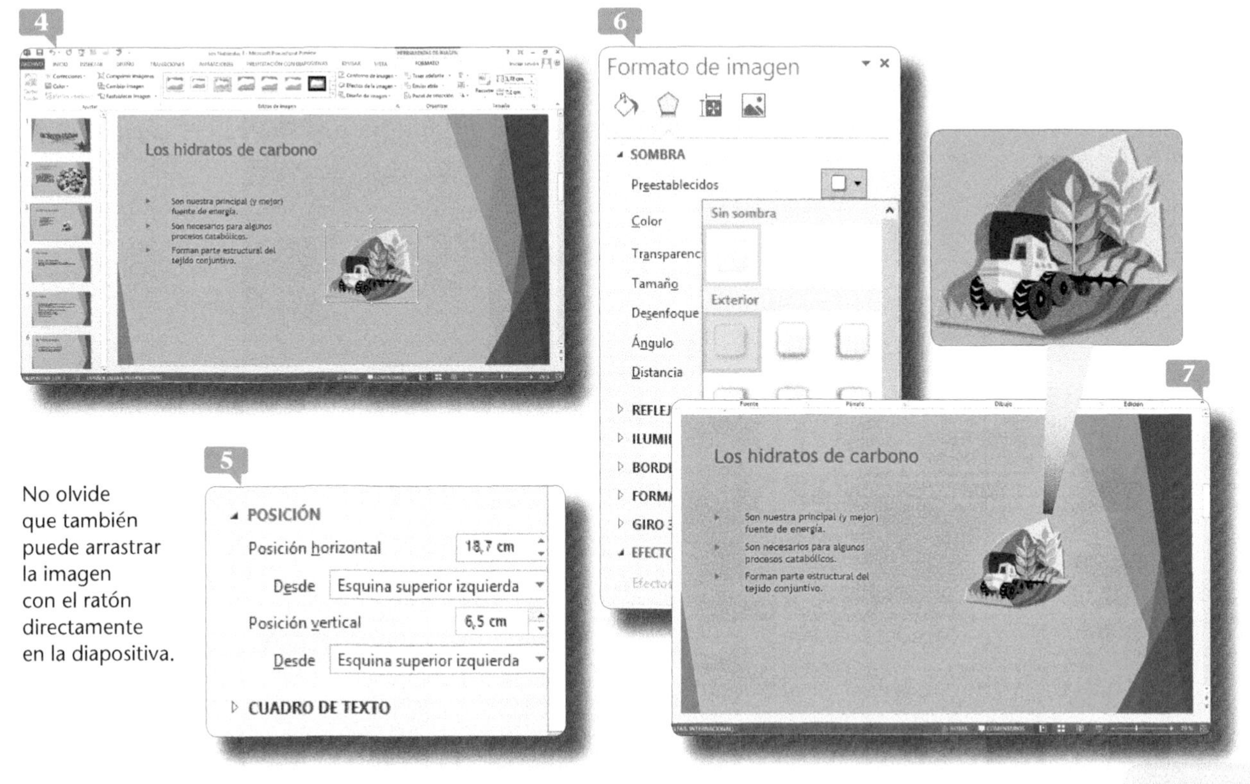

No olvide que también puede arrastrar la imagen con el ratón directamente en la diapositiva.

Insertar captura de pantalla

LAS CAPTURAS DE PANTALLA SON INSTANTÁNEAS del contenido que muestra la pantalla en un determinado momento. Suelen ser muy útiles para mostrar la interfaz de un programa o insertar la imagen de una página web. PowerPoint 2016 ofrece desde la ficha Insertar, una forma directa de insertar estas capturas.

1. En este ejercicio le mostraremos cómo insertar una captura de pantalla de una página web. Para empezar, inserte al final de la presentación una nueva diapositiva con el diseño **Imagen con título.** [1]
2. En la diapositiva insertaremos una captura de pantalla de una página web. Active su explorador de Internet, acceda a algún sitio web que le parezca apropiado (¡o no!) y luego, desde la **Barra de tareas**, active PowerPoint, que está minimizado. [2]
3. Active la ficha **Insertar** y pulse sobre el comando **Captura** del grupo **Imágenes.** [3]
4. En este comando permite, en primer lugar, insertar una captura de cualquiera de las ventanas activas en el ordenador y, en segundo lugar, recortar manualmente el área deseada. Haga clic sobre la imagen correspondiente al explorador web. [4]

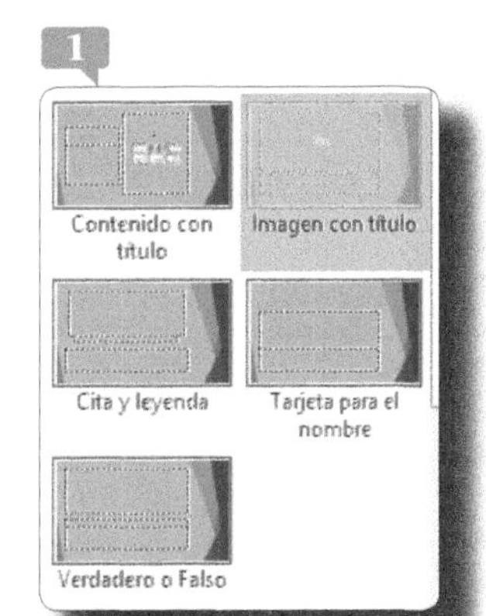

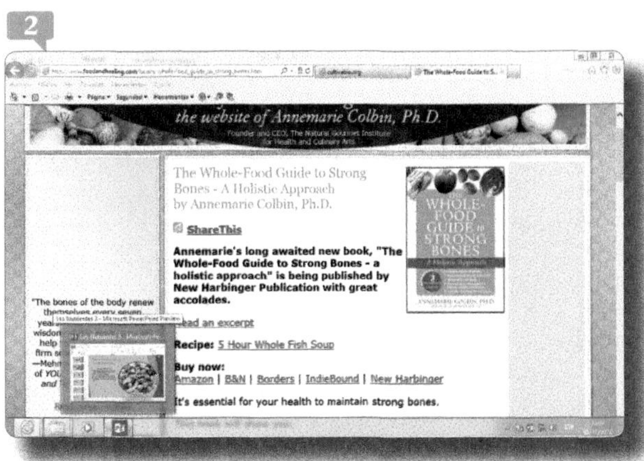

Si tiene varias presentaciones abiertas, al colocar el puntero del ratón sobre el icono de PowerPoint se muestra una miniatura de cada una, con el nombre respectivo en la cabecera.

La posibilidad de realizar una captura de pantalla desde PowerPoint e insertarla automáticamente en una diapositiva fue incorporada en la versión 2010.

5. Se abre que un cuadro de diálogo que le pregunta su desea crear un hipervínculo en la imagen que remita a la URL del explorador. Para este ejercicio seleccione la opción **Recordar mi elección** y pulse el botón **No.** 5
6. De forma automática una captura de pantalla de dicha página se inserta en el marcador de posición de imagen 6 a la vez que se activa la pestaña contextual **Herramientas de imagen.** Esta captura ha sido insertada como una imagen y se puede editar igual que lo hacemos con una imagen insertada desde un archivo. A continuación comprobaremos cómo funciona el segundo procedimiento de inserción de capturas de pantalla. Pulse **Ctrl.+Z** para deshacer, vuelva a desplegar el comando **Captura** de la ficha **Insertar** y en esta ocasión seleccione la opción **Recorte de pantalla.** 7
7. Aparece en pantalla la página web activa en segundo plano, pero en esta ocasión cubierta por una capa semiopaca y el puntero del ratón ha adquirido forma de cruz. Este puntero le permitirá seleccionar el área de la página que le interese. Mediante la técnica de arrastre seleccione algún segmento de la imagen. 8
8. Al soltar el ratón el área seleccionada se inserta automáticamente en el marcador de posición. 9 Guarde los cambios realizados para terminar.

IMPORTANTE

Al insertarse la captura en el marcador de posición, es recortada automáticamente de forma que quepa dentro de este.

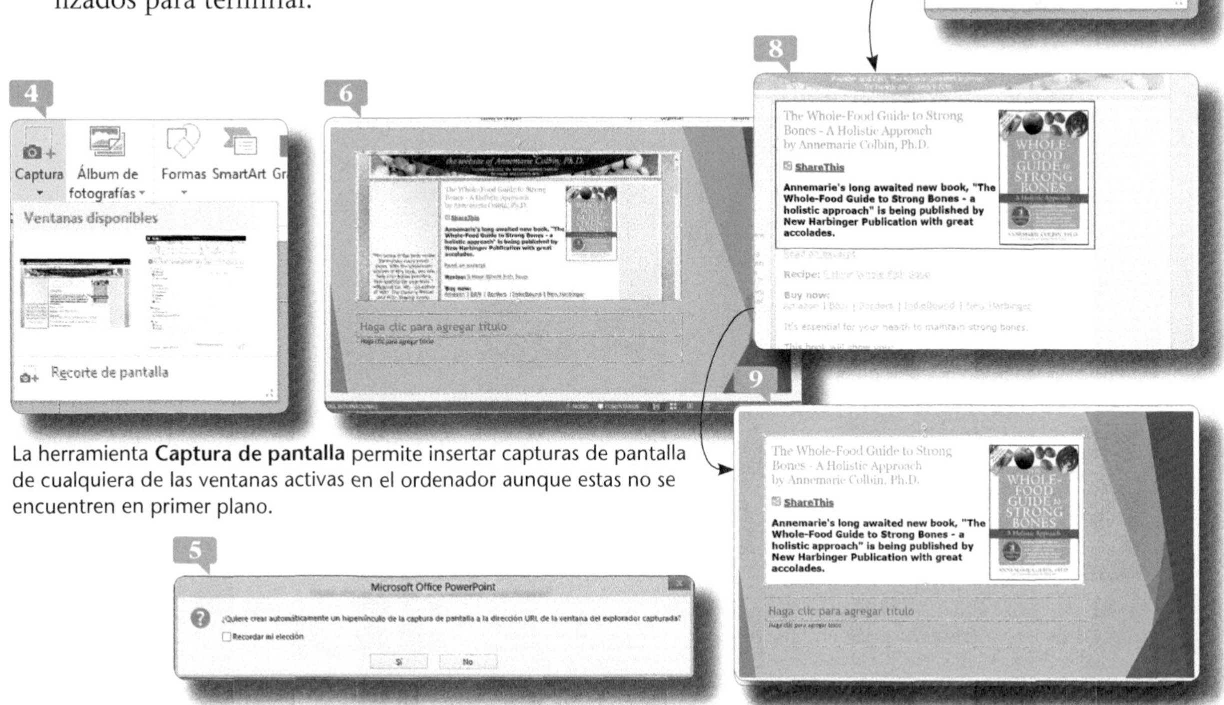

La herramienta **Captura de pantalla** permite insertar capturas de pantalla de cualquiera de las ventanas activas en el ordenador aunque estas no se encuentren en primer plano.

Aplicar efectos artísticos a imágenes

CON POWERPOINT 2016 PUEDE APLICAR DIFERENTES efectos artísticos a las imágenes para brindarles un aspecto más similar a un boceto, dibujo o pintura. Algunos de los efectos nuevos incluyen Boceto con lápiz, Dibujo de línea, Boceto de tiza, Esponja de acuarela, Globos de mosaico, Cristal, Cemento, Pasteles suaves, Plastificado, Iluminado de bordes, Fotocopia y Trazos de pintura.

1. En este ejercicio aplicaremos los nuevos efectos artísticos sobre las imágenes que hemos insertado en la diapositiva número **2** en ejercicio anteriores, así que selecciónela con un clic.
2. Pulse sobre la fotografía que se encuentra en la diapositiva y active la pestaña **Formato** de la ficha contextual **Herramientas de dibujo**.
3. Los efectos artísticos disponibles en PowerPoint 2016 se encuentran en el comando **Efectos artísticos** del grupo de herramientas **Ajustar**. Haga clic sobre dicho comando.
4. Verá que se despliega un panel con distintos efectos y que cada uno de ellos está representado con el efecto aplicado sobre una miniatura de la imagen seleccionada. Pase el ratón sin hacer clic sobre varios de los efectos para comprobar el efecto que tendrá sobre la imagen seleccionada.
5. Ahora haga clic sobre el efecto **Cemento**, el primero de la

No debe confundir los llamados **Efectos artísticos** con los **Efectos**, a secas, que pueden ser aplicados a cualquier objeto.

Gracias a la **Vista previa activa** podrá comprobar el resultado de un efecto antes de seleccionarlo y aplicarlo definitivamente.

cuarta fila, y fíjese en que la textura de la imagen ha cambiado visiblemente.

6. Hemos elegido este efecto porque su resultado es muy notable. Ahora pasaremos a cambiar algunos de los parámetros de este efecto. Para ello es necesario acceder nuevamente al panel **Formato de imagen**. Muestre el menú contextual de la imagen haciendo un clic con el botón derecho del ratón sobre ésta.
7. Del menú contextual que se despliega seleccione la opción **Formato de imagen.**
8. Se abre así el panel de tareas **Formato de imagen**. Active si hace falta el bloque de Efectos pulsando en su icono y despliegue el apartado **Efectos artísticos.**
9. Haga clic en el botón de flecha **Efectos artísticos** para comprobar que está activado el efecto que hemos seleccionado y vuelva a hacer clic para plegar el panel.
10. Según el efecto seleccionado, cambian los parámetros que pueden ser modificados cambian. En el campo **Transparencia** introduzca el valor **25.**
11. Se hace menos intenso en efecto. En el campo **Espacio entre grietas** introduzca el valor **35.**
12. Cierre el panel **Formato de imagen**, haga clic en un espacio vacío para deseleccionar la imagen y guarde los cambios con la combinación de teclas **Ctrl.+G.**

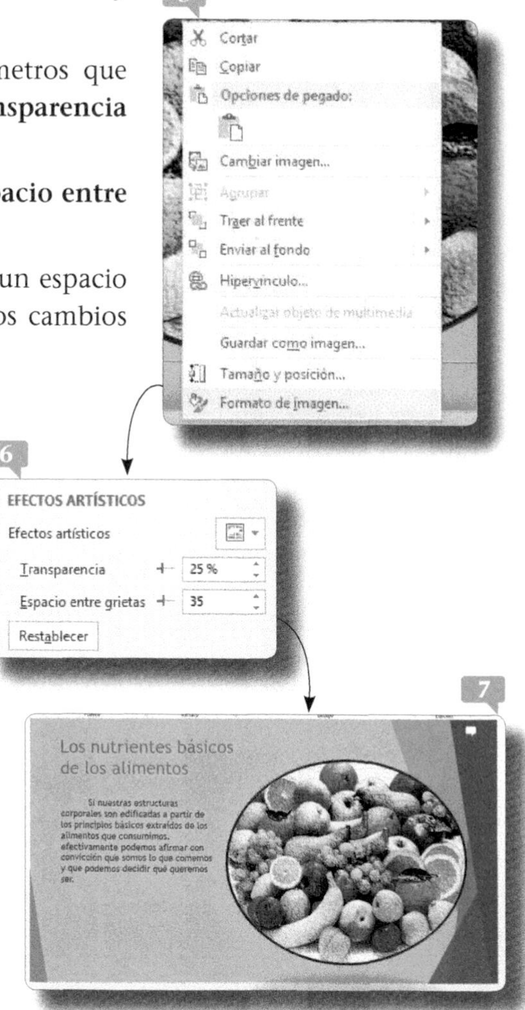

Desde la ficha **Efectos artísticos** del cuadro **Formato de imagen** se pueden modificar los matices de cada uno de los efectos.

Recortar una imagen

RECORTAR UNA IMAGEN NO SIGNIFICA REDUCIR su tamaño. Al recortar una imagen se pierde parte de su contenido, mientras que al reducir el tamaño, el contenido permanece intacto. Una imagen puede recortarse con el fin de ocultar o quitar partes no deseadas de la misma.

1. En este ejercicio aprenderemos a recortar una imagen en PowerPoint. Para ello primero insertaremos una imagen en nuestra presentación. Descargue y almacene en su equipo la imagen **Aceite.jpg**. Luego sitúese en la diapositiva número **5** e inserte la imagen usando el botón **Imagen** de la ficha **Insertar.** [1]
2. La imagen se inserta en el centro de la diapositiva cubriéndola casi completamente y se ha activado la subficha **Formato**. En el grupo de herramientas **Tamaño** haga clic en el icono de la herramienta **Recortar**. [2]
3. Aparecen ahora en los márgenes de la imagen los llamados controladores de recorte. [3] Para recortar la imagen por uno de sus lados, simplemente debemos pulsar sobre un marcador y arrastrarlo hacia el centro de la imagen. Pulse en este caso sobre el controlador de recorte de la esquina superior izquierda

IMPORTANTE

Es posible recortar cualquier imagen, excepto un GIF animado. Para recortar este tipo de archivo, se necesita un programa de edición de imágenes. Una vez manipulada, la imagen debe ser insertada de nuevo en la diapositiva.

La herramienta de recorte de imágenes se encuentra en la subficha **Formato,** de la ficha contextual **Herramientas de imagen**.

Recuerde que al recortar una imagen se pierden partes de esta.

de la imagen y, sin soltar el botón del ratón, arrástrelo hasta poco antes de tocar las puntas de las hojas de las olivas.

4. La imagen queda marcada provisionalmente para ser recortada. Pulse sobre el botón **Recortar**, que está activado, para confirmar el corte y compruebe cómo se aplica. (4)
5. También es posible recortar la imagen en dimensiones exactas usando el cuadro **Formato de imagen**. Imaginemos que queremos recortar la imagen por abajo y más por la izquierda. Pulse el botón de expansión del grupo **Tamaño** de la cinta.
6. En el panel **Formato de imagen**, active las propiedades de imagen y expanda el apartado **Recortar**. En la categoría **Posición de recorte**, haga clic en el campo **Ancho** y escriba el valor **10** y luego escriba **9** en el campo **Alto** (5) mientras ve el efecto obtenido. (6)
7. Pulse el botón **Reducir** del campo **Arriba** en el mismo apartado (7) y compruebe cómo la posición del recorte sobre la imagen varía, pero no las dimensiones del recorte. (8) Los campos de la categoría **Posición de la imagen** le permiten modificar la posición de la imagen dentro del recorte, sin modificar su posición dentro de la diapositiva. Cierre el panel, haga clic sobre la imagen para seleccionarla, arrástrela al lateral derecho para que no tape el texto, deselecciónela pulsando en una zona libre de la diapositiva (9) y guarde los cambios realizados.

IMPORTANTE

Para recortar la imagen en proporciones iguales desde todos los márgenes, puede pulsar la tecla **Control** y, a la vez, arrastrar desde una de las esquinas de la imagen hacia el interior.

Al variar el **Alto** y el **Ancho** de la **Posición de recorte**, se modifica la posición del recorte sobre la imagen y también sobre la diapositiva.

Al variar los valores **Izquierda** y **Arriba** de la **Posición de recorte**, se modifica la posición del recorte sobre la imagen y por lo tanto también sobre la diapositiva.

Quitar fondo a una imagen

UNA DE LAS NOVEDADES MÁS DESTACABLES del trabajo con imágenes de PowerPoint 2010 fue la opción de quitar fondo. Con esta herramienta es posible quitar partes no deseadas de una imagen automáticamente, tal como el fondo, para destacar o resaltar el sujeto de la imagen o quitar detalles que confundan.

1. En este ejercicio, aprenderemos a quitarle el fondo en PowerPoint. Para ello seguiremos trabajando con la misma imagen de la diapositiva número **5**. Haga clic sobre ella para seleccionarla y pulse el iniciador de cuadro de diálogo del grupo de herramientas **Tamaño**. [1]
2. En el panel de tareas **Formato de imagen** active las propiedades de **Tamaño**, pulse sobre el botón **Restablecer**, luego ajuste la escala al 40% y cierre el panel. [2]
3. La imagen a vuelto a su tamaño original. [3] Ubíquela en la esquina inferior derecha [4] y, en la ficha **Formato**, haga clic sobre el botón **Quitar fondo** del grupo del grupo **Ajustar**. [5]
4. Fíjese que tras pulsar el botón **Quitar fondo** la imagen queda marcada en un cuadro con fondo rosa y que las fichas de la **Cinta de opciones** han cambiado. [6] PowerPoint marca las

1

La herramienta de recorte de imágenes se encuentra en la subficha **Formato**, de la ficha contextual **Herramientas de imagen**.

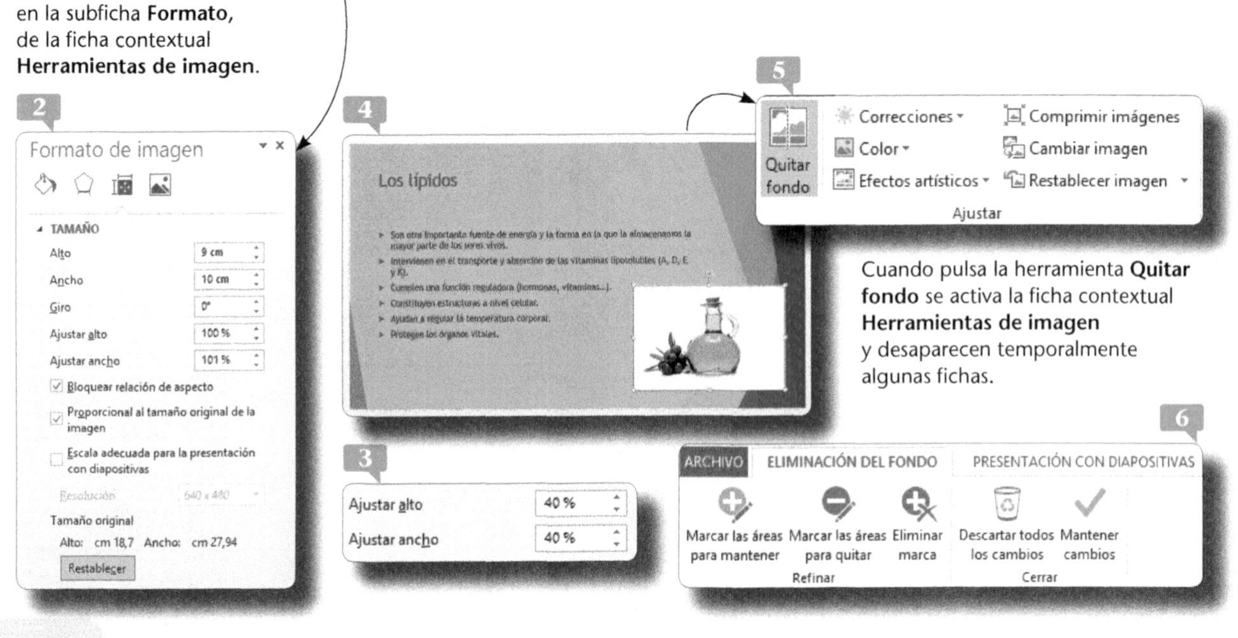

Cuando pulsa la herramienta **Quitar fondo** se activa la ficha contextual **Herramientas de imagen** y desaparecen temporalmente algunas fichas.

zonas de la imagen que considera que queremos mantener y tapa las que eliminará con una capa rosa. [7] Aumente el zoom para comprobar las zonas que necesitan corrección y haga clic sobre la herramienta **Marcar las áreas para mantener**. [8]

5. Con la herramienta seleccionada, coloque el ratón sobre la imagen y vea cómo el puntero toma forma de lápiz. Haga clic sobre cualquier punto que haya sido marcado incorrectamente para marcarlo como área para mantener. [9]
6. Verá que en los puntos marcados se han insertado unas señales. [10] Active el comando **Marcar áreas** para quitar [11] y vaya haciendo clics en las zonas de la sombra de los objetos para que sean eliminadas. [12]
7. Para confirmar la acción de eliminar fondo haga clic sobre el botón **Mantener cambios** del grupo de herramientas **Cerrar**.
8. Los cambios se han aplicado y la imagen ahora no tiene fondo. Ajuste el zoom a la pantalla, deseleccione la imagen para visualizar mejor el resultado [13] y guarde los cambios realizados en la presentación.

IMPORTANTE

Los marcadores que rodean la forma marcan una zona exterior que será eliminada totalmente y pueden ser deslizados, lo que en algunos casos facilita la selección del fondo.

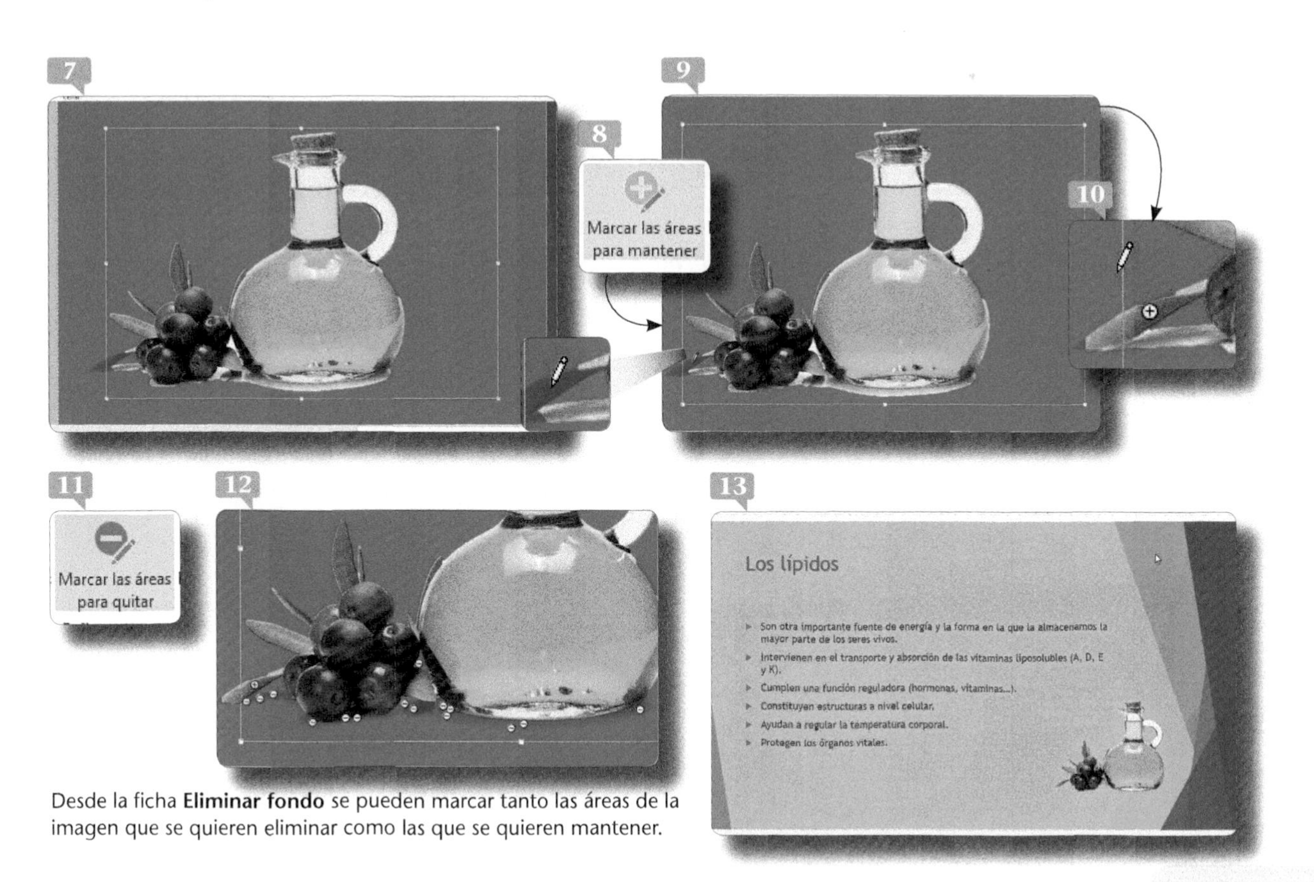

Desde la ficha **Eliminar fondo** se pueden marcar tanto las áreas de la imagen que se quieren eliminar como las que se quieren mantener.

Comprimir una imagen

IMPORTANTE

Es posible comprimir una única imagen, la que se encuentra seleccionada en esos momentos, o comprimir todas las imágenes insertadas en una presentación, todas en un único paso.

AL COMPRIMIR LAS IMÁGENES DE UNA PRESENTACIÓN, el usuario consigue reducir el tamaño de estos archivos, de modo que ocupan menos espacio en la unidad de almacenamiento del ordenador.

1. En este ejercicio, le mostraremos el sencillo procedimiento para comprimir las imágenes de una presentación de PowerPoint 2016. Para comenzar, pulse la pestaña Archivo, active la vista Información y compruebe en el panel de propiedades el tamaño de la imagen.
2. Regrese a la presentación y en la diapositiva 2, haga clic sobre la imagen de las frutas. [1]
3. Al seleccionar la imagen, se activa automáticamente la ficha contextual **Herramientas de imagen**, donde se encuentra la herramienta necesaria para comprimir imágenes. Pulse la pestaña **Formato** y luego sobre el icono de la herramienta **Comprimir imágenes**, del grupo de herramientas **Ajustar**. [2]
4. Se abre el cuadro de diálogo **Comprimir imágenes** que nos ofrece la posibilidad de aplicar la configuración de compresión a todas las imágenes insertadas en la presentación o solo a la seleccionada. Asegúrese de que la opción **Aplicar solo a esta imagen** está seleccionada y si no lo está selecciónela. [3]

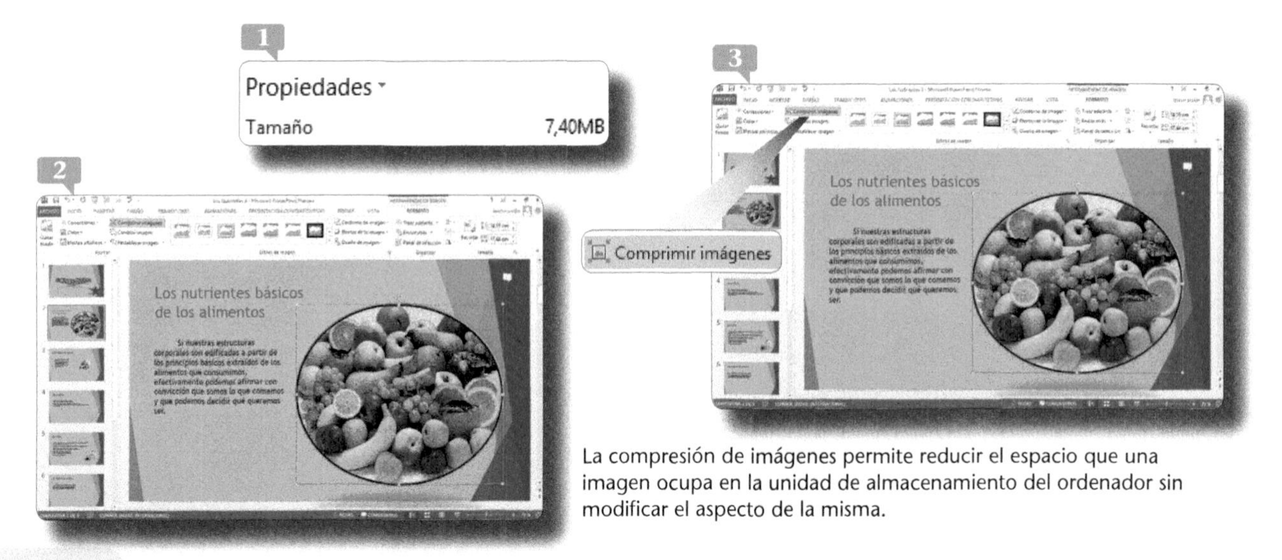

La compresión de imágenes permite reducir el espacio que una imagen ocupa en la unidad de almacenamiento del ordenador sin modificar el aspecto de la misma.

5. PowerPoint 2010 ya simplificó el proceso de comprimir las imágenes incluyendo las opciones del antiguo cuadro **Configuración de compresión** en el propio cuadro **Comprimir imágenes.** PowerPoint comprime por defecto las imágenes al guardar la presentación y, además, elimina las áreas recortadas de las mismas al hacerlo. La compresión básica de las imágenes se lleva a cabo aplicando compresión JPEG a imágenes de color de alta densidad, lo que, en algunos casos, puede producir una pérdida de calidad de la imagen. Desactive la opción **Eliminar las áreas recortadas de las imágenes** pulsando en su casilla de verificación. (4)
6. En el siguiente apartado, **Destino**, puede elegir el destino de la presentación entre **Impresión**, **Pantalla**, **Correo electrónico** y **Usar resolución del documento** para que de este modo la aplicación aplique el nivel de compresión más adecuado, sin por eso desmejorar la apariencia de la presentación. En este caso, supondremos que vamos a reproducirla en un proyector, lo que permite una compresión mayor. Haga clic en el botón de opción **Pantalla.** (5)
7. Con las opciones elegidas, ya podemos iniciar la compresión de las imágenes. Haga clic sobre el botón **Aceptar** del cuadro **Comprimir imágenes.** (6)
8. A simple vista no se ha producido ningún cambio, pero acceda de nuevo a la vista Información y compruebe el cambio en el tamaño del archivo. (7) Luego pulse el botón **Guardar** para los cambios realizados.

IMPORTANTE

Desde el cuadro **Opciones de PowerPoint** puede activar la opción **No comprimir las imágenes del archivo** para que estas no se compriman de forma automática.

7

Propiedades
Tamaño 3,93MB

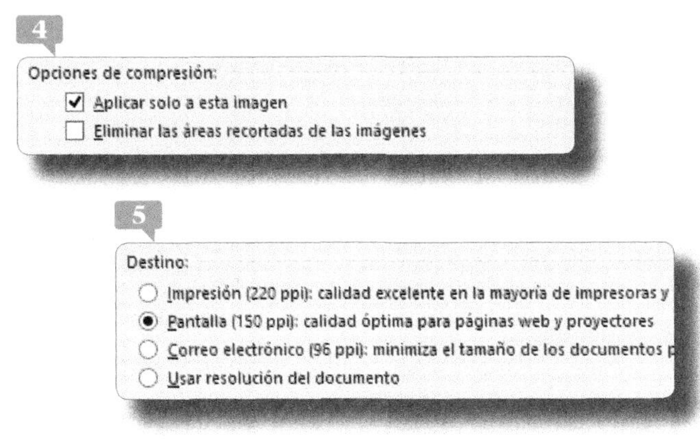

Según el destino que desee darle a sus imágenes, puede elegir entre cuatro opciones en el cuadro de configuración de la compresión; para cada una de ellas, se indican los puntos por pulgada que se conseguirán tras la compresión.

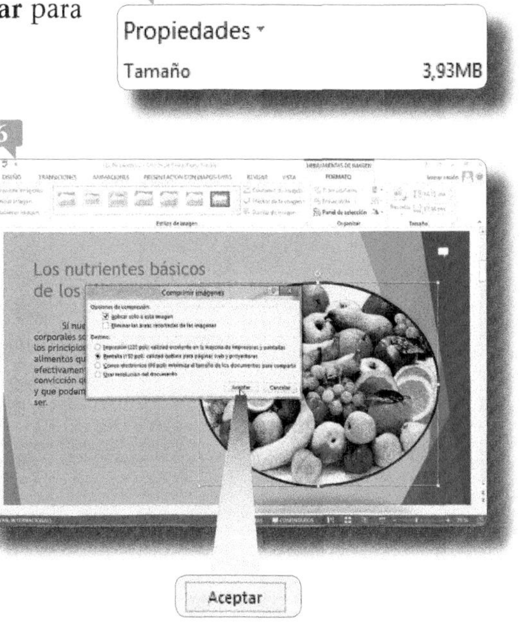

Insertar hipervínculos

POWERPOINT PERMITE CREAR UN HIPERVÍNCULO o conexión entre dos diapositivas de una misma presentación o a una diapositiva de otra presentación, a una dirección de correo electrónico, a una página Web o a un archivo.

IMPORTANTE

Es posible insertar hipervínculos tanto en un texto como en un objeto, en una imagen, en un gráfico, en una forma o en texto WordArt. Por otro lado, PowerPoint permite crear hipervínculos a archivos o páginas web existentes, a diapositivas de otras presentaciones o a una dirección de correo electrónico.

1. En este ejercicio aprenderemos a insertar un hipervínculo que conecte una diapositiva con otra de la misma presentación y otro que nos dirija a una página web. Empezaremos vinculando el título de la primera diapositiva de la presentación **Los nutrientes 3** a la novena. Sitúese en la diapositiva **1** y seleccione el título. [1]
2. Active en la pestaña **Insertar**, haga clic en la opción **Hipervínculo** del grupo de herramientas **Vínculos**. [2]
3. En el panel **Vincular a** del cuadro **Insertar hipervínculo**, pulse sobre la opción **Lugar de este documento.** [3]
4. Aparece ahora un esquema en forma de árbol de las diapositivas que conforman esta presentación. En el panel **Seleccione un lugar de este documento**, pulse sobre la diapositiva **9** [4] y haga clic en el botón **Aceptar** para crear el hipervínculo.
5. Los hipervínculos a partir de texto se reconocen en las diapo-

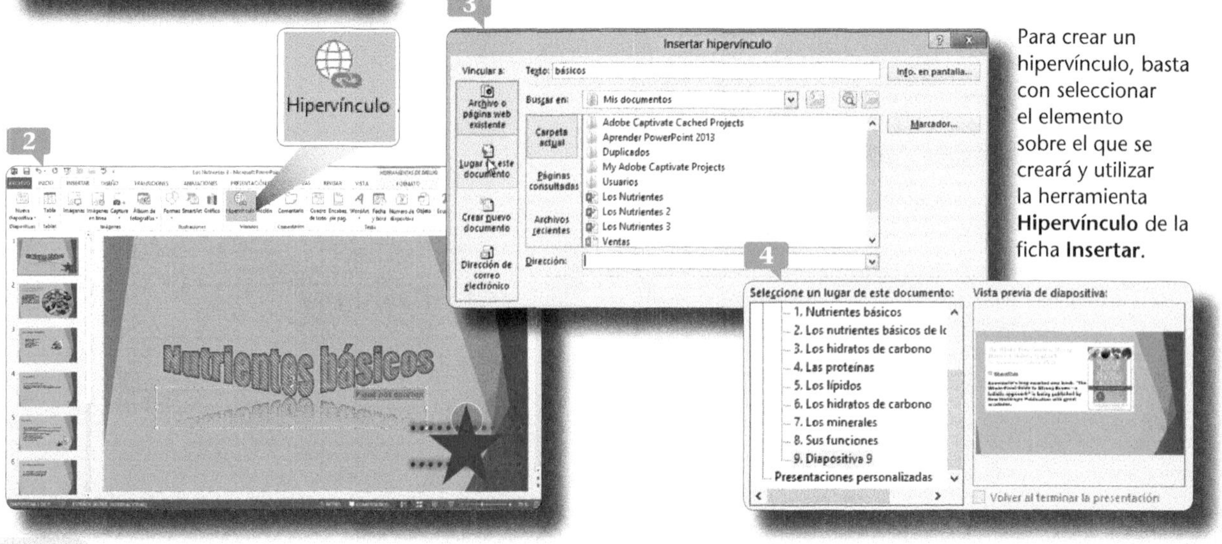

Para crear un hipervínculo, basta con seleccionar el elemento sobre el que se creará y utilizar la herramienta **Hipervínculo** de la ficha **Insertar**.

sitivas porque están subrayados. Ahora insertaremos en una imagen un hipervínculo a una página web. Sitúese en la diapositiva 2, seleccione con un clic la fotografía, haga clic con el botón derecho del ratón sobre el mismo y, en el menú contextual, pulse sobre la opción **Hipervínculo.** [5]

6. En el panel **Vincular a** del cuadro **Insertar hipervínculo**, pulse sobre la opción **Archivo o página web existente.** [6]
7. En el campo **Dirección**, escriba alguna dirección web a la que quiera crear el vínculo [7] y pulse el botón **Aceptar**.
8. Para comprobar que los hipervínculos creados funcionan correctamente debemos mostrar la presentación en modo **Presentación con diapositivas.** Haga clic en el último icono de vistas de la **Barra de estado**, que corresponde a esta vista.
9. Pulse en la fotografía de las frutas en la diapositiva activa [8] y compruebe que se abre el navegador web mostrando la página web a la que hemos vinculado la imagen. [9]
10. Cierre el navegador web, pulse la tecla **Inicio** de su teclado para ir a la primera diapositiva y pulse en el vínculo **Y qué nos aportan** [10] para comprobar que nos conduce directamente a la última diapositiva de la presentación.
11. Parece que el segundo hipervínculo también funciona bien. [11] Pulse la tecla **Escape** para salir así de la presentación.

IMPORTANTE

Sepa que para quitar un hipervínculo solo tiene que seleccionar el elemento de origen, mostrar su menú contextual y pulsar la opción **Quitar vínculo.**

Puede vincular cualquier elemento de su presentación a una página web.

Al colocar el puntero del ratón sobre un hipervínculo, se transforma en una mano.

Crear presentaciones personalizadas

SE ENTIENDE POR PRESENTACIÓN PERSONALIZADA AQUÉLLA que ha sido creada para una audiencia o un público determinados a partir de una presentación destinada a un público en general.

1. En este ejercicio, aprenderemos a crear una presentación personalizada a partir de nuestro **Álbum de fotos**. Para empezar, haga clic sobre la pestaña **Presentación con diapositivas** de la **Cinta de opciones.**
2. Haga clic sobre el comando **Presentación personalizada** en el grupo de herramientas **Iniciar presentación con diapositivas**, y pulse sobre la opción **Presentaciones personalizadas.**
3. Se abre el cuadro de diálogo **Presentaciones personalizadas**, donde se creará una lista de este tipo de presentaciones. Haga clic sobre el botón **Nueva.**
4. Se abre un nuevo cuadro: **Definir presentación personalizada** y en él debemos hacer es definir qué diapositivas formarán la presentación personalizada. Seleccione, pulsando en sus casillas de selección, la diapositiva número **1** y luego de la **3** a la **9**, ignorando las dos que tienen vídeo, y pulse el botón **Agregar.**
5. Como verá, se enumeran de nuevo las diapositivas pero del

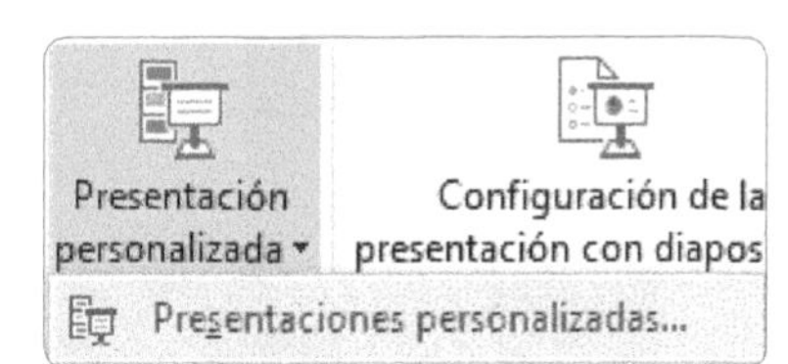

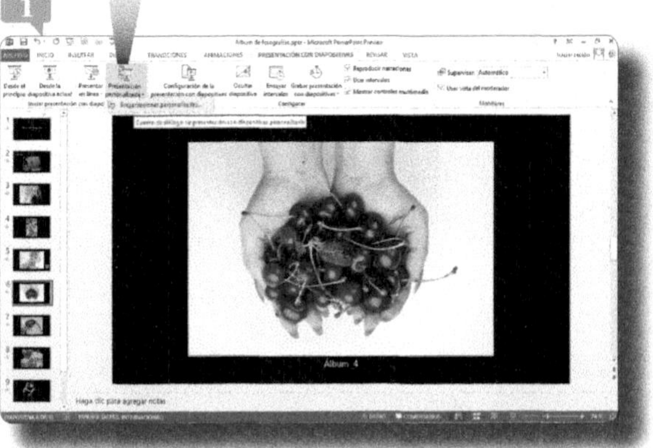

Las presentaciones personalizadas se aplican sobre todo en aquellas ocasiones en que, por ejemplo, el orador debe dirigir una misma exposición a distintos departamentos de una empresa, por lo que no siempre todas las diapositivas serán del mismo interés para todos los profesionales.

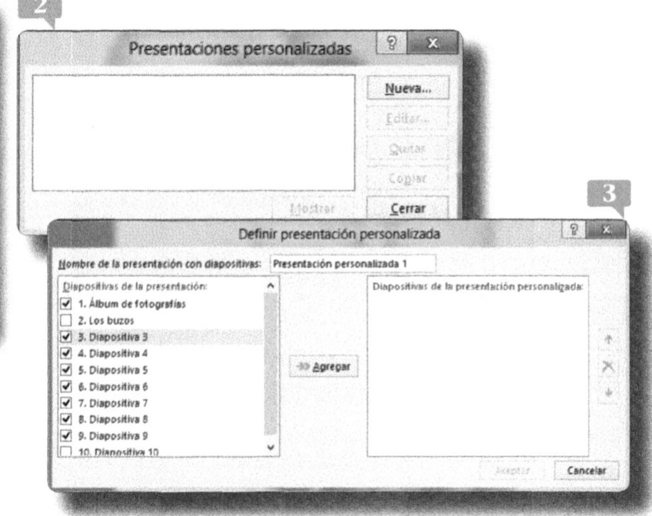

091

lado derecho se mantiene la numeración original. Pulse en la diapositiva **5**, **6** según la numeración original, del panel **Diapositivas de la presentación personalizada** y haga clic en el botón de flecha hacia arriba hasta ubicarla en el segundo lugar.

6. Ahora haga clic dentro del cuadro de texto **Nombre de la presentación con diapositivas** para seleccionar el nombre predeterminado y escriba el texto **Solo fotos** como nuevo nombre de la presentación personalizada.
7. Pulse el botón **Aceptar** para salir de este cuadro.
8. La presentación personalizada ya está creada tal como indica el cuadro **Presentaciones personalizadas**. Para ver el resultado, pulse el botón **Mostrar.**
9. La presentación se ejecuta inmediatamente, respetando los intervalos para las transiciones entre cada diapositiva y mostrando los efectos de animación y transición entre diapositivas aplicados en su momento. Cuando finalice la presentación, haga clic sobre la pantalla para salir de ella.
10. Pulse el botón **Presentación personalizada** y compruebe que para volver a mostrar esta presentación personalizada, basta con que la seleccionemos en el menú que se ha desplegado.

IMPORTANTE

Una presentación personalizada solo muestra las diapositivas que se seleccionen de manera que se pueden crear presentaciones de diferentes duraciones dentro de una misma presentación.

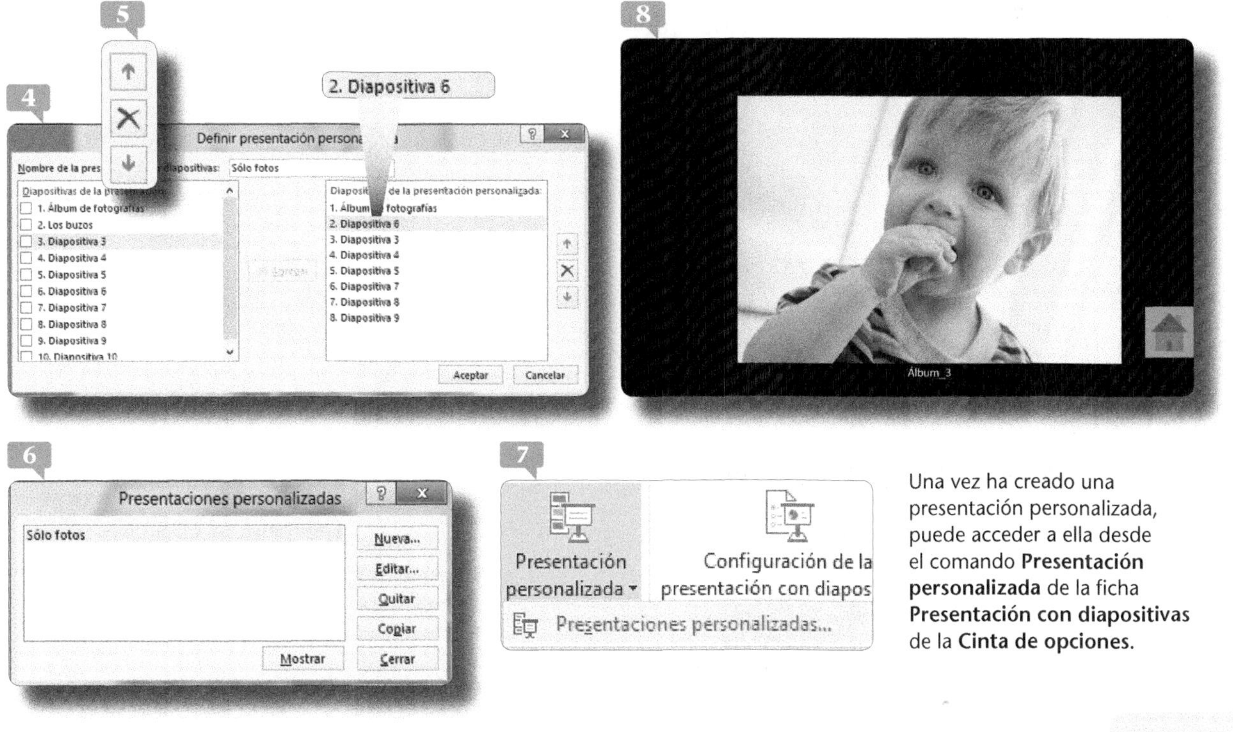

Una vez ha creado una presentación personalizada, puede acceder a ella desde el comando **Presentación personalizada** de la ficha **Presentación con diapositivas** de la **Cinta de opciones**.

Efectuar pruebas de temporización

IMPORTANTE

Al elegir la opción **Ensayar intervalos**, se ejecuta la presentación con una barra a modo de cronómetro; en ella se refleja el tiempo que transcurre hasta que el usuario decide hacer clic para cambiar de diapositivas y, a su derecha, el tiempo total transcurrido desde el inicio de la presentación.

UNA VEZ APLICADOS LOS EFECTOS DE TRANSICIÓN, es posible probar los intervalos de tiempo entre diapositivas. Si se desea, se puede aplicar un lapso de tiempo distinto para cada avance de diapositiva.

1. Para comenzar este ejercicio, vamos a configurar la presentación con diapositivas. Haga clic en el botón **Configuración de la presentación con diapositivas** del grupo de herramientas **Configurar**, en la ficha **Presentación con diapositivas.** 1
2. En el cuadro **Configurar presentación** puede cambiar el tipo de presentación, las opciones de presentación, el modo en que se muestran y avanzan las diapositivas y la resolución de las mismas. En el apartado **Mostrar diapositivas**, seleccione la opción **Presentación personalizada** para que se muestren exclusivamente las diapositivas de **Solo fotos.** 2
3. Ahora vamos a definir la duración de cada diapositiva. Pulse sobre la herramienta **Ensayar intervalos** del grupo de herramientas **Configurar** 3 para iniciar un ensayo de la presentación que le permitirá estimar cuánto tardará al exponerla y establecer la duración por diapositiva. Cambie de diapositivas o pasar a la acción siguiente cuando lo considere oportuno con un clic en el botón de flecha de la barra **Grabación.** 4

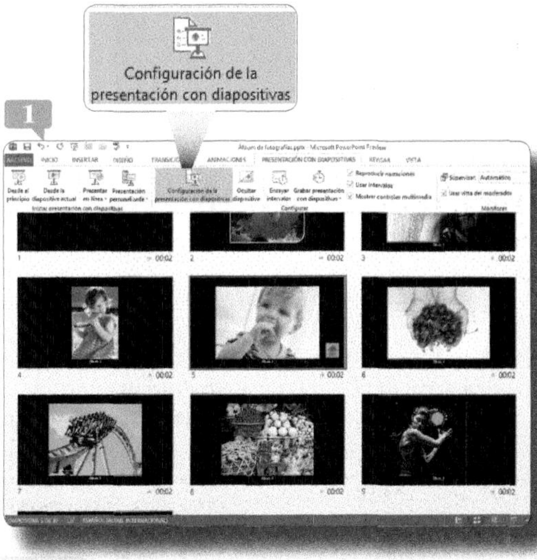

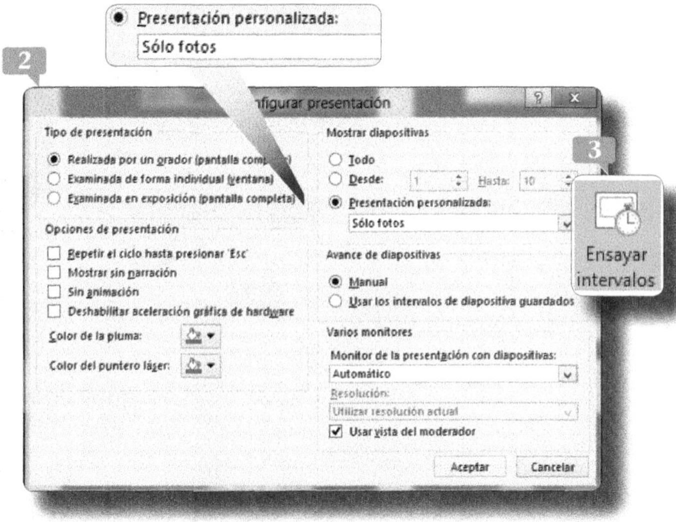

4. Al acabarse la presentación, PowerPoint indica la duración alcanzada y pregunta si desea guardar los nuevos intervalos. Pulse el botón **Sí**.
5. Active la vista **Clasificador de diapositivas** y compruebe como se muestra debajo de cada una de las diapositivas la duración definida en el ensayo. Inicie una presentación con diapositivas y desplace el cursor del ratón a la esquina inferior izquierda de la pantalla.
6. Pulse en el botón de puntos suspensivos y, del menú contextual que se despliega, escoja la opción **Vista moderador**.
7. En la **Vista moderador**, los botones de punta de flecha que están en la base de la ventana permiten avanzar o retroceder en la presentación. Mientras la ventana del lado derecho muestra la diapositiva que se muestra actualmente, a su derecha se muestra la diapositiva siguiente. Pulse el icono de lápiz.
8. Puede escoger entre un puntero láser, una pluma o un marcador de resaltado. Escoja esta última opción y trace un círculo para destacar algún segmento de alguna fotografía.
9. Active la lupa, seleccione con ella un fragmento de la imagen y haga un clic para acercar. Luego utilice el puntero, transformado en mano, para desplazarse por la imagen.
10. Haga clic sobre el botón **Finalizar** presentación en la cabecera de la ventana y guarde los cambios.

IMPORTANTE

El comando **Grabar presentación con diapositivas** de la ficha **Presentación con diapositivas** le permite guardarla de tal manera que se reproduzca en un tiempo fijado previamente (cosa que ya hemos hecho en las lecciones anteriores), con unos movimientos de puntero para centrar la atención en ciertos puntos específicos y una narración de voz incorporada.

Conocer el Inspector de documento

IMPORTANTE

En la vista **Información** encontrará también el botón **Comprimir medios** que le permite ajustar la calidad de su presentación según sus necesidades y reducir así el mínimo el tamaño del archivo.

EL COMANDO COMPROBAR SI HAY PROBLEMAS permite revisar su presentación para verificar si incluye información oculta o personal, contenidos que puedan ser difíciles de leer o entender para personas con discapacidades y características incompatibles con versiones anteriores

1. Para este ejercicio, haga clic en la pestaña **Archivo** y, en la vista **Información**, pulse el comando **Comprobar si hay problemas** del apartado **Inspeccionar la presentación.** [1]
2. Como puede ver, en este comando se incluyen las herramientas necesarias para preparar el documento para su distribución. Haga clic sobre la opción **Inspeccionar documento.** [2]
3. Se abre el cuadro **Inspector de documento**, donde debemos seleccionar el contenido oculto o privado que no deseamos incluir en la presentación que distribuiremos posteriormente. Active todas las opciones y pulse el botón **Inspeccionar.** [3]
4. El **Inspector de documento** ha localizado los metadatos y la información de recorte de los vídeos y le ofrece la posibilidad de quitarlos. Lo mismo sucedería si el documento tuviera notas del orador, comentarios, objetos invisibles, etc. Pulse sobre

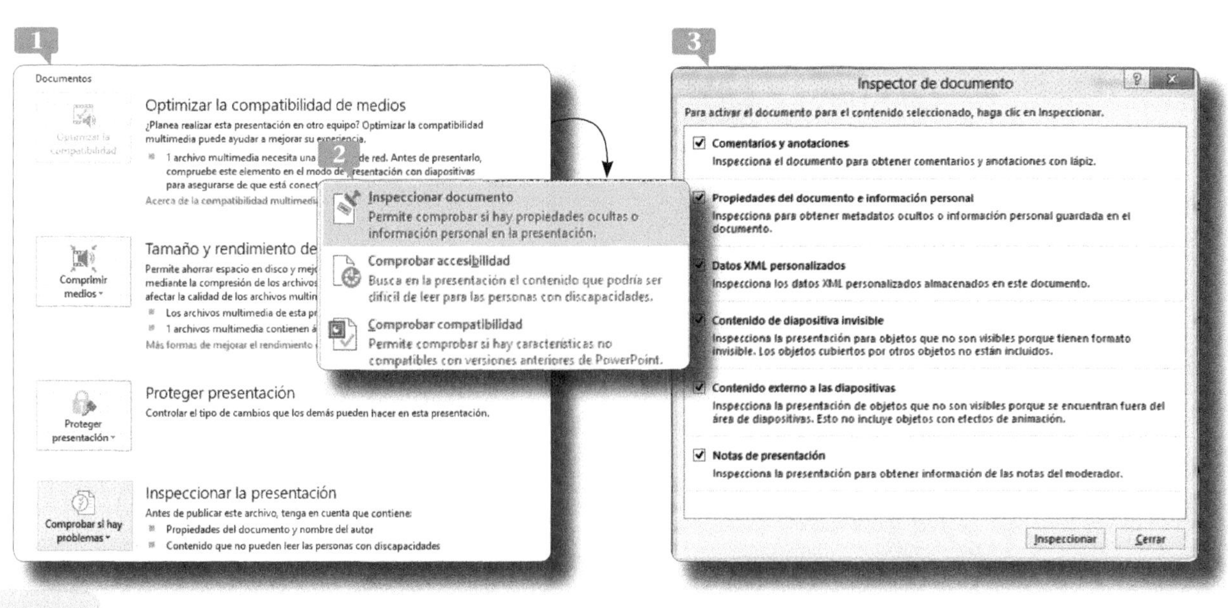

el botón **Quitar todo** del apartado **Propiedades del documento e información personal.**

5. Se abre el cuadro **Comprimir medios** donde puede ver la progresión del proceso de compresión del vídeo **Buzos**. Cuando termine el proceso pulse el botón **Cerrar.**
6. Una vez acabada la revisión, puede volver a inspeccionar la presentación (operación que puede repetir tantas veces como creamos necesario) o cerrar el inspector. Pulse el botón **Cerrar** del cuadro **Inspector de documento.**
7. Pulse nuevamente el botón **Comprobar su hay problemas** y escoja la opción **Comprobar accesibilidad.**
8. Se abre la presentación y a su derecha el panel **Comprobador de accesibilidad** donde se indican los errores de accesibilidad encontrados y las diapositivas en las que se encuentran. Haga un doble clic sobre el nombre de alguna de las diapositivas y compruebe cómo al final del panel se proporciona información sobre el error y cómo solucionarlo.
9. Muestre por última vez la vista **Información** y escoja la opción **Comprobar compatibilidad** del botón **Comprobar si hay problemas.**
10. El **Comprobador** de compatibilidad le informa los aspectos de esta presentación que no serán admitidos por versiones anteriores de la aplicación. Pulse el botón **Aceptar** para terminar.

IMPORTANTE

El comando **Proteger presentación**, también de la vista **Información**, le permite marcar la versión final de su presentación, cifrar el archivo con una contraseña, restringir el acceso a determinadas personas o a la lectura, así como agregar una firma digital.

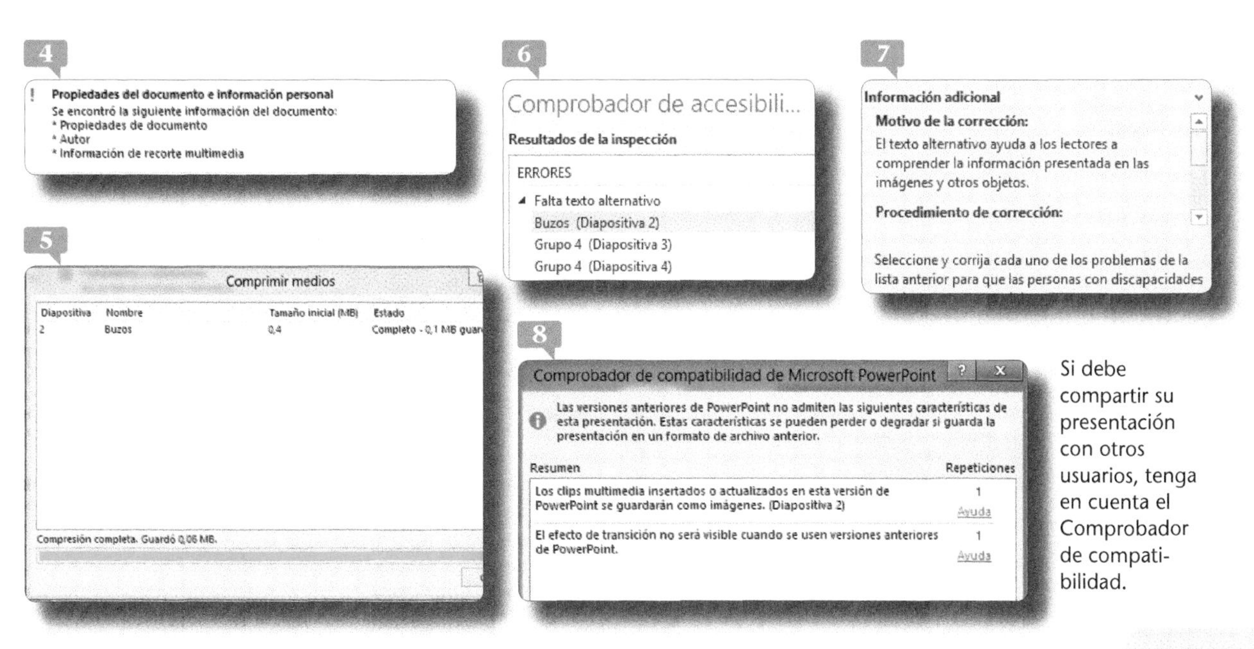

Si debe compartir su presentación con otros usuarios, tenga en cuenta el Comprobador de compatibilidad.

Convertir presentación en vídeo

UNA VEZ ACABADA LA PRESENTACIÓN ésta puede ser simplemente almacenada en el equipo o puede ser preparada de formas distintas para ser compartida. PowerPoint 2016 permite convertir una presentación en vídeo. Este formato tiene la ventaja de que permite crear un archivo de alta calidad que puede ser distribuido sin problemas a través de todo tipo de canales.

1. En este ejercicio aprenderemos crear un vídeo a partir de la presentación con la que hemos trabajado en los ejercicios anteriores. Para empezar active la vista **Backstage** haciendo clic sobre la pestaña **Archivo.** [1]
2. Dado que para convertir una presentación en vídeo la aplicación debe exportarla a otro formato, el proceso se realiza desde la ficha **Exportar.** Haga clic sobre dicha opción en el panel lateral izquierdo. [2]
3. La ficha **Exportar** ofrece múltiples opciones que permiten exportar el archivo de presentación de PowerPoint a diversos archivos y soportes. En la lista de opciones **Exportar** haga clic sobre la opción **Crear un vídeo.** [3]
4. Al seleccionar **Crear un vídeo** las opciones que se muestran en la parte derecha de la vista **Backstage** se modifican. En primer lugar encontraremos una breve explicación sobre la creación de vídeos en PowerPoint y un enlace que nos dirige a la Ayuda

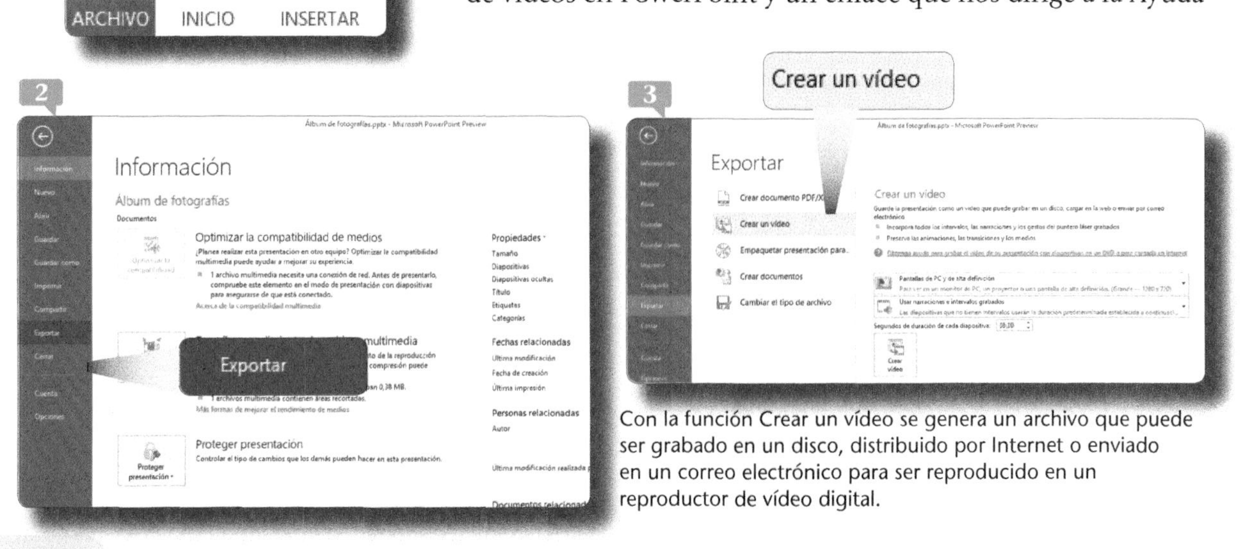

Con la función Crear un vídeo se genera un archivo que puede ser grabado en un disco, distribuido por Internet o enviado en un correo electrónico para ser reproducido en un reproductor de vídeo digital.

de PowerPoint. Seleccionaremos el tamaño y la definición del vídeo que crearemos. Dependiendo del destino de reproducción final del vídeo seleccionaremos la opción más adecuada. Haga clic sobre el botón de flecha del primer comando desplegable y seleccione la opción **Internet y DVD**. [4]

5. Pulse el siguiente comando para ver sus opciones: puede omitir las narraciones que pudiera haber grabado y los intervalos establecidos en ejercicios anteriores, utilizarlos, que es la selección por defecto, activar la grabación de intervalos y narraciones, y previsualizar la configuración actual antes de hacer la grabación.
6. Pulse en la segunda opción para confirmar su selección. [5]
7. En el campo **Segundos de duración de cada diapositiva** establece la duración que se usará si ignora los intervalos grabados. [6] Una vez configuradas las opciones de vídeo haga clic sobre el botón **Crear vídeo**. [7]
8. Se abre el cuadro **Guardar como** con la biblioteca **Documentos** seleccionada. El vídeo se guardará por defecto en formato **.mp4**, pero el menú Tipo le permite escoger un archivo de vídeo Windows Media (.wmv). Deje todas las opciones como están y haga clic en el botón **Guardar**. [8]
9. Acceda a la carpeta Documentos desde el explorador de la aplicación y haga un doble clic sobre el archivo **Álbum de fotografías.mp4** para reproducir el vídeo creado en el **Reproductor de Windows Media**.

094

IMPORTANTE

Al reproducir el vídeo de la presentación se reproducen de forma automática los vídeos incrustados correctamente pero no así aquellos vinculados desde la web.

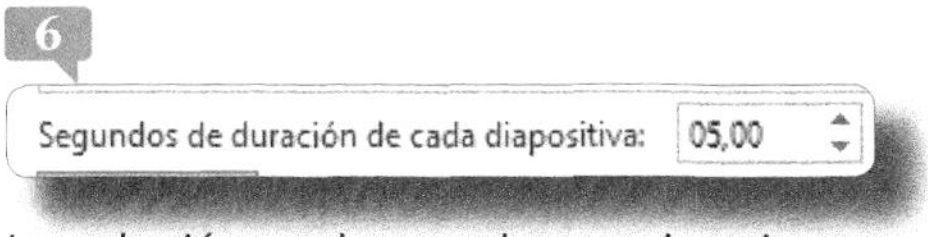

4

Internet y DVD
Para cargar a Web y grabar en un DVD estándar. (Media — 852 x 480)

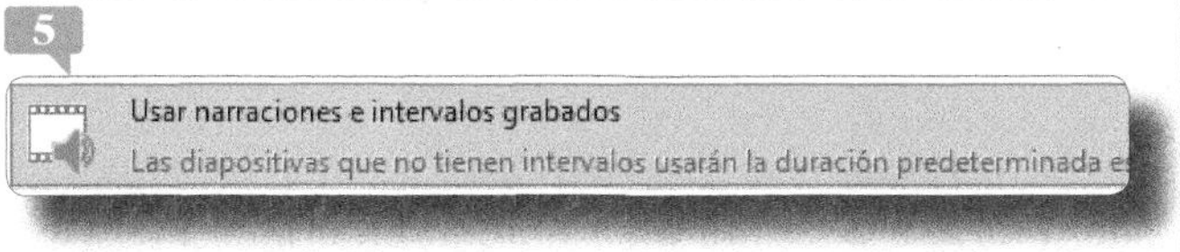

5

Usar narraciones e intervalos grabados
Las diapositivas que no tienen intervalos usarán la duración predeterminada e

6

Segundos de duración de cada diapositiva: 05,00

La grabación puede tomar hasta varios minutos dependiendo del tamaño y cantidad de diapositivas, efectos, transiciones y vínculos que contenga la presentación.

7

Crear vídeo

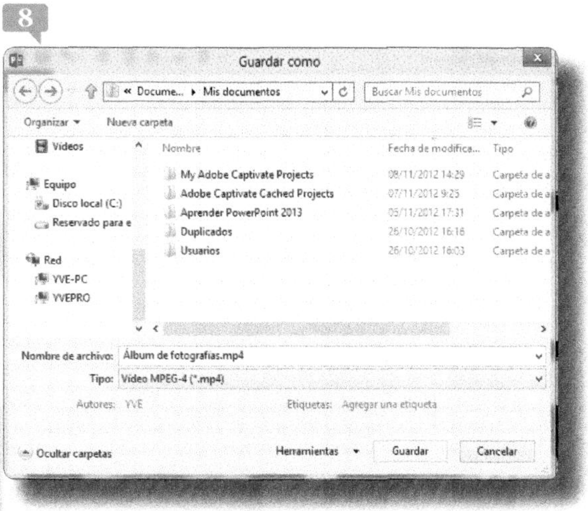

8

Guardar como
Nombre de archivo: Álbum de fotografías.mp4
Tipo: Vídeo MPEG-4 (*.mp4)
Guardar | Cancelar

Exportar como PDF o como JPG

INCLUIDAS DENTRO DE LA FICHA EXPORTAR de la Backstage, se encuentran opciones que permiten convertir de manera rápida y sencilla una presentación de PowerPoint en un archivo XPS, en un PDF o en un conjunto de imágenes JPG.

IMPORTANTE

El formato de documento portátil (PDF) fue creado por Adobe Systems para poder obtener, visualizar y compartir información desde cualquier aplicación y en cualquier sistema informático. El formato XPS (*XML Paper Specification*) es el nuevo formato propuesto por Microsoft para el intercambio de documentos sin pérdida de datos.

1. En este ejercicio aprenderá a publicar una presentación de PowerPoint en los formatos PDF y XPS. Imagine, por ejemplo, que tiene que enviar a varias personas la presentación en la que está aún trabajando para que la corrijan y añadan comentarios sin modificar directamente su contenido. Haga clic en la pestaña **Archivo**, pulse sobre el comando **Exportar**, seleccione la opción **Crear documentos PDF/XPS** y pulse sobre el botón **Crear documento PDF/XPS.** 1
2. En el cuadro de diálogo **Publicar como PDF o X PS** debe indicar el nombre del archivo, su ubicación y el formato al que lo quiere convertir. Haga clic sobre el botón **Opciones.** 2
3. Como puede ver, en el cuadro **Opciones** puede especificar el intervalo de diapositivas que va a convertir, así como indicar si desea publicar las diapositivas con marco, las ocultas, los comentarios y las entradas manuscritas, entre otras opciones. Pulse el botón **Aceptar.** 3

1

Exportar
Crear documento PDF/XPS
Crear un vídeo
Empaquetar presentación para...
Crear documentos
Cambiar el tipo de archivo
Crear un documento PDF/XPS

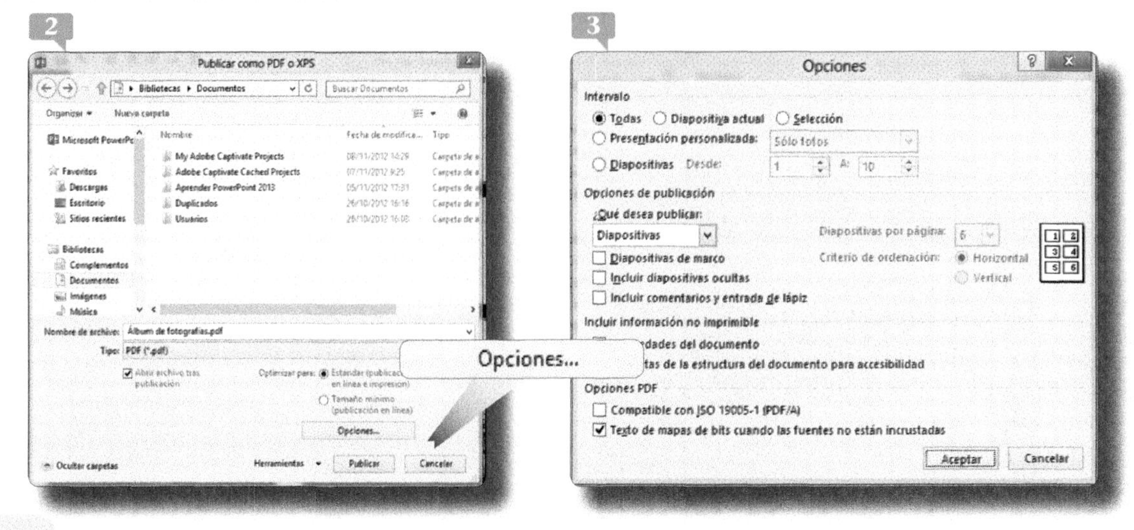

4. Despliegue el campo **Tipo**: debe indicar si desea crear un documento PDF o un XPS. Seleccione la opción **Documento XPS**
5. Compruebe que la opción **Abrir archivo tras la publicación** está activada y haga clic en el botón **Publicar**.
6. Los documentos XPS se abren con **Lector de Windows** o con el **Visor de XPS**. Escoja la primera opción en el cuadro que se ha abierto en pantalla. 4
7. En pocos segundos se abre el documento **XPS** en el visor apropiado, que es sumamente aséptico. Deslice el puntero del ratón hacia la derecha y use la barra de desplazamiento vertical para moverse por la presentación. 5
8. Regrese a PowerPoint, pulse la pestaña **Archivo** y pulse una vez más la opción **Exportar**. A continuación pulse sobre el texto **Cambiar tipo de archivo**.
9. Puede escoger entre diversidad de formatos. Escoja la opción **Formato de intercambio de archivos JPG** y pulse el botón **Guardar como**. 6 En el cuadro **Guardar como**, pulse directamente el botón **Guardar**. 7
10. Confirme que desea exportar todas las diapositivas para convertir en un archivo de imagen independiente cada una de las diapositivas. 8
11. Para terminar, use el explorador de Windows para comprobar los archivos que ha creado en una carpeta con el nombre de la presentación.

IMPORTANTE

La opción **Empaquetar presentación para CD** le permite copiar en una carpeta o en un CD-ROM la presentación junto a cualquier archivo vinculado, así como cualquier otro que desee guardar, incluidas otras presentaciones. Tenga en cuenta que si agrega varias presentaciones, estas se reproducirán una tras otra en el CD en el orden del cuadro **Archivos para copiar**.

Debe saber que Adobe Acrobat le permite manipular un PDF pero en cambio un XPS no puede ser editado.

Empaquetar presentación para CD

CUANDO EMPAQUETA UNA PRESENTACIÓN PARA CD se reúnen todos los archivos que contiene la presentación para exportarla a algún dispositivo. Así si la presentación tiene, por ejemplo vínculos a otros archivos, en el momento de empaquetarla, lo tendrá en cuenta y también reunirá esos archivos.

1. Para empezar este ejercicio, haga clic en la pestaña **Archivo** y seleccione el comando **Exportar**.
2. Dentro de la vista **Exportar** haga clic sobre la opción **Empaquetar presentación para CD** [1] y pulse el botón **Empaquetar para CD.** [2]
3. Se abre el cuadro **Empaquetar para CD-ROM** donde se encuentra seleccionada la presentación activa, lista para ser empaquetada. Haga clic en el campo de texto **Dar nombre al CD** e introduzca el nombre que prefiera.
4. A continuación haga clic en el botón **Opciones.** [3]
5. En el cuadro de **Opciones** que se acaba de abrir asegúrese de que las casillas de verificación de **Archivos vinculados** y **Fuentes TrueType incrustadas** están activadas: de esta forma se copiarán en la carpeta de destino todos los archivos vinculados de esta presentación. Pulse el botón **Aceptar.** [4]

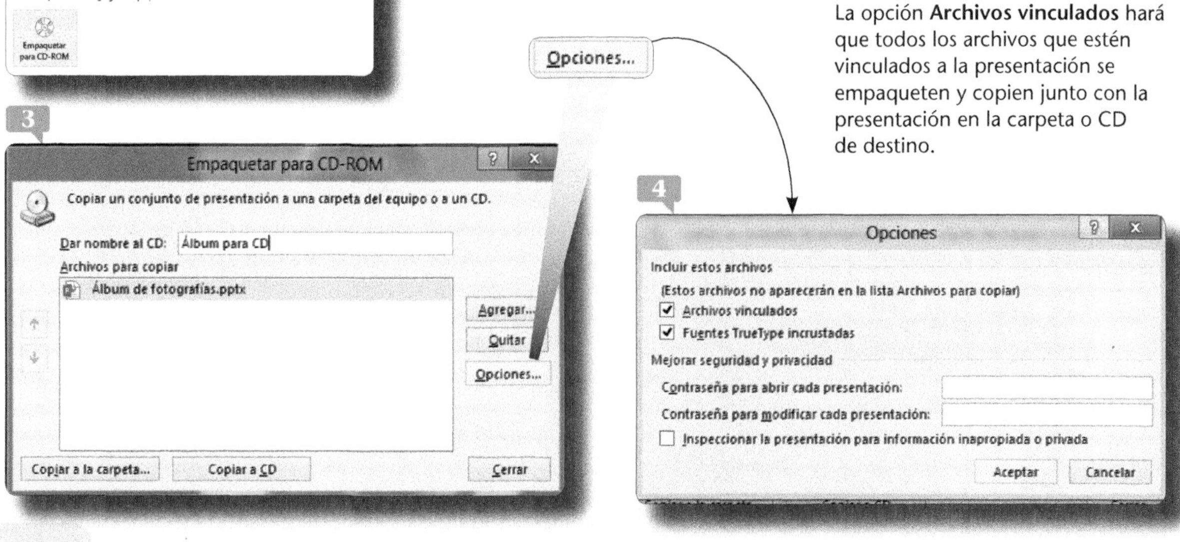

La opción **Archivos vinculados** hará que todos los archivos que estén vinculados a la presentación se empaqueten y copien junto con la presentación en la carpeta o CD de destino.

6. Para añadir otra presentación a la carpeta en la que se empaquetarán todos los archivos, pulse el botón **Agregar**.
7. Navegue por el cuadro **Agregar archivos** para acceder a alguna de las presentaciones que ha preparado a lo largo de este manual, ubique la que prefiera y pulse el botón **Agregar**. 5
8. El botón **Copiar a CD** le permitiría copiar ambas presentaciones directamente en un CD autoejecutable, pero en este caso las grabaremos en una carpeta. Para exportar ambas presentaciones, pulse el botón **Copiar a la carpeta**. 6
9. En el cuadro **Copiar a la carpeta** puede modificar el nombre de la carpeta en la que se guardarán los archivos y su ubicación pero por defecto PowerPoint creará una nueva carpeta en la biblioteca **Documentos** y le dará a ésta el nombre que hemos indicado en el cuadro **Empaquetar para CD-ROM**. Compruebe que esté seleccionada la opción **Abrir la carpeta al terminar** y pulse el botón **Aceptar**. 7
10. Confirme finalmente que desea empaquetar todos los archivos vinculados.
11. El proceso de copia de archivos lleva unos segundos y al acabar se abre la carpeta de destino en la que podemos comprobar que se han copiado además de la presentación todos los archivos vinculados a la misma.

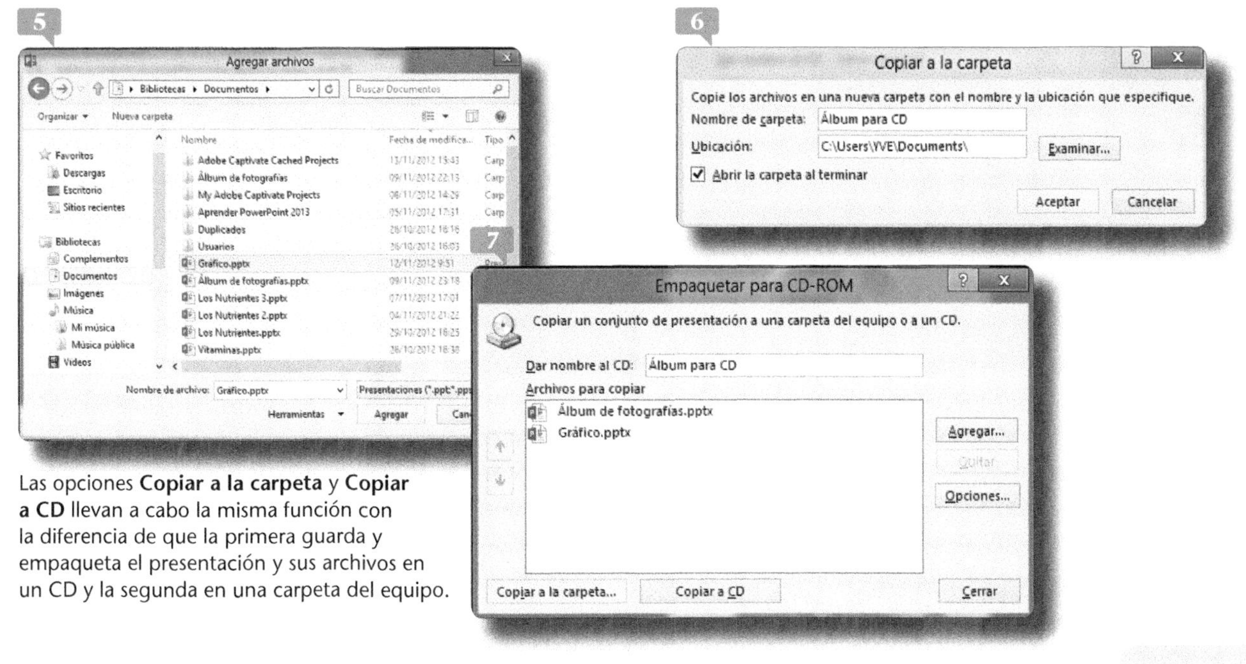

Las opciones **Copiar a la carpeta** y **Copiar a CD** llevan a cabo la misma función con la diferencia de que la primera guarda y empaqueta el presentación y sus archivos en un CD y la segunda en una carpeta del equipo.

Enviar una presentación por e-mail

IMPORTANTE

Como programa gestor de correo, se utiliza por defecto la aplicación configurada como predeterminada, en este caso Microsoft Outlook 2013.

ES POSIBLE ENVIAR UNA PRESENTACIÓN SIN necesidad de abrir la aplicación de correo electrónico instalada en el sistema. Al utilizar la opción adecuada se abre una ventana de mensaje en la cual se añade como documento adjunto al mensaje la presentación abierta en esos momentos.

1. En este ejercicio, le mostraremos cómo puede enviar una presentación como datos adjuntos de un mensaje de correo electrónico. Tenga en cuenta que para poder realizar este ejercicio con éxito, debe tener una cuenta de correo electrónico correctamente configurada en su equipo. Para empezar, haga clic en la pestaña **Archivo** para activar la vista **Backstage** y en el panel lateral izquierdo de esta vista seleccione la categoría **Compartir**. [1]
2. Al seleccionar la categoría **Compartir** se activan varias opciones relacionadas con el envío de archivos. La primera opción, que aparece seleccionada por defecto, es la segunda, **Correo electrónico**. [2] Haga clic sobre el botón **Enviar como datos adjuntos**. [3]
3. La aplicación le pide que confirme con cuál perfil desea enviar el mensaje. Escoja la opción adecuada y pulse **Aceptar**. [4]

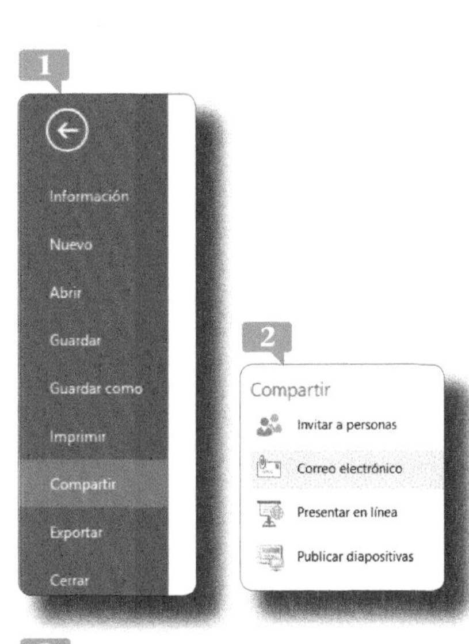

PowerPoint se encarga de adjuntar, incrustar y enviar el archivo directamente.

4. De este modo se abre un nuevo mensaje de correo electrónico con el programa de correo electrónico que tenga instalado como programa predeterminado, en este caso Microsoft Outlook. Los campos **Asunto** y **Adjunto** se completan automáticamente con el título del archivo adjunto, aunque si lo desea puede modificar el asunto. Ahora, introduzca la dirección del destinatario en el campo **Para**.
5. Si lo desea, puede escribir un texto en el cuerpo del mensaje. Para enviar el mensaje a la **Bandeja de salida** de Outlook, pulse sobre el botón **Enviar** de la cabecera del mensaje.
6. El mensaje se envía y PowerPoint vuelve a estar en primer plano. Acceda de nuevo a la ficha **Compartir** y pulse esta vez en el botón **Enviar como PDF** de la opción por defecto, **Correo electrónico.**
7. También podría enviar un fax a través de Internet o enviar como XPS sin necesidad de salir de PowerPoint en ningún momento. PowerPoint prepara el archivo para la publicación. Espere a que la presentación sea publicada, elija el perfil de nuevo y espere a que se abra el nuevo mensaje de Outlook mostrando esta vez un archivo PDF como adjunto.
8. Ahora podría abrir el archivo con un simple doble clic, pero no es necesario. Simplemente cierre la ventana de mensaje con un clic en su botón de aspa para volver a PowerPoint y trabajar en el próximo ejercicio.

IMPORTANTE

En el comando **Correo electrónico** de la ficha **Compartir** se incluyen todas las opciones necesarias para enviar una copia de la presentación a otras personas, en diferentes formatos, incluido como fax.

Escoja la opción PDF o la opción XPS, PowerPoint se encargará de la exportación y de su incrustación en un nuevo mensaje.

Puede abrir el PDF con un doble clic para comprobar su aspecto antes de enviarlo.

Guardar en SkyDrive

SI NECESITA PERMITIR QUE OTROS USUARIOS tengan acceso a una presentación o desea trabajar en una presentación desde varios equipos, resulta sumamente práctico guardar el archivo en "la nube", es decir, un servidor público al que se pueda acceder desde cualquier ordenador con acceso a Internet. Para hacer más fácil el proceso, PowerPoint 2016 le permite guardar sus archivos directamente en Windows Live.

1. En el ejercicio que ahora comienza vamos a subir la presentación **Gráfico.pptx** a la Web, concretamente al espacio de almacenamiento **SkyDrive** de **Windows Live**. Con la presentación abierta en pantalla, pulse sobre la pestaña **Archivo**, abra la vista **Guardar como** [1] y, una vez esté en la Backstage, seleccione la opción **SkyDrive**. [2]
2. En el panel de la derecha aparece una breve descripción de la función. [3] Si no está conectado a Windows Live, aparecen tres opciones. La primera de ellas, el vínculo **Más información**, le permite acceder a un video de presentación de SkyDrive en la página de Windows Live. [4] El vínculo **Suscribirse** le permite acceder a la página de inicio del sitio de SkyDrive e iniciar sesión o crear una cuenta nueva desde ella. Por último, el

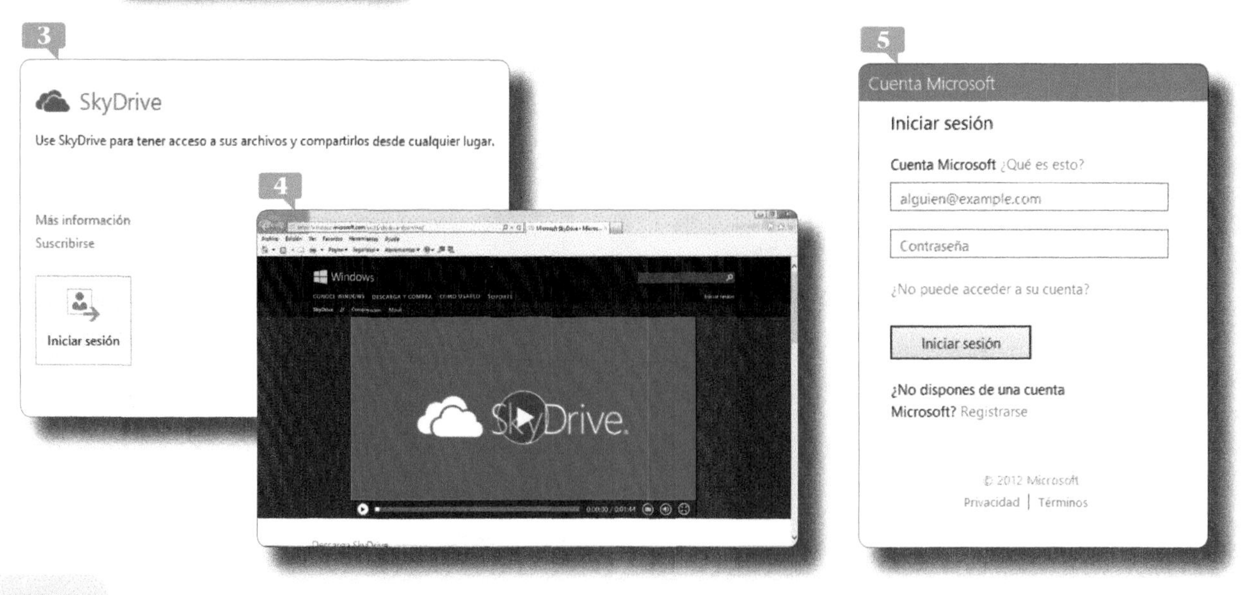

098

botón **Iniciar sesión** abre un cuadro de diálogo desde el que puede acceder a su cuenta y también le permite darse de alta si aún no tiene una cuenta en este servicio, en este caso sin tener que salir de PowerPoint. Si no ha iniciado sesión, hágalo ahora después de crear su cuenta, si es necesario. [5]

3. Una vez ha iniciado sesión, la vista Backstage de la ficha información se actualiza y muestra las carpetas personales que tiene en el SkyDrive de su cuenta en Windows Live. Su carpeta **Mis documentos** en este servidor se muestra seleccionada por defecto. Pulse ahora el botón **Examinar.** [6]
4. Se abre simplemente el cuadro de diálogo **Guardar como**, donde se ha seleccionado como destino directamente su carpeta en SkyDrive. Pulse el botón **Nueva carpeta** y cambie su nombre por PowerPoint.
5. Haga un doble clic sobre su icono para abrirla y pulse el botón **Guardar**.
6. La aplicación le lleva de nuevo a la presentación y cualquier cambio que haga ahora en ella será almacenado en SkyDrive y no en la versión de su ordenador.
7. Para terminar este ejercicio acceda a su cuenta en SkyDrive, abra su carpeta **Documentos** y compruebe cómo en su interior se encuentra la carpeta PowerPoint [7] que contiene la presentación **Gráfico.** [8]

IMPORTANTE

Al guardar una presentación en **SkyDrive** también se crea un acceso directo a esta en el apartado **Presentaciones recientes** de las vistas **Preview** y **Abrir**. Podrá acceder a la presentación a través de estos accesos con solo pulsar sobre ellos e introducir sus datos de acceso a **Windows Live** en cuanto la aplicación los solicite, si es que no ha iniciado la sesión antes.

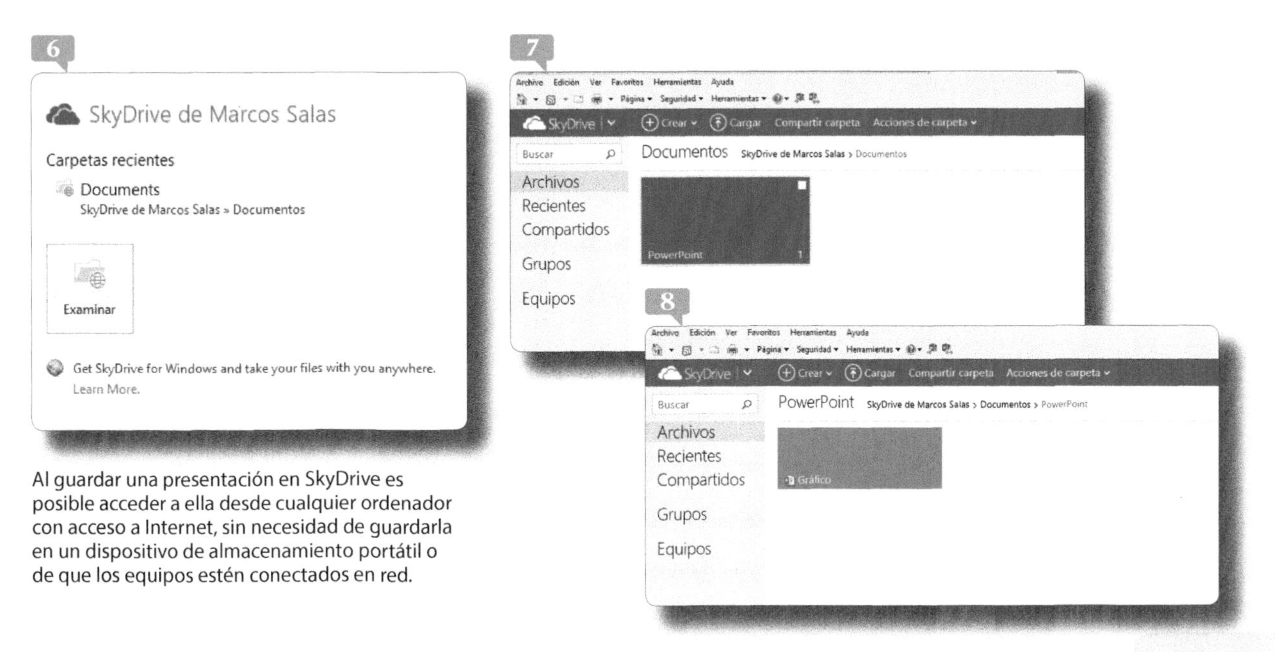

Al guardar una presentación en SkyDrive es posible acceder a ella desde cualquier ordenador con acceso a Internet, sin necesidad de guardarla en un dispositivo de almacenamiento portátil o de que los equipos estén conectados en red.

Otras formas de compartir

UNA VEZ HA SUBIDO UNA PRESENTACIÓN a la nube, puede invitar a otras personas a acceder a ésta por e-mail, compartirla en redes sociales como Facebook, Linkedin o Twitter o generar un vínculo que luego pueda remitir por la vía que prefiera, todo esto directamente desde PowerPoint.

1. En este ejercicio conoceremos otras formas de compartir una presentación directamente desde PowerPoint 2016. Pulse la pestaña **Archivo** y escoja la opción **Compartir**. [1]
2. Se muestra por defecto el contenido de la opción **Invitar a personas**. En el campo **Escriba los nombres o direcciones de correo electrónico**, introduzca alguna dirección de e-mail.
3. Despliegue el menú que está a su derecha: puede establecer que el usuario invitado pueda modificar la presentación o que solo pueda verla. Escoja la segunda opción, introduzca un mensaje en el campo siguiente y pulse el botón **Compartir**. [2]
4. Si aparece el cuadro de diálogo **Uso compartido de la información**, [3] pulse el vínculo que contiene para certificar la autenticidad del mensaje y luego de cumplir las instrucciones, regrese a **PowerPoint** y pulse el botón **Continuar**.
5. Los nombres de los usuarios con los que ha compartido la presentación se indican al pie de la hoja. [4] Pulse la opción **Obtener un vínculo** [5] de la vista **Compartir** y luego pulse el botón **Crear vínculo** del apartado **Ver vínculo**. [6]

Al compartir un archivo, recuerde definir si los otros usuarios podrán modificarlo.

6. La aplicación genera un vínculo que puede compartir con cualquier usuario y que remite directamente al archivo en SkyDrive pero no permite editarlo. Si desea crear un vínculo que permita la edición del archivo, debe usar el siguiente botón.
7. Haga un clic ahora en la opción **Compartir en redes sociales** de la misma vista **Compartir** y observe que se abre una página de Windows Live que le permite enlazar su cuenta a sus distintas redes sociales. Pulse en aquellas que desee enlazar, siga las instrucciones que se le muestran en el navegador y luego regrese a PowerPoint y pulse el botón **Actualizar**.
8. Una vez ha enlazado la aplicación a sus redes, puede publicar sus presentaciones desde PowerPoint. Solo tiene que escribir cualquier mensaje personal y pulsar el botón **Exponer**. El mensaje será publicado junto a un icono que permite el acceso al documento en Windows Live. Al pie del apartado **Compartido con** se indicará las redes en las que ha compartido el archivo.
9. Para terminar, haga clic sobre la opción **Publicar diapositivas** y pulse el botón del mismo nombre.
10. En el cuadro **Publicar diapositivas** puede escoger las diapositivas que desea publicar y su ubicación (una biblioteca compartida, en red o en un sitio **SharePoint)**. Una vez ha publicado sus diapositivas en una biblioteca, usted y otros usuarios autorizados pueden acceder a ellas para reutilizarlas en otras presentaciones. Esto lo podrá hacer desde la opción **Volver a utilizar diapositivas** del comando **Nueva diapositiva**.

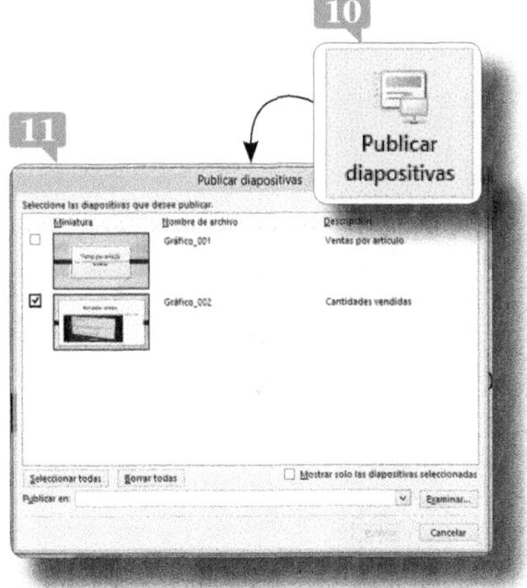

Cada una de las diapositivas publicadas en la **Biblioteca de diapositivas** se almacena como un archivo independiente.

El icono que se publica en las redes remite al archivo en SkyDrive.

Puede deshabilitar los vínculos compartidos cuando quiera.

Realizar presentación en línea

IMPORTANTE

Mientras realiza la difusión, puede abrir otras aplicaciones, esto no interrumpirá la transmisión a aquellos invitados que estén conectados ni les permitirá ver las acciones que ejecute fuera de la presentación.

CON POWERPOINT 2016 ES POSIBLE DIFUNDIR una presentación con diapositivas, en tiempo real, a una audiencia remota a través de un navegador web. La aplicación ubica la presentación en un servidor remoto y le proporciona una dirección URL al presentador, con la cual cualquier persona puede visualizar la presentación.

1. En este ejercicio aprenderá cómo realizar una presentación para una audiencia remota mientras la dirige desde su equipo. Muestre para ello una vez más la vista **Compartir**, pulse la opción **Presentar en línea** [1] y haga clic en el botón del mismo nombre. [2] También podría usar para el mismo fin la función **Presentar en línea** de la ficha **Presentación diapositivas.**
2. Se abre entonces un cuadro de diálogo de inicio de sesión en una cuenta Microsoft. Inserte los datos de la cuenta Windows Live y pulse el botón **Iniciar sesión.** [3]
3. Se abre entonces el cuadro **Conectando con Servicio de presentación de Office** y, una vez terminado el proceso, se abre el cuadro de diálogo **Presentar en línea**, donde se le proporciona una dirección de URL que debe compartir con las personas que desea que sigan la presentación que expondrá a distancia en breve. Puede pulsar la opción **Copiar vínculo** y luego co-

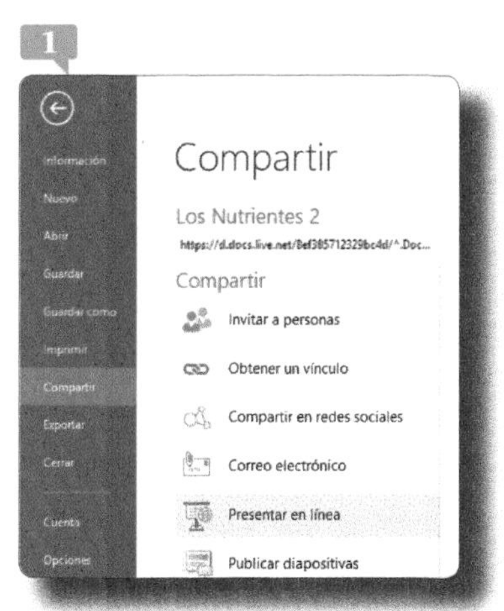

Si copia el vínculo, puede pegarlo en un correo electrónico o un servicio de mensajería instantánea para invitar a otros usuarios a presenciar la presentación a distancia.

piar éste en cualquier lugar. En lugar de esto, pulse el vínculo **Enviar por correo electrónico.** [4]

4. Se crea automáticamente un nuevo mensaje con la URL anterior en el texto. Personalice el texto si le apetece y envíe el mensaje a las personas con las que desee compartir la presentación. Al terminar, pulse el botón **Iniciar presentación.**
5. Se inicia la presentación siguiendo la configuración establecida, tanto en su ordenador como en el explorador de cualquier persona que estuviera conectada a la dirección proporcionada. Si detiene la presentación, retrocede o cambia de diapositiva, cosas que puede hacer desde el menú contextual de la presentación, usando su teclado o desde la botonera que se muestra al llevar el puntero hacia la esquina inferior izquierda de la pantalla, [5] los espectadores remotos verían estas acciones de forma simultánea. Sin embargo, no podrán recibir el vídeo, el audio ni el uso del puntero. Pulse la tecla **Escape.**
6. Los comandos de la ficha **Presentar en línea** han cambiado. Desde el comando **Compartir notas de la reunión** podría compartir con otros usuarios notas de OneNote y desde el botón Enviar invitaciones podría enviar el vínculo apropiado a otros usuarios. Pulse el botón **Finalizar difusión** [6] en el grupo **Presentar en línea** y, en el cuadro de diálogo que se muestra, pulse el botón **Finalizar presentación en línea.** [7]
7. Finalmente guarde los cambios realizados en la presentación usando el comando apropiado de la **Barra de herramientas de acceso rápido** de la aplicación.

100

IMPORTANTE

El paquete Office 2013 incluye la aplicación Lync 2013 Preview, de la plataforma unificada de comunicaciones Microsoft Lync, que le permite compartir de forma aún más eficiente sus contenidos con usuarios remotos, ya sea en ordenadores o en dispositivos móviles. Por ejemplo, entre otras cosas, Lync permite difundir su presentación en línea con audio y con movimientos de puntero, mientras interactúa con su público remoto. Para disfrutar de este servicio, deberá contratar alguna de las licencias de Microsoft Lync pero sepa que también ofrecen una versión de prueba de 180 días.

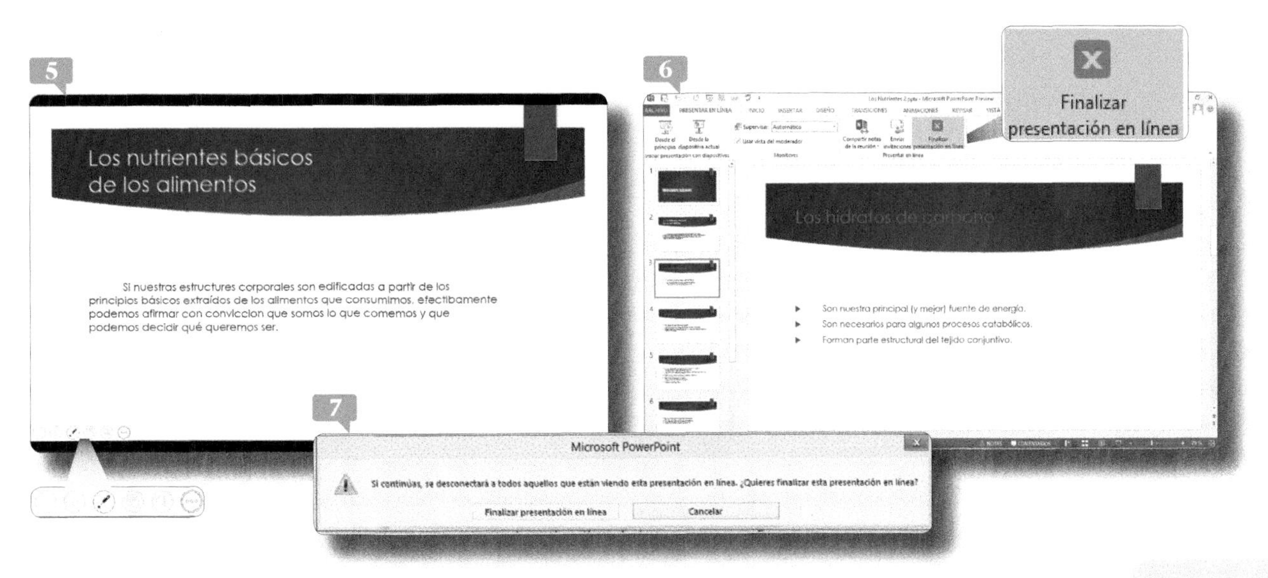

Para continuar aprendiendo...

SI ESTE LIBRO HA COLMADO SUS EXPECTATIVAS

Este libro forma parte de una colección en la que se cubren los programas informáticos de más uso y difusión en todos los sectores profesionales.

Todos los libros de la colección tienen el mismo planteamiento que éste que acaba de terminar. Así que, si con éste hemos conseguido que aprenda a utilizar el programa o ha aprendido algunas nuevas técnicas que le han ayudado a profundizar en su conocimiento del mismo, no se detenga aquí; en la página siguiente podrá encontrar otros libros de la colección que pueden ser de su interés.

OFIMÁTICA

Si su interés se encuentra en los programas de ofimática profesional entonces el libro que está buscando es "Aprender Office 2016 con 100 ejercicios prácticos".

Office 2016, es la nueva versión de la famosísima suite de ofimática del mismo nombre. Entre las distintas aplicaciones que ofrece, hay cuatro que son, por su utilización, más conocidas y tratadas: Word, Excel, PowerPoint y Access.

Con este libro:

- Descubrirá la nueva interfaz mucho más colorida de las aplicaciones de la suite.
- Sacará el máximo partido a la búsqueda inteligente incluida en todos los programas.
- Aprenderá a convertir en digitales ecuaciones y otras fórmulas realizadas a mano alzada.
- Disfrutará de la colaboración con otros usuarios en tiempo real.
- Conocerá la nueva herramienta de ayuda de la suite, mucho más eficaz e intuitiva que las anteriores.

HOJA DE CÁLCULO

Si lo que le interesa es el diseño y gestión de hojas de cálculo, entonces su libro es "Aprender Excel 2016 con 100 ejercicios prácticos".

Microsoft Excel 2016 es el programa de edición de hojas de cálculo más utilizado. Una hoja de cálculo permite efectuar todo tipo de cálculos numéricos de forma automática, siguiendo las directrices que establece el usuario. La interfaz de Excel 2016 cuenta con un agradable diseño cuya nueva Vista Backstage facilita y mejora el trabajo con archivos.

Con este libro:

- Cree las mejores hojas de cálculo
- Gestione eficazmente la información de su empresa
- Obtenga espectaculares gráficos de aspecto profesional
- Comparta hojas de cálculo e información empresarial con otras personas.

COLECCIÓN APRENDER...CON 100 EJERCICIOS PRÁCTICOS

DISEÑO Y CREATIVIDAD ASISTIDOS

- 3ds Max 2013
- 3ds Max 2014
- 3ds Max 2015
- AutoCAD 2010 (TAMBIÉN EN CATALÁN)
- AutoCAD 2012 Básico
- AutoCAD 2012 Avanzado
- AutoCAD 2015
- AutoCAD 2012 Avanzado

- Maya 2014
- Flash CS6
- Flash Pro CC
- Illustrator CS6
- Illustrator CC
- Indesign CS6
- Indesign CC
- Dreamweaver CS6
- Photoshop CS6
- Photoshop CC

- Retoque fotográfico con Photoshop CS5.5
- Retoque fotográfico con Photoshop CS6
- Retoque fotográfico con Photoshop CC 2014

EDICIÓN DE VIDEO

- Final Cut Pro 7
- Premiere Pro CC 2014
- After Effects CC

INTERNET

- Internet Explorer 8
- Windows Live

OFIMÁTICA

- Access 2010 (también en catalán)
- Access 2013
- Excel 2010 (también en catalán)
- Excel 2013
- Office 2013
- Word 2013
- PowerPoint 2013
- Office 2016

SISTEMAS OPERATIVOS

- Windows 7 Avanzado
- Windows 8
- Windows 10
- OS X Yosemite

DISPOSITIVOS

- Raspberry Pi